카마수트라

카마수트라 1

초판 1쇄 발행 | 2017년 11월 01일

지은이 ⓒ KEN 2017
일러스트 ⓒ 애나 2017

교정교열 | 문보람
총괄 디자인 | 89번가
편집 | 나비노블

펴낸이 | 김혜랑
펴낸곳 | (주)메르헨미디어
등록일자 | 2016년 12월 28일
등록번호 | 제 2016-000253 호
ISBN 979-11-88503-36-0 04810
ISBN 979-11-88503-35-3 (세트)

nabinovel@nabinovel.net
http://nabinovel.net

카마수트라

1 KEN 지음
에 나 일러스트

나비노블

Content

카 마 수 트 라

CHAPTER 0
서막

나는 입고 있는 매끄러운 비단옷을 만지작거렸다.

전생에서는 언제나 폴리에스터 혼방만 입어온 내가 걸치기엔 지나치게 미끌미끌했다. 이 감촉은 몇 날 며칠을 입어도 생소하기만 했다.

그나마 익숙한 남자 복식을 입게 되어 쉽게 적응할 수 있었다. 처음 내어준 여자 복식을 입었을 땐 기겁을 했다. 몸에 지나치게 들러붙고 치렁치렁하여 불편하기 짝이 없었다.

나는 화려한 직물 카펫 위에서, 양 모서리에 금술이 달린 화려한 쿠션을 끌어안으며 뒹굴었다. 이 세계에 왔을 당시만 해도 목을 간신히 넘겼던 머리칼은 어느새 부쩍 길어 카펫 위에 흐트러졌다.

천을 늘어트려 만든 펑퍼짐한 바지가 올라가 맨 종아리가 훨씬 드러났는데, 위에 입은 상의는 정강이까지 내려오는 것이 원피스라 해도 좋을 만큼 길었다. 그냥 상의만 입고 바지는 벗어도 상관없을 것 같았지만, 이곳 사람들이 기겁할 것을 생각하니 고이 참을 수밖에 없었다.

무엇 하나 익숙한 것이 없었다. 그러니만큼 여기가 내가 「본디」 살던 곳이라 주변인들이 아무리 주장해도 실감이 나지 않았다. 영혼이 기억하는 추억과 기시감 따위는 하나도 남아 있지 않았으니까.

꿈이라도 꾸는 것 같다.

이 세계에서의 일도. 내가 죽은 일도.

그렇게 내가 이질감에 몸서리치며 뒹굴고 있을 때, 여관들이 고개를 숙이며 방에 들어섰다.

"카마를 뵙습니다."

나에게서 멀찍이 떨어진 여자들은, 나와 눈이 마주치는 것조차 황공해하는 듯한 모습이었다. 여관들이 가져온 것을 보아하니 간식 때가 된 모양이었다.

때 되면 밥 주고, 개 팔자가 상팔자라고는 해도 아주 애완동물 취급이 따로 없네. 여관들이 내 앞에 간식을 늘어놓는 것을 보며 나는 늘어지게 하품을 했다.

"무화과와 차게 식힌 라씨를 가져왔습니다."

차분하게 말할 것을 엄하게 교육받은 목소리가 흔들렸다. 슬쩍 내리깐 눈썹은 묘한 흥분으로 바르르 떨렸다.

술탄의 하렘에서는 여관이라 할지라도 어여쁘기 그지없었다. 귀한 옷을 입은 채 온갖 수발을 받고 있는 나보다도 더 기품이 넘치고 아름다웠다. 속눈썹 위로 이쑤시개가 서너 개는 올라갈 법한 여관의 얼굴을 빤히 내려다보며, 나는 손을 휘적휘적 저었다.

"무화과는 치우고 라씨만 거기에 둬. 커피는 없어?"

"커피도 금방 올리겠습니다. 로쿰도 같이 올릴까요?"

"그래."

그냥 주는 대로 먹어도 될 것을, 나는 일부러 짓궂게 굴었다. 취향껏 지시를 내리기가 무섭게 여관들은 방을 빠져나갔다. 나는 엎어진 그대로 라씨를 향해 손을 뻗었다. 자기 잔의 차가운 표면에 손이 닿자 송골송골 물방울이 맺혔다.

여관들은 금세 내가 요구한 것을 준비했다. 넓적한 쟁반의 테두리는 세밀하게 조각된 채 금으로 도금되어 있었고, 라씨를 담은 것은 이곳에서 귀하디귀한 유리잔이었다. 무엇 하나 허투로 한 것이 없었다.

하지만 아무리 새장이 좋아봐야 새장 속의 새가 기꺼워하겠는가.

내가 머물고 있는 곳은 하렘 속에 있는 붉은 궁전이다.

궁전이라기엔 작은 공간이지만, 그래도 나 홀로 궁전을 쓴다는 생각에 처음에는 술탄이 내 대접을 거하게 해주는구나 싶어 아무것도 모르고 희희낙락했다.

하지만 그 궁이 하나의 거대한 새장이라는 걸 깨닫기까지는 그리 오래 걸리지 않았다. 처음에 아무것도 모르고 좋다고 한 것이 우스울 정도였다. 내가 가는 길을 막는 이는 없지만, 내가 가는 곳마다 사람이 치워졌다. 가끔 만나는 상대가 반갑다 보니 슬쩍 호감을 담아 말을 걸어보았지만, 그들과는 두 번 다시 만날 수 없었다.

멍청이도 아니고 이런 상황이 거듭되는데 날 이곳에 박아둔 술탄의 의도를 짐작하지 못할 리가 없었다.

연금이나 다름없는 상황이 되니 자연스레 취미는 먹고 자고, 가끔 산책하고. 그것 외에는 정말 할 게 없었다.

21세기 문명의 즐거움을 양껏 향유하던 상태에서 천 년 전이라고 해도 무리가 없는 문명으로 갑자기 뚝 떨어지니 심심해 죽을 것 같았다. 신의 안배인지, 그나마 글이라도 읽을 줄 아는 게 다행이었다.

하지만 아무리 심심해도 공부를 하고 싶지는 않았다. 이전 세계에서도 수능 공부니 뭐니 죽어라 공부만 하다 온 상태였다. 얻을 만한 정보는 충분히 얻었는데 굳이 여기에서까지 책에 파묻히고 싶은 생각은 없었다.

하여간 그리 온갖 방종한 생활을 해도 내 특수한 신분으로 용납되는지, 만나는 시종마다 경의와 존경의 눈빛을 하고 날 보았다. 우스운 일이었다. 여전히 순박한 눈매로 날 바라보는 시종을 보니 반발심이 들끓었다. 나는 신경질적으로 짜증을 내었다.

"이건 민트 향이지 않으냐. 장미 향으로 다시 가져와라."

예전 세계였다면 진상 중의 진상이 따로 없었다. 알바할 때 욕하던 이들의 행태를 그대로 따라 하고 있는 내 모습에 헛웃음이 나왔다.

하지만 나로서도 변명할 거리는 있었다. 이곳은 정말 심심한 곳이었고, 그나마 말이라도 섞을 수 있는 이들은 저들이 유일했다. 그러다 보니 자연스레 시종을 괴롭히는 쪽으로 노선을 트는 것도 당연했다.

나라고 저들에게 잘 대해주고 싶지 않을 리가 있을까. 하지만 아무래도 날 이곳에 박아놓은 장본인인 술탄이 내가 타인에게 호감을 느끼는 걸 싫어하는 듯하니, 내가 할 수 있는 건 기껏해야 화내고 짜증 내고 그런 것들밖에 없었다.

하지만 여관들은 한 톨의 불쾌감 없이 고개를 조아렸다. 내 말이 곧 법이요, 내 취향을 미처 맞추지 못한 그들의 불충이라 생각하는 것 같았다. 사람을 상대하는데, 상대가 사람이 아니었다. 그들에게서 돌아오는 답은 내 말에 대한 긍정뿐이었다.

손바닥도 마주쳐야 소리가 난다고, 나 혼자 계속해서 주먹을 휘둘러 봐야 상대가 받아주지를 않으니 헛수고였다. 홀로 아무리 지저귀어보았자 의미가 없으니, 나는 외로움에 몸서리가 쳐졌다.

어쩌다 이렇게 되었을까. 나는 그저 평범한 학생이었을 뿐이다. 물론 아주 평범하다고 하기엔 사람 개개인의 특성이 다르기는 하지만, 특출한 것 없고 눈에 띄지 않는, 표본을 줄 세운다면 평균 집단 안에 쏙 들어가 있을 만큼의 평범함이었다.

나는 대접받는 것보다는 대접하는 것에 익숙했다.

내가 할 일은 내가 직접 해야지, 누군가가 이유 없이 도와준 적도 없었다.

예를 들어 이런 일이 있었다. 학교에서 책걸상을 날라야 한다며 반에서 세 명씩 선택해야 했는데, 상대적으로 키가 큰 편이었던 내가 그 세 명에 끼게 되었다.

이런 건 남자반에서 전담해서 하면 안 되느냐고 투덜거려도, 선생님은 교무회의에서 결정한 일이라 어쩔 수 없다는 말뿐이었다.

하여간 그리 끙끙대며 책걸상을 나르며 복도를 걸어도, 주변 남자애들은 도와주는 법이 없었다. 물론 나도 기대는 하지 않았다. 하지만 때마침, 건너편에서 문제지를 한 아름 들고 걸어가는 옆 반 여자애가 보였다.

학년에서 제일 예쁜 여자아이였는데, 그 아이가 몇 걸음 걷기가 무섭게 남자애들 몇이 그 여자애의 문제지를 들어주겠다며 나서는 게 보였다.

기대조차 하지 않았지만, 그건 좀 상처였다.

생글 미소 짓기만 해도 떡 하나 더 받는 예쁜 여자애들의 인생은 어머니 배 속에서 나왔을 때부터 없는 선택지였다.

나는 삐죽삐죽 거친 머리끝을 손가락으로 잡고 비비 매만졌다. 쭉 찢어진 쌍꺼풀 없는 눈매에 툭 튀어나온 뼈대는 갈까마귀가 따로 없었다. 확실히 거짓말로라도 예쁘다고 말할 수 없는 외모였다.

그런 나에게 이곳에서의 생활은 즐겁고 기쁘고 새롭다기보다는, 그냥 이질적이고 어색한 것이었다. 누구나 다 나에게 잘 보이고 싶어 했고, 나에게 무언가 해주지 못해 안달이었다. 나와 얼굴이라도 마주하면 달아오른 얼굴 가득히 채운 호감을 감추지 못했다.

이 모든 것이 맞지 않는 옷을 입은 듯 꺼끌거리고 불편하기 짝이 없었다.

나는 손가락을 뻗어 로쿰을 집어 들었다.

설탕과 옥수수가루가 엉긴 로쿰은 젤리라기엔 딱딱했고, 사탕이라기엔 진득했다. 약간의 독특함을 주기 위해 첨가된 장미 향이 입 안에 퍼졌다.

나는 천장을 보며 발라당 배를 내밀고 몸을 뒤집었다. 발끝을 까닥까닥 움직이며 턱을 움직이니 로쿰은 금방 사라졌다.

시선이 닿는 곳에는 불꽃 모양 아치 형태의 천장이 있었다. 이 정도면 질릴 만한데도, 압도적일 정도로 화려한 천장화는 매번 새로웠다.

천장화마저도 소홀함이 없는 궁의 화려함이 술탄의 권세를 나타내고 있었다.

마치 아랍이나 동남아의 어드메 같은 이곳은 불의 왕국, 아그니. 절대로 지구 위에 존재한 적도 없고, 존재할 리도 없는 곳이다.

정말 믿고 싶은 일은 아니지만, 난데없이 아그니에 떨어진 나는 이곳에서 성욕의 신, 카마로 불리고 있었다.

CHAPTER 1
성욕의 신, 카마

성욕의 신이라니! 전생에 모태솔로로 죽은 나를 가엾이 여긴 신의 농간도 아니고, 어쩜 이렇게 우습지도 않은 명칭에 권능을 갖게 되었는지 화가 날 정도였다.

그 이야기를 듣던 당시의 나는 막 자기 죽음을 깨닫고, 난데없이 밀려들어 오는 정보를 곱씹느라 그에 대해 아무것도 아니겠거니 하고 허술하게 넘어갔다. 그렇게 쉽게 넘길 사안이 아니었는데. 다른 신으로 바꿔주는 건 고사하고 하다못해 그 권능을 버릴 수라도 있는지 물어나 볼걸. 그때 제대로 묻지 못한 것이 한이었다.

죽기 전이면 전생이라 해도 되는 걸까⋯⋯. 하여간 전생의 나는 택시를 타고 급하게 병원에 가고 있었다.

갑작스레 엄마가 쓰러져서 병원에 입원했다는 말에, 나는 시외할증료가 붙는 것도 개의치 않고 택시기사에게 최대한 빨리 가달라 부탁했다. 택시기사 또한 어머니가 위독하다는 말에 속도를 내었다. 하지만 너무 속도가 붙었을까. 아니면 갑작스레 끼어든 트럭이 문제였을까. 택시는 갑작스레 끼어든 트럭의 등장에 속도를 줄였지만, 그래도 미처 감속하지 못하고 그대로 트럭의 뒤꽁무니를 들이받았다.

하필이면 트럭은 철골들을 적재용량보다도 그득그득 채운 차였고, 엎친 데 겹친 격으로 철골들은 그대로 택시의 앞 유리를 깨고 우르르 들이닥쳤다. 왜 나는 조수석에 탔을까. 아니, 뒷좌석에 앉았어도 그다지 상황이 다르지는 않았을 것이다. 하여간 나는 철골들에 꿰뚫린 채 사망, 위독한 엄마보다도 일찍 세상을 떠난 불효녀가 되고야 말았다. 끔찍한 일이었다.

하여간 내가 죽기가 무섭게 들이닥친 신은, 기독교에서 말하는 예수도 아니요, 사신도 아니었고, 한국에서 전승되는 저승사자도 아니었다.

[드디어 너를 다시 만나게 되었구나.]

그가 무척이나 반갑게 나를 맞이한 덕에, 나는 내가 죽었다는 사실도 잊고 깜짝 놀랐다. 그는 자신을 카르마의 주신이라고 설명하고는, 나를 그의 자식이라고 말했다.

무슨 엉뚱한 소리인지.

애초에 신의 자식이었다면 내가 이러고 있는 것도 우스운 일 아니겠는가. 나는 그가 신이라는 말도 믿지 못하고 흰 눈으로 그를 보았다. 혹여 날 홀려서 구천을 떠돌게 하려는 악령일지도 모른다고 생각했다. 사특한 악령이라기엔 심히 성스러워 보였지만, 악덕 보이스피싱도 아니고 다단계 판매업자도 아니고 나 좋은 이야기만 주렁주렁 늘어놓는 자의 말을 쉽게 믿는 것은 요원한 일이었다.

어쩌면 내가 죽었다는 것도 저자에게 홀린 것일지도 모른다. 사실은 환상이었던 거야. 그렇게 믿지 못하는 나에게 저 시발놈의 신은 내가 죽은 걸 확인시켜주겠다며 굳이 내 죽은 현장을 보여주었다.

신의 배려 덕분에 나는 영혼 상태로도 토악질을 할 수 있다는 걸 깨닫게 되었다.

죽은 걸 제대로 부정해보기도 전에 확인 사살을 당한 나는 한참을 웩웩대었다. 자신을 주신이라 설명한 사내는 헛구역질을 계속 해대는 나를 연민 어린 눈으로 바라보았다. 그는 내가 인간의 껍질을 뒤집어쓰더니 정말 인간처럼 군다며 안쓰러워했다. 나는 인간이 맞으니 이런 반응을 보이는 것도 당연하다 주장했지만, 그는 내 대답을 묵살했다.

"내가 왜 당신 자식이에요? 당신이 그 카르마인가 뭔가 하는 세계의 신이면, 나도 당연히 거기 살아야 하는 거 아닌가요?"

[나는 신이었지만, 네 어미는 인간이었단다. 너는 반신으로서 태어났지. 반신은 불로의 능력을 갖지만, 불사는 아니란다. 너는 내가 총애하는 유일한 자식으로 내가 애지중지 키웠지만, 몹쓸 인간의 손에 죽고 말았어.]

반신을 죽일 수 있는 인간이라니, 대단하다. 나는 나를 죽였다는 사람에 대한 감탄으로 헤, 하고 입을 벌렸다. 그도 그럴 것이 전생의 죽음이 어찌 되었든, 현생의 죽음만큼 충격적이지는 않았으니까.

[죽음은 쉬이 다룰 수 있는 것이 아니지. 죽인 자와 죽은 자 사이에는 카르마가 묶이게 되고, 인과율에 따라 필연적으로 너는 그자와 엮이게 되었단다. 네 영혼을 윤회시킨다 하더라도 이미 엮인 카르마를 풀 수는 없지. 그렇기에 나는 생신과 멸신에게 부탁하여 다른 세계, 지구에 영혼을 위탁했고, 지구에서 살아가며 너를 휘감고 있는 악한 기운을 지워내고 그와 엮인 속세의 연을 끊어내었단다.]

돈세탁 같은 건가. 나는 그렇게까지 해야 할 필요가 있는지 궁금했지만, 그리 말하는 자칭 내 부모의 얼굴이 사뭇 진지하여 꼬투리를 잡지 못했다.

[널 죽인 자의 영혼이 계속해서 너와 엮일 걸 생각하니 끔찍했다. 하지만 이제 너는 다른 세계를 거친 영혼이야. 생신과 멸신의 고리에서 떨어져 나온 존재지. 인과율은 영향을 미치지

못하니, 이제야 안심하고 널 데려올 수 있게 되었구나.]

나에게는 전생에 날 죽인 자라든가, 인과율이라든가 같은 것들보다는 병원에 누워 계실 엄마 걱정이 더 컸다. 내가 죽었다는 이야기를 듣고 충격받아서 상태가 더 안 좋아지면 안 되는데. 나에겐 그게 더 중요한 문제였다.

"그럼 저, 지구에서의 저는, 어떻게 되는 거예요?"

[저대로 육체는 소멸하고 영혼은 우리 세계로 돌아가는 거지.]

"그러면 우리 부모님은요?"

[아, 네 인간 육체를 만들어준 이들 말이냐? 네가 죽었다고 알게 될 테지. 하지만 걱정하지 마라. 인간은 덧없는 존재이니만큼……]

"신, 이면. 뭐든지 할 수 있는 건가요?"

나는 반색하며 물었다.

내 들뜬 목소리를 어떻게 받아들인 건지, 주신은 미묘한 표정을 지었다.

[이 세계는 나의 세계가 아니라 많은 권능이 주어지지는 않는단다. 혹여 이 세계에서 다시 살아나게 해달라는 말을 하지는 않았으면 좋겠구나.]

상대는 주신인지라 얼굴에서 의미를 읽는 것은 불가능에 가까웠지만, 행간 정도는 충분히 파악할 수 있었다. 물에 빠진 상황에서 지푸라기를 잡듯, 나는 다급하게 덧붙였다.

"그것까지는 바라지도 않고. 저희 엄마, 많이 아프다는데 낫게 해주시면 안 되나요?"

[그거야 어려운 일은 아니지.]

"그러면 부모님이랑 저희 가족 기억에서 절 지울 수는 있어요?"

[그것도 어려운 일은 아니란다.]

"……그거면 됐어요."

나는 안도의 한숨을 뱉었다. 아빠나 오빠와 사이가 좋은 편은 아니었지만, 지금처럼 그 존재가 기꺼웠던 적이 없었다. 내가 사라져도, 내가 잊혀도. 두 사람이 곁에 있으니 엄마는 괜찮을 것이다. 나는 그리 믿었다. 믿는 수밖에 없었다.

눈앞의 상대가 내 부탁을 들어줄 거라고 완전히 믿는 것은 아니었지만, 신이라는 작자가 애써 행차하여 날 데리러 왔다. 그렇게까지 해서 손에 쥔 나를 순순히 놔줄 리는 없을 것이었다. 저것으로 만족한 나는, 결연히 고개를 끄덕였다.

몇 번을 되짚어 생각해도 이런 말도 안 되는 일이 평범하디 평범하게 살아온 나에게 일어나는 이유를 알 수 없었다. 신의 자식이니 원래의 세계니, 모두 특별한 아이들에게만 있는 일이라고 생각했다.

"그래서, 저는 그 세계에서 다시 태어나면 되는 거예요?"

[아니, 네 육체 그대로 옮겨 갈 거란다.]

"가서 뭘 하면 되는데요?"

[내 가호 아래, 너 하고 싶은 대로 살면 된단다.]

"반신이라면서, 뭐, 그냥 살면 되는 거예요? 의무도 없이?"

주신의 말을 들은 순간, 내 얼굴이 와락 일그러졌다. 비록 죽긴 했지만 이 세계에서 멀쩡하게 잘 살던 날 데려다가 도대체 뭘 하고 싶은 건지 알 수가 없었다. 이렇게 직접 와서 데려가려고 벼를 정도였다면 뭔가 대단한 역할이 나에게 있을 거로 생각했는데, 그게 아니라 하니 허탈한 한편 주신이 무언가 숨기는 게 있는 것은 아닌가 하는 의심이 들었다.

[원래 부모란 그런 존재이지 않느냐. 자식의 행복을 기원하면서도 내 품 안에 머물기를 바라는 모순된 존재. 신이라 해도 별반 다르지는 않단다.]

주신이 쓰게 웃었다. 주신이 한 말의 의미를 완전히 깨닫지는 못한 나는, 그러려니 하고 가볍게 고개를 끄덕였다.

주신은 또 내가 죽을까 봐 걱정된다며, 이번에 육체를 옮기면서 좀 더 권능을 부여해주겠다고 말했다. 자식이라는데 어련히 하지 않을까 싶었던 나는 고개를 끄덕였다. 주신은 한참을 중얼거리며 내 몸에 무언가를 하나씩 심었다. 그럴 때마다 내 몸에서 빛이 났다. 퍽 성스러워 보여, 나는 아무 말도 하지 못하고 신기하게 그 광경을 지켜보았다. 몇 번의 과정 끝에 주신이 말했다.

[이제 성욕의 신, 카마로서 다시 화하로다.]

"잠깐, 잠깐. 뭐요? 무슨 신? 서엉요옥?"

나는 당황하여 입을 떡 벌렸다. 일평생 들어본 적 없는 단어가 툭 튀어나오니 얼굴이 홧홧하게 타올랐다. 주신은 그런 내 반응에도 건조하게 이유를 설명할 뿐이었다.

[인간인 네 어미의 몸으로는 신의 그릇을 품는 것이 한계요, 신의 그릇을 빚을 능력은 되지 않았단다. 네 어미의 몸에 유일하게 남은 것은 내가 네 어미에게 욕정한 정욕뿐. 그렇기에 너는 성욕의 신으로서 태어난 것이다. 그것은 네 영혼에 새겨진 권능이니만큼 다시 돌아가도 마찬가지일 것이야.]

"그, 그거 뭐 음란하고 그런 거 아니에요? 저 예전 세계에서는 그런 거 하나도 없었는데. 저 그런 거 진짜 쥐뿔도 모른단 말이에요. 숙맥이라고요!"

[그 세계와 이 세계의 파장이 달라서 그런 것이란다. 넌 그냥 네가 하고 싶은 대로 살면 된다. 미천한 인간들이 널 사랑할 뿐이야.]

섹스의 신처럼 굴지 않아도 된다는 사실에 안도한 나는 얼떨결에 고개를 끄덕였다. 사람들에게 사랑받는다는 주신의 말에 나는 사랑과 미의 여신 아프로디테나 뭐 그런 것과 비슷하진 않을까 착각하기도 했다. 예쁘고 좋잖아.

하지만 그것은 단단한 착각이요, 그 실체가 이런 건 줄 알았으면 이 세계에 오겠다 그렇게 쿨하게 끄덕이지는 않았을 것이다.

인제 와서 후회하면 뭘 해. 이러니저러니 해도 결국 나는 성욕의 신인걸. 나는 한숨을 뱉었다. 지금까지의 모진 고생과 앞으로의 고생에 대한 걱정이 버무려진 깊은 한숨이었다.

๑๑·❤·๑๑

주신과의 대담을 마치고, 나는 바로 이 세계로 떨어졌다. 떨어졌다고 표현은 했지만, 나로서는 그냥 눈을 감았다가 뜨니불 속이더라, 하는 상황이었다.

갑자기 눈앞에서 붉은 불꽃이 날름거리며 휙 타오르니, 나는깜짝 놀라 뒷걸음질 쳤다. 하지만 내가 있는 곳 또한 불 속이었으며, 불이 전혀 뜨겁지 않다는 걸 깨달은 뒤에야 나는 진정할 수가 있었다.

일렁이듯 나를 휘감고 있는 불꽃에 앞이 보이지 않았다. 무언가 불 밖에서 소란스러운 소리가 들렸는데, 당장 귓가에서웅웅대듯 타오르는 불길 소리에 가려 제대로 분간할 수가 없었다. 나는 한 걸음 조심스레 발을 옮겼다.

발바닥에 축축한 액체가 닿았다. 기름인가. 바로 위에 불이 붙어 있는데 설마 물은 아니겠지. 나는 불 속에서 찰박이는 이상한 기분을 느끼며 무슨 수풀이라도 헤치는 듯이 불길을 헤치고 걸어 나갔다. 손끝에 닿는 불꽃의 느낌이 왠지 모르게 살랑살랑했다.

몇 발짝 걸었을까, 불꽃 밖의 상황이 서서히 시야에 들어왔다. 나는 그제야 내가 있던 곳이 제단이라는 걸 깨달았다. 눈에 처음 들어온 것은 나를 기점으로 절을 하는 수없이 많은 사람이었다. 중동식 복장으로 보이는 것들을 차려입고 터번을 쓴 이들이 몇 번이고 허리를 숙이다가 나를 발견하고는 그대로 뻣뻣이 굳었다.

무슨 파도타기 하는 것도 아니고, 나를 발견한 이들이 하나둘 그 자리에 섰다. 그러고는 경악과 환희, 숭배에 가까운 표정으로 나를 멍하니 지켜보고 있었다. 어색해 죽을 것 같은 상황에서, 나는 떨떠름하게 턱을 긁었다. 그래도 다들 눈코 입 멀쩡하게 달린 걸 보아 그다지 이상한 세계는 아닌 것 같았다.

제일 먼저 정신을 차린 것은 사람들의 무리에 있던 이였다. 제일 화려한 복장을 하고 있던 젊은 사내가 나에게 조심스레 다가왔다. 당시의 나는 제단에서 내려와도 되는지 한창 간을 보던 중이었다.

그런 내게 사내가 손을 뻗었다. 에스코트하는 모양새에 나는 안도하고 그의 손을 잡았다. 내 손이 그의 손바닥 위에 겹쳐지기 무섭게 사내의 손이 내 손을 움켜잡았다. 나는 깜짝 놀랐지만, 안 그래도 발바닥이 기름으로 미끌미끌하던 차였다. 혹시나 계단에서 미끄러질까 그가 걱정하여 그런 것이라 생각했다. 나는 사내의 부축을 받아 계단을 내려섰다.

바닥에 도착하고야, 나는 나를 부축하던 사내의 키가 크다는 걸 알 수 있었다.

나도 여자치고는 큰 키였지만 나보다도 손바닥 하나 정도는 더 큰 것이 180은 훌쩍 넘기는 것 같았다. 그래도 익숙한 키, 익숙한 형태였다. 거인족이나 소인족, 호빗이라든지 그런 유사 인간은 아닌 모양이다. 그나마 위화감이 덜 느껴지는 것에 나는 안도했다.

……라고 생각했다. 사내의 얼굴을 보기 전까지는.

방금까지야 하도 급작스러운 상황에다 뒤에서 타오르는 불길 때문에 정신이 어지러워 사내의 생김새를 제대로 뜯어보지 못했다. 하지만 이제 땅에 발바닥도 디뎠겠다, 사내에게 감사를 표하기 위해 그를 올려다본 나는 순간 숨이 막히는 기분이었다.

구릿빛 피부는 밀크 초콜릿색과 같았고, 길러 내린 검은 머리칼은 내 퍼석한 머리칼과 달리 윤기가 좌르르 흘렀다. 사내는 터번 밑으로 긴 머리칼을 땋아 내렸는데, 그 길이가 허리에 닿을 정도였다.

남자가 머리를 길러봤자 징그러울 뿐이라고 생각했던 것이 우스울 정도로 긴 머리칼이 잘 어울리는 남자는, 미켈란젤로가 제2의 다비드상을 깎아낸 결과물이 저 사내라 말해도 믿을 만큼 잘생겼다.

사내는 나와 눈이 마주치기가 무섭게 바닥에 한쪽 무릎을 꿇고는 나에게 머리를 조아리며 물었다.

"성스러우신 분의 성함을 알려주실 수 있는지요."

그의 입술에서 흘러나오는 말들이 이해되는 것이 더 소름 끼쳤다. 생김새만 봐서는 알 수 없는 외국어를 쌀라쌀라 할 것 같은데! 평생 이렇게 잘생긴 남자는 모니터 안, 혹은 TV 속에서밖에 본 적이 없던 나는 사내의 과도한 상전 취급에 떨떠름했다. 무슨 온라인 퀘스트를 하는 것 같았다. 눈앞의 사내는 NPC인 거고, 이 세계에서의 내 이름은 카마인 거고. 나는 방금 강제로 개명당해 익숙해지지 않은 이름을 머뭇거리며 입에 담았다.

"……카마."

내 입으로는 거기까지. 차마 성욕의 신이라는 칭호를 덧붙일 수가 없었다. 아무리 좋게 여기려 해도 성욕의 「성」 자만 생각하면 소름이 오소소 돋았다. 하지만 그런 내 필사적인 노력을 비웃기라도 하는 듯, 사람들이 웅성거렸다.

"오오오, 카마라 함은……!"

"주신의 자식이자, 성욕의 신인……!"

아아아아아아아악, 귀를 틀어막고 싶은 심정이었다. 가능하다면 악악 소리를 쳐대서라도 성욕의 신이라는 단어를 입에 담는 저들의 주둥이를 딱 다물게 하고 싶었다. 하지만 그렇게 하기엔 수군대는 사람들의 수가 너무 많았다. 나는 애써 아무렇지도 않은 척, 괜찮은 척, 뻔뻔한 척 가장한 채 콧대를 세웠다. 아무리 평정을 가장해도 얼굴이 홧홧했다. 그나마 드리워진 불길에 붉어진 얼굴을 숨길 수 있다는 게 위안이었다.

"나는 아그니의 술탄, 자마드라 합니다. 카마를 아그니에서 모실 수 있어 영광입니다."

사내는 제비꽃과 같은 보랏빛 눈동자를 휘감아 웃으며 말했다. 나는 얼떨결에 홀린 듯 고개를 끄덕였다. 분명 멍청한 표정일 테지. 표정 관리 좀 할걸. 나는 한참 늦은 뒤에서야 후회했다.

이쪽은 술탄을 얼굴로 뽑나. 그리고 보니 이전 세계 이야기이기는 하지만, 술탄이라 하면 하렘이라는 단어가 뒤따라오는 것이 인지상정. 과연 이 세계와 저쪽 세계의 상식이 얼마나 유사할는지는 모르겠지만, 좌우지간 하렘이라 하면 미녀들 천지 아닌가. 아무리 못생긴 왕조라 할지라도 그런 식으로 몇 대나 대를 이어 내려왔다면 지금의 술탄이 저리 생긴 미친 미모인 것도 이상한 일은 아니었다.

술탄이라는 남자의 얼굴을 보니 어질어질함이 더해졌다.

게다가 주변의 시선이 오로지 나에게만 향해 있는 상황도 부담스럽기 그지없었다. 지친 나는 몸을 제대로 가누지 못하고 비틀거렸다. 생각해보니 주신과의 대화에서부터 내 정신적인 피로도는 맥스에 달했다.

아니, 애초에 나 죽고 나서 얼마 있지도 않아서 바로 여기 끌려왔다고. 내 죽음에 대한 부정, 분노, 타협, 우울, 수용의 5단계 정도는 거쳐줄 여유는 있어야 하는 거 아닌가.

저들이 무슨 대답을 바라는지는 모르겠지만, 난 피곤했다. 지쳤다고!

"……피곤해."

설마 내가 반신이라는데 반말을 썼다고 목을 베어내거나 하지는 않겠지. 술탄이라는 자가 무릎을 꿇고 존대할 정도면, 나 그냥 막말해도 되는 거 아닌가? 안 그래도 주신이 날 보내면서 나 하고 싶은 대로 살라고 했는데. 다행히 내 걱정이 무색하게도 술탄도, 그 주변 사내들도 내 하대에 별로 개의치 않는 것 같았다. 술탄은 사르르 웃으며 대답했다.

"잠시만 기다리십시오. 카마를 모실 준비를 하라."

"……어디로 모실까요?"

시종의 말에 술탄이 귓속말을 하는 듯 소곤댔다. 태양의 방으로. 모기보다도 작은 소리로 속삭인 소리였지만 내 귀에는 무척이나 또렷이 들렸다. 반신이라더니 이런 소소한 능력도 생긴 모양이었다. 태양의 방이 어딘지 궁금했지만, 훔쳐 들은 꼴이라 대놓고 물어보긴 좀 민망했다.

그래도 내칠 생각은 없는 것 같았다. 당분간 머물 곳은 있어서 다행이다. 나는 속으로 안도의 한숨을 내쉬었다.

술탄은 나를 향해 손을 내밀었다. 손을 잡으라는 뜻인 게 분명한데, 굳이 낯선 남자의 손을 잡고 걷는 취미는 없었다. 상대가 아무리 잘생긴 남자여도 말이다. 이쪽 예법인지는 모르겠지만, 탐탁지 않았던 나는 주저하며 고개를 내저었다. 잘생긴 남자는 거절당하는 모습조차 우아했다. 입꼬리를 잡아 올려 매력적인 미소를 지은 술탄은 고개를 끄덕이고는 자연스레 손을 물렸다.

"이쪽으로."

술탄의 뒤를 쫓았다. 내가 있는 곳이 신전이나 뭐 그런 곳일 거로 생각했는데, 그건 아닌 듯 복도 하나를 건너기가 무섭게 화려한 궁이 모습을 드러냈다. 발이 닿는 바닥에는 모조리 화려한 직물 카펫이 깔려 있었다. 이걸 밟아도 되나 걱정이 되었지만, 술탄의 발걸음이 원체 거침없는지라 나도 눈을 꾹 지르 감고 발을 내디뎠다. 근처 일본이나 중국 같은 곳은 한두 번 가봤지만, 중동 쪽은 한 번도 가본 적이 없었던 나는 감탄 어린 시선으로 궁을 훑었다.

"모쪼록 카마께서 보시기에 궁에 부족함이 없었으면 좋겠습니다."

"……훌륭한데."

너무 관광객 같은 마인드였나 싶었던 나는 급히 시선을 추스르며 머쓱히 답했다. 내 대답에 술탄은 영광스럽다는 듯이 활짝 웃었다. 술탄이라는 위치에 있는 사람이 이렇게 잘 웃어도 되는 건지 조금 궁금했지만, 물어볼 정도는 아니었다. 내 짧은 단답에도 술탄은 기쁜 듯이 말을 이었다.

"카마의 드높은 명성에 걸맞게, 무척이나 아름다우십니다. 제 하렘의 여인들 전부와 바꾸고자 하여도 값이 맞지 않겠군요."

"……."

술탄의 말에 나는 순간 멈칫했다. 얘가 잘생겼다고 날 놀리나, 싶었다. 걸어 다니는 단독 미남 조각상이 명화 엑스트라로도 못 나오게 생긴 날 보고 뭐라고 하는 거야. 떨은 내 표정을 읽었는지, 술탄이 화들짝 놀라며 말을 수습했다.

"아, 제 농이 지나쳤습니다. 카마의 외모에 홀렸는지, 예에 맞지 않는 말이 절로 나오는군요. 미천한 종의 실수를 귀여이 봐주시길 바랍니다."

당황하여 쩔쩔매는 술탄의 말에는 거짓된 기색이 없었다. 술탄은 보랏빛 눈동자에 진실한 경건함을 담고 나를 빤히 바라보았다. 사랑스러운 것을 보는 듯한 시선에서는 열기가 느껴졌다. 진실 어린 그의 말에 괜히 기대감이 부풀었다.

혹시, 나, 조금은 예뻐진 건가?

예뻐지기는 개뿔.

나는 물에 비친 내 얼굴이 죽기 직전과 하등 다를 바가 없다
는 것에 좌절하고 절망했다. 향료라도 두어 방울 뿌렸는지 세
안 물에서는 좋은 향기가 났으며, 물 위로 꽃잎이 둥둥 떠다녔
다. 그 사이로 비치는 내 원래의 얼굴은 이질적이기 짝이 없었
다. 난 투덜거리며 내 얼굴을 매만졌다.

술탄이 아름답다 칭찬한 것도 그렇고, 성욕의 신이라는 말에
조금이라도 예뻐질 줄 알았더니 이전 모습 그대로였다. 좀 더
예뻐져도 나쁘진 않을 텐데. 내 얼굴이 싫은 건 아니지만, 미인
이 된다는 것까지 거부하고 싶은 건 아니었다. 게다가 술탄을
비롯하여 지나가며 본 시종이며 뭐며 다들 미남이더구만. 아마
이 세계의 미적 기준이 특출하게 이상한 게 아니라면, 나는 분
명히 이 황성에서만큼은 평범함 이하의 얼굴이라고 자부할 수
있었다.

시종들이 갈아입을 옷이라며 화려한 비단을 가져왔다. 스르르륵, 손가락 사이로 빠져나가는 느낌이 이상했다. 그건 그렇다 치더라도 주어진 옷을 어떻게 입을지 감도 잡히지 않았다.

"이거 어떻게 입는 거야?"

난감한 표정으로 시종을 바라보니, 시종들 또한 난처한 표정으로 안절부절 어찌할 줄을 몰랐다. 그냥 입혀주면 되는 거 아닌가? 보통 이런 데 떨어지면 옷시중도 들어주고 잘하던데. 아니. 하다못해 옷가게에서도 전통복 같은 건 직접 입혀주는 서비스를 한다고. 시종들이 남자라서 꺼리는 건가? 그러면 여자 시종을 부르면 되잖아. 내 기준으로는 이해가 안 가는 답답한 일이었다.

마음만 같아서는 그냥 이대로 자버리고 싶을 정도로 지쳤던 나는 고작 옷을 가지고 이렇게 시간을 질질 끄는 것이 달갑지 않았다. 불편한 내 심기가 그대로 드러났는지, 시종 중 하나가 후다닥 밖에 나갔다.

그리고 얼마 지나지 않아 술탄이 들어왔다. 나는 대놓고 얼굴을 찌그러트렸다. 뭐야, 설마 옷 입혀주는 것도 쟤 허락을 받아야 하는 거야?

"카마시여, 문제가 있습니까?"

"옷이 처음 보는 거라서."

나는 어깨를 으쓱였다. 우리나라 한복 동정깃 생김새도 제대로 몰라 고름도 제대로 못 매는 처지에 이런 이상한 옷을 척척 입는 게 더 이상했다.

나는 이해할 수 없다는 듯이 물었다.

"그냥 시종들이 입혀주면 안 돼?"

"카마시여, 그건 곤란합니다."

"뭐가?"

"……."

술탄은 곤란하다는 표정으로 나를 바라보았다. 내가 정말 모르는지 떠보는 표정이었다. 뭐가 곤란한지 전혀 알 수 없었던 나는 그냥 눈만 끔뻑끔뻑 떴다. 우와, 잘생긴 사람은 무슨 표정을 지어도 잘생겼구나. 내가 술탄의 외모에 대해 감탄을 하고 있을 때, 술탄은 한숨을 내쉬고 말했다.

"최대한 다른 이들과는 접촉을 피해주십시오."

"왜?"

"……정말 모르시는 모양이로군요. 그대가 성욕의 신이기 때문입니다, 카마시여."

"뭐?"

"카마께 닿기만 하면 저희는 카마를 원하게 됩니다. 물론 카마께서 원하신다면 상관없는 일입니다만……."

그리 말하는 술탄의 표정이 진지했다. 나는 내가 들은 게 맞는지 확인하듯이 술탄을 멍하게 다시 바라보았다.

술탄의 진지한 보랏빛 눈동자는 거짓이라고는 한 톨도 담기지 않은 채 나를 곧게 응시했다.

그러니까, 내가 만지면 불끈불끈해진다는 거지?

갑작스레 알게 된 나의 성(姓)스러운 능력에 머리가 어지러 웠다. 왜 하필 능력도 이런 능력인지. 주신이 앞에 있으면 당장 이 능력 회수해 가라 외치고 싶은 심정이었다.

그러고 보니 나, 술탄하고 손잡은 적 있는데, 술탄은 멀쩡했 던 거 같은데. 물어볼까 싶었다가도, 차마 본인을 앞에 두고 그 때 느낌이 어땠느니 물어보는 건 괜히 성추행 같아서 입을 다 물었다. 그런 내 눈에 술탄의 옷차림이 눈에 띄었다. 유레카! 나는 얼굴에 화색을 띤 채 술탄의 옷을 가리켰다.

"아니면 좀 편한 옷 없어? 빙빙 돌리고 뭐고 할 것 없이 그 냥 걸치기만 하면 되는 거. 그래. 네 웃옷 같은 거. 그건 입을 수 있겠다."

술탄은 내가 손가락질한 옷을 내려다보고는, 다시 나를 바라 보았다.

"이건 남성의 것입니다, 카마시여."

"뭐야. 나는 그런 옷도 못 입어? 애초에 나는 이렇게 입고 다 녔다고. 내 옷차림이나 네 옷차림이나 다를 바가 없잖아. 어차 피 시중도 못 받는걸."

"하지만……."

나는 짐짓 성을 내며 사고 당시부터 입고 있던 청바지와 검은 목폴라 티를 가리켰다. 술탄은 탐탁지 않은 표정을 지었지만, 끝내는 허락했다.

"쿠르타와 도티를 가져오라."

술탄의 명에 시종들이 뒷걸음질해 물러섰다. 방에는 나와 술탄만이 남았다. 나는 어색하게 선 채로 방 안을 둘러보았다. 나를 빤히 지켜보고 있었는지, 내가 방을 훑기가 무섭게 술탄이 냉큼 물었다.

"방은 어떠십니까?"

"훌륭해."

입을 열었다가는 감탄에 감탄만 거듭할까 봐 나는 반신으로서 최소한의 품위를 지키기 위해 최대한 말을 아꼈다. 덕분에 조금 까다로워 보일까 싶은 걱정도 들었지만, 그 짧은 칭찬으로도 술탄의 얼굴에 미소가 퍼졌다.

"우선 제 침실에 모셨습니다. 이 성 안에서 카마의 품격에 걸맞은 제일 화려한 곳이 이곳인지라……."

잠깐, 저기요?

두 번째로 몰려온 충격적인 사실에 당황한 나는 입만 떡 벌린 채 술탄을 보았다. 그러고 보니 에스키모였나, 반가운 손님이 오면 아내를 보내준다던가. 하여간 나라마다 문화가 가지각색이요, 손님 접대 문화 또한 그러니 뭐라 대뜸 화를 내기는 뭐했지만……. 그래도 젊은 남녀인데, 설마 같은 침실을 쓰자는 이야기는 아니겠지. 나는 표정을 간신히 추스르고는 어색하게 웃으며 말을 꺼냈다.

"내가 여기서 자면, 술탄, 당신은 어디서……."

"자마드. 자마드라 편히 불러주십시오."

자마드. 나는 어색하게 고개를 끄덕였다. 하여간 자마드건 술탄이건. 미남이건 추남이건……. 아니, 물론 미남인 쪽이 더 좋지만. 그래도 동침할 생각은 추호도 없었던 나는 딱딱하게 굳은 입꼬리를 억지로 끌어 올려 웃으며 물었다.

"자, 자마드는 어디서 자?"

"너무 걱정하지 마십시오. 하렘에서 보낼 예정입니다."

하렘이라는 말에 나는 안도의 한숨을 내쉬었다. 그래. 상대는 엄청난 미남 술탄님이시니 당연히 하렘도 있을 테고, 하렘에는 쭉빵 미녀들도 짱짱할 테니 굳이 나 같은 애를 어떻게 해보려고 하지는 않겠지. 아, 원래 내가 내 외모에 자신감이 넘치는 건 아니라고 해도 불만이 강한 편은 아니었는데 눈앞의 술탄은 잘생겨도 무시무시할 정도로 잘생긴 인간이었다. 저 옆에 민얼굴로 서 있자니 괜히 비교되는 건 아닐까. 반신으로서 대접받아 우쭐해지는 것도 찰나, 자마드를 볼 때마다 나는 마음이 점점 빈곤해지고 있었다. 그래도 침실을 뺏은 건 좀 미안한지라, 나는 머쓱함에 뒷목을 긁었다.

"그, 그래. 내가 방을 뺏은 건가?"

"아닙니다. 카마께서 오실 줄을 미처 예상치 못해 방을 준비해두지 못한 제 불찰입니다."

자마드는 카마에 대한 대접이 시원찮아 죄송하다며 시종일관 저자세였다. 진짜 여기서 반신의 위치가 쩔긴 쩌나 보다. 술탄의 침실도 강탈하고. 술탄이 시종처럼 옷시중도 들어준다고 하고. 나는 하하, 어색하게 웃는 것밖에 할 대답이 없었다.

어색한 분위기 속에서 시종들이 들어섰다. 나는 다행이다 싶어 시종들을 반겼다.

"그러면 푹 쉬십시오. 필요하신 모든 일은 시종들에게 시키시면 됩니다. 만약 잠자리 상대가 필요하신 거라면 제가 혈통 좋은 사내를 올릴 터이니……."

"아냐, 아냐. 그냥 잘 거야."

질색하는 나의 대답에 자마드는 고개를 숙이고는 방을 나섰다. 굴러온 돌이 박힌 돌 빼낸다고, 자마드가 아무리 괜찮다고 해도 집주인을 쫓아낸 꼴에 영 마음이 불편했다. 나는 한숨을 내쉬며 시종들이 가져다준 옷 중 웃옷을 잡아끌었다. 긴 옷이 카펫 바닥에 끌렸다. 몸에 대어보니 정강이까지 내려오는 것이 원피스가 따로 없었다.

"이건 그냥 걸쳐 입으면 되고……. 바지는……. 얜 또 왜 이래. 이거 이름이 뭐라고?"

"도티라고 합니다."

"이건 어떻게 입는 거야?"

나는 바지랍시고 주어진 천 한 장을 망연자실한 표정으로 보았다. 이래서야 조금 전에 여자 옷이라면서 주어진 옷을 받았을 때랑 별다른 차이가 없잖아. 나는 반복되는 짜증에 이를 갈며 시종들에게 천을 들어 보였다.

"굳이 이걸 입어야 해?"

"안 입으시면 큰일 납니다, 카마시여."

"아래를 벗는 것과 차이가 없어요."

시종들이 연달아 나를 만류했다. 하지만 이걸 어떻게 입는지도 모르고, 또 술탄, 자마드를 부를 수도 없고. 자마드를 불러도 그는 자기가 입혀주겠다고 할 텐데 어떻게 해. 더 실랑이는 싫었던 나는 여기서 이 무한 반복의 연쇄를 끊어내야겠다는 각오로 단호히 말했다.

"하지만 이제 곧 잘 거잖아. 잘 때만 벗고 자는 건데. 어차피 여긴 술탄의 침실이라며? 아무도 안 들어올 거 아냐?"

"그건 그렇습니다만……."

"그럼 그렇게 해. 너무 피곤한걸. 우선 자고 생각해봐야겠어. 나 갈아입을 거니까."

나는 그리 말하며 훌렁 옷을 벗고 쿠르탄가 뭔가 하는 것을 입었다. 어차피 속옷도 입고 있겠다.

쿠르타를 입고 바지를 벗는 속도는 전광석화였다. 중고등학교 시절 교실에서 체육복을 갈아입으면서 익힌 스킬이었다.

내가 옷을 벗기가 무섭게 시종들이 다급하게 고개를 숙였다. 시종들은 날 말리고 싶어 했지만, 나에게 손을 댈 수가 없으니 이러지도 저러지도 못하는 모양이었다.

나는 모르는 척 침대가 놓인 곳을 향해 올라갔다. 계단 위에 놓인 침대는, 우리 집 싱글침대를 네 개는 합친 것 같은 웅장함을 자랑했다. 침대 사방에 드리워진 휘장까지. 홍수가 나면 이걸 배 대신 타도 좋을 것 같은 비주얼이었다.

이불을 머리끝까지 뒤집어쓰니, 시종들은 포기했는지 방의 불을 끄고 종종걸음으로 물러갔다. 나는 그제야 빠끔히 이불 밖으로 고개를 내밀었다.

자고 일어나면 모든 게 전부 꿈이었으면 좋겠다. 나는 간절히 바라며 눈을 질끈 지르감았다. 그 와중에도 몸을 푹신하게 감싸는 베개와 이불의 감촉이 너무 좋아서 화가 났다.

물론 나의 바람이 하릴없게도, 다음 날 일어났을 때 여전히 이불 속이었다. 나는 이 현실이라는 악몽에서 깨고 싶었지만, 그게 불가능하다는 걸 알고 있었다.

나는 정말로 반신 카마로서 이 세계에 떨어진 것이었다. 돌아갈 수 없이. 평생.

CHAPTER 2
신의 권능

세상모르고 잠이 들었다. 아무도 날 깨울 생각을 하지 못했는지, 일어났을 때는 느지막한 오후였다. 무언가 꿈을 꾸긴 했는데 기억이 잘 나지 않았다. 뒤숭숭한 것이 괜스레 나쁜 기분만이 남아 있을 뿐이었다. 하긴. 교통사고로 철골에 몸이 꿰뚫려 죽은 지 얼마나 되었다고. 나는 별일 아니겠거니 생각하며 여상히 넘겼다.

감시라도 하고 있었는지, 일어나서 부스럭대기가 무섭게 시종들이 우르르 들어와 내 아침 단장을 도왔다. 도왔다고 해도 필요한 물건을 늘어놓을 뿐이었지만. 나는 늘어지게 하품을 하며 세안만 간단하게 했다.

"배고프다."

"곧 준비해 올리겠습니다."

말이 끝나자마자 음식들이 올라왔다. 가지 사이에 양고기를 끼워 구운 듯한 요리에, 향신료를 듬뿍 올린 고기 요리. 고기 옆에 큰 덩어리로 얹어진 크림은 요거트처럼 매끄러웠다. 길쭉한 빵 위에 치즈와 야채가 올라간 채 구워진 요리는 피자처럼 보이기도 했다. 줄줄이 내어져 오는 요리는 끝이 없었는데, 하나같이 뜨끈뜨끈 김이 올라왔다.

내가 일어나기가 무섭게 갓 만든 요리가 이렇게 일사천리로 내어져 오다니. 내가 일어나기만 기다리며 노심초사한 게 분명했다. 편하긴 한데 좀 죄스러운 기분에 나는 시종들의 눈치를 슬쩍 보며 물었다.

"언제부터 준비한 거야?"

"매시간 새로 만든 음식이옵니다. 카마시여."

매시간이라는 건 만들었다가 안 일어나면 폐기하고 또 만들고, 그래도 안 일어나면 폐기하고 또 만들고를 반복했다는 소리 아닌가? 우와, 사치. 나는 얼굴을 일그러트렸다. 그러자 갑자기 시종이 오체투지 하듯 내 앞에 엎어졌다.

"죄송합니다! 카마께 시간이 지난 음식을 대령하다니, 당장에 다시 만들어 새 음식을 대령하도록 하겠습니다!"

"……아, 아니. 그럴 필요는 없고."

나는 당황하여 말을 더듬었다.

시종이 음식을 물리고 새 음식을 올릴까 걱정되었던 나는 당장에 그릇 위에 놓인 음식 하나를 집어서 입에 홀랑 넣었다. 침대가 있어서 입식 생활을 할 거로 생각했는데, 음식을 바닥에 내려놓는 걸 보니 이런 건 또 좌식 생활을 하는 모양이었다.

반신이라고 해서 배고픔을 느끼지 못하는 것은 아닌지, 꼬르륵 소리가 은연중에 새어 나왔다. 나는 한 손으로는 배를 문지르며, 다른 손을 뻗어 떡 비슷한 무언가를 집었다.

"술탄께서 드십니다!"

"아."

술탄의 방문을 무시할 수는 없던지라 나는 슬쩍 고개를 들었다. 방의 입구에 막 행차하고 있는 자마드가 보였다. 시종들은 자마드의 행차에 고개를 조아렸다. 나는 미처 먹지 못한 음식을 손가락에 든 채 엉거주춤 굳어 있었다. 이걸 그냥 먹어 삼켜야 하나, 내려놔야 하나. 입에 뭐가 있는 상태로 말하는 것도 좀 아닌 거 같았던 나는 결국 음식을 내려놓기로 정하고 개인 접시를 들었다.

"편히 식사하십시오, 카마시여."

"아, 그럼."

자마드의 말에 나는 내려두려던 것을 홀랑 입에 넣었다. 쫄깃한 떡 같은 식감이 이빨과 이빨 사이를 딱 붙들어 맸다. 내가 한참 우물거리는 동안, 자마드의 자리가 내 앞에 만들어졌다.

자마드는 식사를 하고 왔는지 가벼운 과일류만 몇 개 집어 먹을 뿐이었다. 어차피 어색하기도 하고, 자마드에게 따로 할 말도 없었던 나는 밥을 먹는 데 집중하기로 했다.

　내가 그렇게 구운 닭다리를 부욱 뜯어 육질을 즐기고 있을 때, 술탄 자마드가 갑자기 깜짝 놀라며 나를 불렀다.

　"저, 카, 카마시여."

　"응?"

　"오, 옷을 추슬러주십시오."

　나는 그제야 내 꼴을 봤다. 쿠르타인지 뭔지 하는 옷은 폭이 넓지는 않았지만 옆이 터져 있었다. 좌식으로 앉느라 내 허벅다리가 훤히 드러났는데, 자마드는 그게 불편한 것 같았다. 하긴, 나야 반바지 입고 다니는 데에 익숙한 사람이었지만 꽁꽁 싸매고 다니지 못해 안달인 것 같은 이 나라 사람들이 보기에는 꽤 망측한 꼴일 터였다. 나는 머쓱히 변명했다.

　"아아, 어제, 너무 피곤한데 그 바지 입는 법이 어려워서."

　"카마께서는 잊으신 게 많군요. 물론 카마께서 하시는 행동을 제가 감히 제지할 수는 없지만⋯⋯. 오늘 식사 후 의복 입으시는 법부터 배워야 할 것 같습니다."

　잊었다는 술탄의 말에 나는 고개를 갸웃거렸다. 마치 내가 당연히 알 거라고 생각한 말투다.

　그러고 보니 전생에 나, 여기 사람이었지. 사람한테 죽어서 그 업을 지우려고 지구까지 내보낸 거였고.

순간 이 세계 사람들에게 「카마」란 어떤 존재인지 궁금해졌다. 분명 주신이라는 자가 말한 것만이 사실은 아닐 거라는 기분이 들었다. 주신의 반응을 보아하니 어지간히도 내 죽음에 푸닥거리를 한 듯한데, 그걸 미루어 보아 반신의 존재도 그렇거니와 반신이 살해당하는 것은 흔한 일이 아닌 것 같았다.

과거의 나는 반신이나 되는 존재이면서, 어찌하여 평범한 인간에게 죽었단 말인가? 주신이 연을 끊기 위해 영혼을 다른 세계에까지 보낼 정도라면 어지간히도 악의와 살의로 똘똘 뭉친 상대가 아닐까? 그자는 어떻게 되었을까? 궁금한 점이 한둘이 아니었다.

이러니저러니 해도 확실히 과거의 내 행적에 대해 파악할 필요는 있을 것 같았다. 이 아그니 사람들이 나에게 「전(前) 성욕의 신」의 그림자를 덧씌울 걸 생각하면 더더욱.

"옷 입는 거나, 뭐, 나 이곳 예절 하나도 모르는데. 배워야 할 것 같아."

말은 통해서 그나마 다행이었다. 글은 읽을 줄 알려나. 글을 모른다면 상당히 난감해질 것 같았다. 그러고 보니 아랍어가 정말 배우기 어렵다던데, 여기 혹시 문화뿐만이 아니라 언어도 아랍계열이라거나 그런 건 아니겠지.

자마드가 알았다는 듯이 고개를 끄덕였다.

"오후에 의복 입으시는 법을 배우시면, 제가 내일 카마께서 궁금하신 것에 대해 답해줄 학자를 보내드리겠습니다. 다만, 남자 학자인지라…….'

"뭐가 문제지?"

"……차도르를 입어주셔야 할 것 같습니다."

"차아도르으?"

뭐야, 여기 혹시 남녀차별이 극심한 거야? 어제 내가 이 세계에 처음 내려왔을 때의 태도에 별로 특별한 것이 없어서 아무 생각 못 하고 그냥 중동국가 비슷하구나~ 아랍풍 대단해~ 이러고 넘겼는데, 빌어먹을 성차별도 비슷할 줄이야. 그리고 보니, 여기 온 뒤로 여자는 단 한 명도 본 적이 없었다. 그 사실을 깨닫게 되자 괜히 소름이 등줄기를 타고 오소소 돋았다.

"물론 카마께서 인계의 예법을 따르실 필요는 없습니다만, 그래도 상대가 사내인지라, 혹시 모를 일을 미연에 방지하고자 함이니……."

자마드는 잘생긴 얼굴에 처량함을 그득 담고 머리를 몇 번이나 조아렸다. 물론 미남이 난처해하는 모습은 보기 좋았지만, 그걸로 마냥 넘어가기엔 사안이 사안이었다.

자마드의 말에 숨겨진 의미를 파악하지 못할 정도로 눈치가 없지는 않았다. 하지만 쉽게 그러시오, 하고 고개를 끄덕일 수 없기도 했다. 짧은 반바지에 나시를 입고 돌아다녔던 사람에게 갑자기 남자를 볼 때마다 천때기를 뒤집어쓰라니. 그러는 술탄 자마드는 남자 아닌가. 그의 앞에서는 차도르를 입으라 마라 말을 안 하면서 왜? 싶은 생각이 들기도 했다. 어쩌면 내가 옷 입는 것에 익숙해지면 차도르까지 다 입고 다니게 할지도 몰랐다. 거기까지 생각하니 속이 부글부글 끓었다.

"그 혹시 모를 일을 방지하기 위해 왜 내가 희생해야 하는지 모르겠네. 보통 그런 건 일을 저지를지도 모르는 사람이 조심해야지, 당할지도 모르는 사람이 예방하는 게 아니지 않아?"

목소리에 잔뜩 짜증이 실렸다. 물론 술탄은 최대한 날 생각해서 말한 것일 테고 그의 대접 또한 귀한 것이었기에 고마웠지만, 그저 고마울 뿐이었다. 애초에 이 세계에 온 것도 내가 원한 것이 아니었고, 그런 상태에서 자꾸 이것저것 관리를 해 대니 불쾌하기 짝이 없었다.

"……실언했습니다."

술탄은 바로 고개를 숙였다. 못마땅함이 풀리지 않았던 나는, 식사에 집중했다.

식사가 끝나고 나니 후식으로 먹을 다과가 나왔다. 여기서 삼시세끼 이렇게 먹으면 살이 안 찌려야 안 찔 수가 없을 것 같았다. 달달한 걸 먹고 나니 화가 좀 풀렸다. 나는 여전히 내 눈치를 보고 있는 술탄을 흘끔 바라보았다. 그는 내 시선이 닿기가 무섭게 화들짝 놀라며 몸가짐을 정돈했다.

나는 한참 먹으며 생각한 결론을 내렸다.

"그냥 날 남자처럼 대해."

"네?"

"남자로 여기라는 게 아니라, 그냥 남자처럼 대우하라고. 차도르나 그런 거, 불쾌하니까. 당분간 여자 옷도 안 입을 거야. 흐느적흐느적한 천 한 조각을 빙빙 두르고. 여관들이 입은 옷도 불편해 보이던데, 내가 입을 옷은 얼마나 불편하겠어? 딱 질색이야."

나는 얼굴을 찡그렸다. 어제 저녁, 내가 받은 여자 옷을 떠올렸다. 분명 천은 화려하고 좋은 것이었으나 살짝살짝 비치는 질감이었다. 어제는 별생각 안 했는데 그 천을 맨몸뚱이에 걸쳐야 한다니, 남사스럽기 짝이 없었다.

여관들이 하렘에서는 다들 그런 옷을 입는다고 했지만, 오히려 코웃음이 쳐질 뿐이었다. 내가 여기 문화에 대해서는 잘 아는 바가 없지만, 참 웃겼다. 여인들이 하렘에서 입는 옷은 그렇게 야시시하기 그지없는 옷이면서, 다른 사내를 만날 때는 차도르로 꽁꽁 감게 한다니. 자기 여자가 자기한테만 예뻐 보이기를 바라는 건 만국 공통을 넘어서 이 세계 저 세계 할 것 없이 공통이로구만. 나는 한숨을 내쉬었다.

이런 세계라니. 만약 황성을 나서게 되면, 여자의 몸으로는 제대로 발 한 발짝 디디지도 못할 모습이 빤히 보였다.

그 학자라는 자에게 이것저것 물어볼 것이 많겠다, 나는 속으로 중얼거렸다.

그런 내 심정을 모르는 자마드는, 영 엉뚱한 말로 내 심기를 긁었다. 술탄이라더니, 남들 눈치는 단 한 번도 안 보고 자라온 게 틀림없었다.

"카마의 몸매는 낭창낭창하니 아름답습니다. 어찌하여 드러내는 것이 싫다 하시는지……."

"내가 네 여자야?"

나는 지금껏 켕기듯이 가슴속에 남아 있던 의문을 내뱉었다. 솔직히 제 침실에서 자라고 할 때만 하더라도, 반신에 대한 존중의 뜻인 줄 알았다. 하지만 타인의 손길이 닿지 않게 하라면서 정작 자마드 자신은 예외로 둔다든가, 자마드와는 맨 얼굴에 허벅다리가 훤히 드러난 채로 마주하면서도 학자를 만날 때는 차도르를 쓰라고 한다든가 하는 것들이 의아했다.

자마드는 잔뜩 당황하여 그런 의도가 아니었다고 해명했지만, 나는 묘하게 찜찜함이 느껴졌다. 하긴, 술탄이 저렇게 잘생긴 데다 하렘에 여자가 배스킨라빈스31만큼 있는 남자였는데 무엇 하러 나같이, 반신이라는 조건만 빼면 갈까마귀같이 생긴 애한테 관심을 두겠는가. 나는 그저 그의 아니라는 말에 고개를 끄덕이고 넘길 수밖에 없었다.

늦게 일어났던지라 밥 먹고 나서 옷 입는 법을 배우고 나니 금세 해가 졌다. 남성용 바지인 도티를 입는 법은 그래도 좀 빨리 배웠지만, 혹시 모를 만약의 사태를 대비하여 여성의 의복 입는 법도 배웠는데, 그것이 영 녹록지 않아서 시간이 오래 걸렸다.

어설프게 여성 의복을 걸쳐본 나는 다시 남성복으로 돌아갔다.

생각했던 것 이상으로 직접 걸쳐본 여성 의복은 별로였다. 허리춤에 치마 두르듯 빙빙 두른 천을 한쪽 어깨를 지나 팔로 늘어트렸는데, 천이 엉덩이에서부터 허벅다리 라인에 딱 달라붙어 불편했다. 게다가 나는 볼륨감이 있는 편은 아닌지라, 아무리 생각해도 몸매를 드러내는 이 옷은 나에게 어울리지도 않거니와 맘에 들지도 않았다. 술탄에게 대놓고 남성복을 입겠다 하였으니 내 주장에 시종들도 별다른 반박을 하지 못했다.

아니, 애초에 그들은 반발이라고 할 만큼 의견을 내세우지도 않았다. 어제 도티를 입지 않고 자겠다고 했을 때가 유일하게 그들에게서 끌어낸 적극적인 반응이었다.

베란다 창틀에 턱을 괴고 밤바람을 쐬니 무슨 휴양지에라도 온 것 같았다. 나는 다리를 건들거리며 하늘을 바라보았다. 달무리가 아릿아릿하게 진 것이 내일 비가 내릴 것만 같았다.

이 세계에 와서 두 번째 날이 저물었다. 첫날은 아무것도 생각하기 싫어 그냥 잠에 취해버렸지만, 오늘은 늦게 일어나기도 해서 좀처럼 잠이 오지 않았다.

도대체 나는 여기서 무얼 하면 좋을까. 이전 세상에서는 대학교에 진학하고, 취직하고, 돈 벌고, 연애하고, 결혼해서…….그래도 정해진 수순이 있고, 날 잡아주는 가족도 있고. 정해진 레일 위를 잘 달려오다가 갑자기 탈선한 기차가 된 느낌이었다. 뭐가 있는지 알 수 없는 깊숙한 절벽 밑으로 떨어져 내릴 뿐인, 그런 기차.

머무를 곳도 있고 굶을 걱정도 없고. 심지어 술탄마저도 나에게 호의적이다. 하지만 사라지지 않는 불안감이 마음속 한구석에 도사리고 있었다. 과연 언제까지 이러고 살 수 있을까? 이 세계에 대한 정보가 너무 없는 만큼, 발로 디디고 있는 바닥이 불안하게 휘청였다.

안 그래도 나는 반신이었다.

늙지 않는다 하나 언제 죽을지도 모르는 존재. 과연 나는 얼마나 오래 살 수 있을까? 그리고 얼마나 오랫동안 이 술탄 궁에서 머물 수 있을까? 나중에 식객 취급이라도 당하면 어쩌지? 나는 괜한 걱정을 하며 손톱을 잘근잘근 물어뜯었다.

이전 세계에서 나는 가족과 사이가 좋은 편이었다. 그럼에도 불구하고 간혹 엄마와 싸울 때, 「억울하면 집 나가! 여기는 아빠 집이지 네 집이 아니야!」라는 소리에 속이 부글부글 끓었다. 엄마가 진심으로 그 이야기를 한 게 아니라는 건 안다. 하지만 그 말에 스트레스를 받았던 내 마음속 한 켠에는 언제나 집을 나갈 생각이 도사리고 있었다. 엄마가 또 한마디 하면 냉큼 알았다 소리 지르고 집을 나가리라 이를 득득 갈고 있었다. 비록 어쩌다 보니 이렇게 평생 집을 나오게 되어버렸지만.

좌우지간 눈치 보며 사는 것만큼은 죽어도 싫었다. 술탄 궁에서 계속해서 날 환대한다 하더라도, 내가 답답해져서 궁 밖으로 나가고 싶어질 수도 있는 일 아닌가. 그런 상황에서 의식주를 생각하느라 애써 싫은 걸 참고 있는 것만큼은 피하고 싶었다.

첫 단추는 제대로 끼우랬다고, 모르는 게 많은 만큼 나는 많이 알아야 할 필요를 느꼈다. 그래야 내쫓기든 걸어 나가든, 아니면 아주 눌러앉든, 좀 편하게 정할 수 있을 것 같았다. 그런 의미에서 내일 있을 학자와의 만남은 기대가 되었다.

나는 어둑해진 바깥 풍경을 뒤로하고 베란다에서 나와 침실로 향했다. 침실에는 수면을 돕기 위한 향이 은은히 깔려 있었다. 그러고 보니 이틀 연속 술탄의 침실을 빼앗아 잠이 드는 상황이었다. 내일이든 언제든, 자마드를 만나면 내 숙소가 언제쯤 마련되는지 물어봐야겠다. 나는 그리 중얼거리며 잠에 빠졌다.

ೋ♥ೋ

꿈을 꿨다.

본능적으로 이것이 잊힌 어제의 꿈과 같은 것이라는 걸 깨달은 나는 고개를 들었다.

눈앞에 한 사내가 있었다. 체구가 건장하고 칼을 주렁주렁 매달고 있는 것이 이쪽 세계의 무인 같았다. 사내는 선이 굵은 미남으로, 짙은 눈썹 밑에 부리부리하게 뜬 눈이 유독 선명했다. 하지만 더 기억에 남는 것은, 사내의 눈 밑에 주룩주룩 흘러내리는 붉은 피였다.

괴기한 모습이었지만, 꿈속의 나는 그런 그가 마냥 좋았다. 나는 손을 뻗었다. 순간 그를 안으려고 하는 줄 알았지만, 나는 그냥 그대로 손을 벌린 채 서 있을 뿐이었다.

사내는 날 노려보았다. 씹어 삼켜도 부족함이 없는 원수를 보는 듯한 격한 증오가 묻어났다.

꿈속의 나는 그마저도 기꺼웠다. 사내가 검을 뽑아 들었다. 치켜든 검의 날에는 화려한 무늬의 조각이 금으로 상감 처리되어 햇빛을 받아 번쩍였다. 나는 꿈쩍도 않고 피눈물을 흘리는 사내의 얼굴을 바라보았다.

사내의 팔이 단두대의 칼날처럼 단호히 내려오는 순간, 나는 눈을 내리감았다.

평생의 소원을 이룬 듯, 나는 그저 행복했다.

∽∾♥∾∽

행복은 무슨. 나는 거지 같은 기분을 느끼며 잠에서 깨었다. 얼마나 식겁했는지 등 뒤로 땀이 흥건했다.

뭔 놈의 꿈이 이렇게 생생하담.

이를 갈았다. 나는 비척비척 일어나 세안을 하며, 꿈까지 같이 씻어내려 노력했다.

그래도 꿈을 잊는 것은 퍽 쉬운 일이라, 아침을 먹을 때쯤에는 사내의 얼굴조차 기억나지 않았다. 점심을 먹고 학자가 도착할 때쯤에는, 꿈의 태반을 잊어 재수 없는 꿈을 꾸었다는 기억만이 남아 있었다.

"귀하신 분을 뵙습니다. 왕실 박사로 있는 크하트라고 합니다."

학자랍시고 온 사내는 수염이 무성하고 기골이 장대한 것이, 학자보다는 무인에 가까웠다. 그런 그가 새끼 양처럼 바들바들 떨며 나에게 고개를 조아리니, 나는 도대체 술탄이 무슨 협박을 그에게 한 건가 궁금했다.

"술탄이 나에 대해 뭐라 했지?"

"귀하신 분이나 이곳에 대해 아는 것이 없으니, 잘, 알려드리라고."

"내가 잡아먹는다고 하진 않은 모양이네."

나는 심드렁히 턱을 괴며 중얼거렸다. 잡아먹는다는 말에 크하트가 히이익, 소스라치게 놀랐다. 왠지 믿는 것 같은 모양새에 나는 어처구니가 없어 고개를 들었다.

"진짜 뭐라 한 거야?"

"소, 송구하옵니다! 카마이시니 접촉을 금하고 물어보는 것에 대해서만 답하라, 그리 말씀하셨습니다! 저에게는 토끼 같은 마누라와 여우 같은 자식들이 있사오니, 부디……."

학자가 넙죽 엎드리니 내 앞에 산이 움직였다. 딱 보기엔 바위처럼 진중한 무인 같은데, 하는 행동은 가볍고 깜짝깜짝 잘 놀라기 짝이 없었다.

혹시라도 내가 꼬실까 봐.

어처구니가 없었지만 괜히 화를 내는 기색을 보였다가 그가 더 겁을 집어먹어 입을 다물기라도 하면 내가 고생이었다. 궁금한 게 많은 쪽은 나니까. 나는 최대한 크하트에게 관심 없는 척, 무해하게 보이려 노력하며 물었다.

"그러고 보니, 그것부터 물어보자. 나랑 접촉하면 성욕이 인다고 하던데, 그걸 조절하는 방법은 없어? 또 다른 능력 같은 건?"

"그……."

크하트는 말끝을 흐렸다. 가무잡잡한 얼굴이 벌게질 정도로 달아올랐다. 그는 몇 번 헛기침하더니, 표정을 냉정히 정돈하고 말했다.

"카마께서는 성욕의 신입니다. 카마께 닿는 것만으로도 미천한 저희는 카마를 워, 원하게 되고, 카마의 입술이 닿는 것으로 저희는 카마에 대한 열렬한 사랑에 빠집니다."

그냥 입만 맞추면 사랑에 빠진다라…….

나는 내 손바닥을 물끄러미 바라보았다. 이전과 다를 바 없이, 희멀건 피부 아래 혈기가 도사리고 있는 평범한 손이었다. 손을 몇 번 뒤집어본 나는 하늘로 손을 치켜들었다. 손가락 사이로 창틈을 타고 들어온 햇빛이 갈라져 눈을 찔렀다. 확실히, 믿기 힘든 일이었다.

"성욕은 어느 정도로 일지?"

"그, 약간 흥분감이 고조되는 것으로……. 원문에는 「카마가 손가락으로 가슴팍을 스치기만 해도 사내들이 그녀를 갈구하며 무릎을 꿇었다. 카마는 그런 사내들을 비웃으며 서로 교합하게 시키니, 그녀를 원하는 사내들은 따르는 수밖에 없었다.」라는 구절이 있습니다……. 남녀노소를 가리지 않고, 절대적이지요."

애써 냉정하고 담담하게 답하려고 한 크하트의 얼굴이 점점 바닥으로 수그러졌다. 크하트가 원문이랍시고 읊은 말이 너무 충격적이었던 나는 쉽게 말을 잇지 못했다. 뭐라굽쇼? 무릎을 꿇어? 비웃어? 서로 교오오하아압? 약간의 흥분감이 아니잖아! 크하트의 말에서 적어도 한 가지는 확실히 확신할 수 있었다. 전생의 자신은 정말정말 성격이 나쁜 게 틀림없었다.

그러고 보니 자마드와 손을 잡았던 것이 기억났다. 그 정도로 대단한 능력인데, 자마드는 아무렇지 않아 했던 것이 이상했다. 그때 자마드에게 물어보자니 차마 성추행 같아서 기어코 물어보지 못했지만, 지금 크하트에게는 괜찮을 것 같았다.

"그런데 자마드의 손을 잡았을 때 별로 이상해 보이지 않더라고. 사람마다 차이가 있나?"

"술탄의 손을 잡으셨습니까? ……하긴, 술탄께서는 자제력이 뛰어나신 분이니까요. 정신력이 극도로 강한 이들은 카마의 권능이 잘 통하지 않을 것입니다. 물론, 긴장을 풀면 여실 없이 무너지지만 말입니다."

그랬구나. 나는 심드렁히 턱을 긁적였다. 나는 단지 궁금할 뿐이었지, 어째서 자마드만이 예외가 되는지 필사적으로 그 이유를 탐색할 생각은 없었다. 그다지 심각한 문제가 아닐 거라 여겼기 때문이었다.

이 지긋지긋한 권능으로 인해 무슨 일이 벌어지게 될지, 당시는 정말 생각도 못 했다.

∞◈❤◈∞

내 권능은 성욕을 불러일으키고 사랑에 빠지게 하는, 그게 다였다. 연애도 해본 놈이 잘하고, 떡도 쳐본 놈이 더 잘 친다고.

모태솔로 경력 휘황찬란한 나에게 그런 능력은 그저 계륵일 뿐이었다.

아니, 되레 신경 쓸 게 많아져서 귀찮기까지 했다.

주신을 그저 날 이곳으로 보낸 이, 아니면 내 부모라고 주장하는 존재 정도로 알고 있는 나에게 기함한 크하트는 아무래도 신학부터 짚고 넘어가야겠다며 책을 펼쳤다. 내가 궁금한 건 나에 관한 것이었지만, 우선 반신에 관해 설명하기 전에 신부터 알 필요가 있기는 했다. 나는 착한 학생이 되어 크하트의 말을 경청했다.

"주신이 유일신이 아니라고?"

"네. 총 네 분의 신이 계십니다. 생(生), 주(住), 이(異), 멸(滅)신이죠. 생신은 태어나는 것을 주관하고, 멸신은 죽는 것을 주관합니다. 생신과 멸신은 한 몸으로, 죽은 자가 왼쪽 귀로 들어가 오른쪽 귀로 태어납니다. 지옥과 극락 모두 그분들의 몸 안에 있지요."

크하트가 펼친 책에는 우주에 둥둥 떠 있는 괴기한 신의 모습이 그려져 있었다. 몸의 반쪽은 파란색이고 남은 반쪽은 붉은색으로, 마치 아수라 백작 같았다.

"주신은 머무는 것들의 신이요, 생명의 신입니다. 그리고 이신은 변하는 것들의 신으로, 자연의 신이지요."

"이신과 주신이 바뀐 것 아닌가?"

"음……. 어떤 점에서 그렇게 느끼시는지는 모르겠지만, 생명은 끊임없이 윤회하며 이 세계에 머물게 되지요. 생신과 멸신에게 생명을 주고받는 것이 바로 주신입니다. 그와 달리 윤회의 인과율에서 벗어나, 홀로 존재하는 것들을 다른 것들이라 하는데, 그것이 바로 자연입니다. 자연은 끊임없이 변하는 것들이라, 변하는 것들의 신이 이신이 되는 것이지요."

이 세계 사람들에겐 당연한 개념일 테지만, 나로서는 사뭇 어색한지라 머리가 아팠다. 그가 말하는 자연의 범위가 어떻게 되는지는 모르겠지만, 하여간 내 부모라는 주신이 인간을 담당하고 있다는 것만큼은 알겠다. 그게 제일 중요한 거지. 나는 다 알아들은 듯이 거만하게 고개를 끄덕였다.

"모든 사람이 주신을 모십니다. 저 먼 사막을 지나면 다른 신을 모시는 이교도들이 있다고 하더군요. 확실한 이야기는 아닙니다. 다른 신이라니, 말이 됩니까? 까마득한 사막을 헤매면서 미쳐버린 자들이 틀림없습니다."

"그래, 그래. 그러면 이 근처 사람들은 다 주신을 믿는 거야?"

나는 이교도에 대해 열변을 토하는 크하트의 말을 가로막으며 심드렁히 물었다. 이 세계에서 떨어진 나로서는 이 세계가 신이 넷이든 다섯이든 열이든 그냥 그렇구나, 할 뿐이었다. 날 이 세계로 보내면서 만났던 만큼 주신이 있다는 것만큼은 확실히 알겠지만, 딱히 신실한 기분이 드는 것도 아니요 내 부모라

하여 애틋한 존경심이 드는 것도 아니었다.

그래도 내가 예전 생에서 기독교나 유일신을 종교를 믿지 않아서 다행이었다. 그랬으면 정말 여기 떨어져 내리기도 전부터 개념을 뿌리 뽑는 일들의 향연에 머리 아파 죽었을 텐데. 나는 속으로 안도의 한숨을 뱉었다.

크하트는 내가 이 나라에 관심을 가졌다고 생각했는지, 딱정벌레처럼 까만 눈동자를 반짝반짝 빛내었다. 덩치 커다란 사내가 그리 보니 부담스럽기 짝이 없었지만, 보지 말라 하면 또 시무룩해져서 고개를 땅바닥에 처박을 게 분명했다. 나는 애써 웃어 보이며 궁금하다는 표정을 지었다.

"예. 태초의 세계는 사막뿐이었습니다. 메마른 세계에 내려오신 이신이 모래를 쓸어내니 물이 차올랐습니다. 주신은 쓸어낸 모래를 멸신에게 먹였고, 곧 생신이 무언가를 뱉어내었는데 그것이 곧 사람이었습니다. 이신이 쓸어낸 장소가 바로 이 대륙이고, 그렇게 뱉어낸 사람이 바로 저희, 다르마인이죠. 모래에서 태어났기에 저희는 엷은 황갈색 피부를 갖고 있습니다."

모래색이라기에는 좀 더 짙은 피부를 가진 크하트가 씩, 자부심 넘치는 미소를 지었다. 설마 진짜 모래에서 뱉어냈을까. 마치 아담의 갈비뼈를 뽑아 이브를 만들었다는 구약의 이야기를 들었을 때처럼, 나는 신도들의 상상력과 끼워 맞추기에 감탄했다.

"대륙에는 큰 세 개의 왕국이 있습니다. 물의 왕국 인드라, 법의 왕국 바르나, 그리고 이곳은 불의 왕국, 아그니죠."

"나라가 셋이나 있는데 사이는 어때? 싸우진 않아? 전쟁이라든가……."

"하나의 왕국이라도 없으면 신에 대한 제를 지낼 수가 없습니다, 카마시여."

크하트는 말도 안 된다는 듯이 말했다. 하지만 난 크하트의 말이 더 말도 안 되는 것 같았다.

아니, 보통은 하나로 그냥 퉁쳐버리고 싶어 하지 않나? 듣자 하니 세 왕국의 구도는 꽤 오래전부터 이어져 내려온 것 같은데, 대한민국 그 좁은 땅덩이도 반만년 동안 몇 번을 찢어지고 붙었는지 생각해보면 이해가 안 가는 일이었다. 하지만 크하트는 당연하다는 듯이 말을 이었다.

"세 왕국은 정기적으로 주신께 바치는 제를 올립니다. 물의 왕국 인드라에서는 신을 모실 때 필요한 신주(神酒) 소마(Soma)를 담당하고, 불의 왕국 아그니에서는 주신께 올리는 공물을 불로 태워 신에게 날려 보냅니다. 법의 왕국 바르나에서는 그 모든 것을 기록하고, 다음 제를 준비하지요."

크하트의 목소리가 경건했다. 나로서는 이해하기 쉽지 않지만, 신이 직접적으로 간섭하는 세계이니만큼 이럴 수도 있는 건가 싶기는 했다.

"저희 불의 왕국 아그니는 제대를 통해 주신과 통할 수 있는 유일한 부족입니다. 보통은 제사를 지낼 때, 주신께서 술탄에게 화답을 주시지요."

"술탄에게만?"

"예. 다르마인이 이 땅에 생겨났을 때, 주신께서 유일하게 말을 건 상대가 바로 아그니일족의 시초, 초대 아그니셨습니다. 그 아그니 일족만이 주신께 말을 걸 수 있고, 그렇기에 대대로 제사장을 맡아온 것입니다."

"그럼 지금 술탄도 주신과 대화를 나눌 수 있는 건가?"

그저 궁금해서 물었을 뿐인데, 크하트는 쉽사리 대답하지 못하고 우물쭈물했다. 내가 굉장히 실례인 질문을 눈치 없이 한 것 같았다. 한참을 주저하던 크하트는, 목소리를 작게 낮추고 나에게 몸을 기울이며 속삭이듯 말했다.

"……사실 현 술탄께서는 주신의 답을 들은 적이 없습니다. 그래서 주신께서 술탄을 마음에 들어 하지 않는다며, 어떤 무리들은 술탄을 아그니 황족의 핏줄이 아니라 의심까지 했습니다. 술탄께서는 명군이시지만, 아그니 왕국에서 주신의 답을 듣지 못하는 것은 정당성의 상실이나 다름없으니까요. 하지만 현 술탄의 시대에 카마께서 강림하셨으니, 그것이 바로 주신의 뜻이 아니겠습니까."

크하트는 그리 말하며 활짝 웃었다. 정말 다행이라는 듯이.

크하트는 자마드를 썩 괜찮은 술탄이라고 여기고 있는 것 같았다.

"뭐, 그러면 나도 그, 제를 지내고 나면 주신과 이야기를 나눌 수 있어?"

"카마께서는 그냥 제대에 가시면 될 겁니다. 굳이 저희가 제물을 바치고 제를 올리는 것은 저희가 주신에게 보여야 할 마땅한 성의입니다만, 카마께서는 주신의 사랑받는 자식 아니십니까."

사랑받는 자식. 나는 헛웃음을 지었다. 그 사랑이라는 게 도대체 무슨 사랑인지 감도 못 잡겠단 말이야. 인과율을 끊어내니 어쩌니 해도. 나로서는 그냥 멀쩡히 살다가 죽어서 끌려온 것뿐이라 공감도 이해도 가지 않았다. 그리고 그렇게 사랑받는 자식이라면 내가 그냥 아무 데서나 말 걸어도 되는 거 아닌가? 나는 귀밑을 긁적였다.

"그런데 꼭 제대로 가야 해?"

"그곳이 주신과 통할 수 있는 유일한 곳이니까요."

그렇다 하니 그런 줄 알아야지. 전 세계에서 다른 나라로 여행 갔을 때도 문화 차이가 크디컸는데 여기는 아주 다른 차원이었다. 심지어 절대적인 신이 확실히 존재하고 있는 데다, 내 권능인지 뭔지부터가 21세기 과학으로 설명하기 힘들기 짝이 없는 것이었다. 나는 굳이 이해하려는 시도를 포기했다.

"제대는 어디에 있는데?"

"카마께서 등장하신 곳이 바로 그 제대가 있는 제단입니다."

"아, 거기."

나는 미간을 찌푸리며 애써 기억을 긁어모아 대답했다. 반신이 된 길에 머리나 좀 더 좋아지고 기억력도 좋아지고 하면 좀 좋아.

그나저나, 어쩐지 자마드가 나에게 잘해주더라니. 내가 반신이라 신앙심에 그런 줄 알았더니 써먹을 데가 있으니까 잘해주는 거였다. 자마드가 왜 그렇게 나를 환대했는지, 그리고 자마드에게 있어서 내가 어떤 식으로 유용한 존재인지 알게 되니 차라리 속이 다 시원했다. 원래 사람의 이유 없는 호의는 기대하면 안 되는 것인데, 이 세계에 반신의 존재로서 떨어지고 나니 잠시 잊고 있었다.

역시 적을 알고 나를 알면 백전불패. 자마드가 내 적은 아니지만, 세상 모든 이를 마냥 믿을 수는 없는 일이었다. 원빈이라고 해도 보증은 서주는 게 아니라는 말처럼, 잘생겼다 해서 마냥 믿고 맡기면 안 되는 험난한 세상 아닌가. 나는 그리 생각하며 홀로 고개를 주억거렸다.

꩜❤꩜

크하트와 이야기하고 자마드의 속내에 대해 대충 파악하고
나니, 술탄의 침실에 계속해서 머무는 것이 좀 불편해졌다. 애
초에 남의 방이기도 했고. 시종들이 치운다고는 해도 맘껏 행
동할 수가 없어서 최대한 행동반경을 줄이고 있던 차였다. 낮
에 차를 마실 겸하여 자마드가 문안 인사를 온 것을 기회로 그
에게 물었다.

"언제쯤 숙소가 마련되지?"

"정리가 끝나고 단장 중입니다. 아마 내일쯤이면 옮기실 수
있을 것입니다."

자마드의 대답은 내 질문을 예상했다는 듯이 빨랐다. 괜히
알아서 잘하고 있는 사람을 재촉한 느낌에 미안해졌다. 나는
뒷목을 긁적이며 어색하게 웃었다.

"미안하네."

"아닙니다. 카마께 침실을 내어드릴 수 있다니 큰 영광입니다.

게다가 제가 자주 하렘을 찾으니 이크발이나 구즈데들이 무척 기뻐하더군요."

이크발이랑 구즈데가 하렘에 있는 아내들의 이름인지, 아니면 직책인지 몰랐던 나는 그러려니 하며 고개를 끄덕였다. 이것도 나중에 크하트한테 물어봐야지. 나는 머릿속에 있는 「크하트에게 물어볼 목록」에 하렘에 관해 적어두었다. 내 머릿속을 읽기라도 한 것인지, 크하트에 대한 생각을 하기가 무섭게 자마드가 그에 관한 걸 물었다.

"그러고 보니 보내드린 학자는 유용하셨는지요."

"아아. 응. 덕분에 많이 배웠어."

"다행입니다."

싱긋 휘어지는 눈꼬리 사이로 자수정 같은 눈이 사라졌다 드러났다. 미남은 정말 미남이란 말이야. 아내들이 좋아하는 것도 당연했다. 술탄에 잘생기기까지 했으니, 술탄의 총애를 받고 싶어 안달이 났을 것이다. 나는 예전에 봤던 사극 드라마들을 떠올렸다. 후궁들의 암투! 꽃과 같은 여인들 사이에서 일어나는 무시무시한 궁중의 흉계! 안 그래도 심심했던지라 쉽게 자극적인 이야기로 생각이 튀었다.

"여기서는 주로 뭘 하고 놀아?"

"노는 것, 말씀입니까?"

"응. 할 게 없으니까 심심한걸."

여기서 조금만 더 심심했다가는, 황성의 소문이란 소문은 모조리 캐고 다닐지도 몰랐다. 예전에야 내 일에 바빠 남들 일에 관심 가질 이유가 없었다지만, 지금은 내 일이라고는 하나도 없었다. 나도 하루에 열두 시간씩 자면서 뒹굴뒹굴하는 게 성격에 맞았으면 좋겠다. 휴. 한숨이 절로 나왔다.

나는 이전 세계에 두고 온 내 단짝 친구를 떠올렸다. 주말에 집에 있으면 좀이 쑤셔서 여기저기 싸돌아다녔던 나와는 달리, 방학 내내 집에서 한 발짝도 나오지 않고 뒹굴뒹굴하면서 있는 게 마냥 행복한 친구였다. 그렇다고 컴퓨터 게임을 하는 것도 아니요, 그냥 침대에서 온종일 죽치고 있을 뿐이었다. 그런 성향 차이 때문에 싸우기도 많이 싸웠었는데. 걔였더라면 이렇게 까다롭게 굴지 않고 잘 적응했을 것이다. 아무리 생각해도 인선이 잘못된 것 같았다.

하여간 별로 어려운 질문이 아닐 거로 생각했는데, 생각보다 대답이 쉽지 않은지 자마드는 한참을 고민했다.

"연회를 즐기거나……."

"아니, 그렇게 거창한 거 말고."

"책을 읽거나……."

"머리 아픈 거 말고."

이 세계의 책을 떠올린 나는 미간을 찌푸렸다. 생각만 해도 머리가 지끈지끈했다.

주신의 배려 덕인지, 다행스럽게도 나는 이 세계의 언어를 자연스레 사용할 수 있었다.

안 그래도 외국어는 쥐약이었던 만큼, 이 세계의 언어를 배우려고 노력하지 않아도 된다는 사실을 깨닫자마자 나는 물개박수를 쳤다.

그 기쁨이 오래갔으면 정말 좋았을 텐데.

정작 문제는 다른 곳에 있었다. 바로 이 세계의 책들이 모두 오른쪽에서 왼쪽으로 쓰여 있다는 사실이었다.

크하트와 이야기하고 나니 갑자기 지식욕이 샘솟았던 나는 몇 번 책을 읽으려고 시도했지만, 익숙하지 않은 시선 처리에 속이 부글부글 끓고 손가락이 절로 곱았다. 그래도 애써 스스로를 타이르며 노력했다.

그러나 노력은 오래가지 못했다. 이 나라의 책들은 전부 종교서, 또는 역사서뿐이었다. 재미있는 이야기나 가벼운 동화 같은 것도 없다 보니, 결국 몇 줄 읽지 못하고 눈이 핑글핑글 돌아 허공으로 던져버렸다. 내가 책에 적응되는 날은 오기는 할까. 나는 한숨을 쉬었다.

자마드는 내 눈치를 보며 다른 제안을 했다.

"비파를 직접 연주해보시는 건……."

"오랜 시간 배워야 한다거나 그런 거 말고. 좀 더, 그, 가볍게 마음의 준비 없이 놀 수 있는 거 없어?"

몇 번의 기각 끝에, 나는 「논다」는 것의 정의를 좀 더 구체적으로 잡아주었다. 그럼에도 답은 쉽사리 나오지 않았다. 자마드는 평소에 제대로 놀아본 적이 없는 게 틀림없었다. 하긴, 정치적으로는 훌륭한 술탄이라는 크하트의 말이 생각났다.

일종의 일 중독자일지도.

나는 한숨을 내쉬었다. 괜히 심심하다는 이유로 바쁜 사람을 잡아두고 괴롭히는 꼴이었다.

그때, 자마드가 퍼뜩 떠오른 듯이 얼굴에 미소를 지었다.

"그, 교합을 하는 건 어떠십니까? 카마의 상대로서 귀족 자제들을 뽑아 올리도록 할 테니, 취향대로 간택하시면⋯⋯."

"기각, 기각, 기각."

나는 고개를 격하게 내저었다. 그래. 잠시나마 기대를 한 내 잘못이었다. 술탄의 「노는」 기준에 정상적인 것을 바란 게 실수였다. 나는 한숨을 연거푸 뱉었다. 그냥 크하트에게 물어보는 게 나을 것 같았다.

내민 선택지가 계속해서 퇴짜를 맞자, 자마드는 난처한 듯 울상을 지었다. 나는 되었다 만류하기 위해 손을 내저었다.

"됐어, 됐어. 다른 사람한테도 물어보지 뭐. 자마드는 일하느라 바빠서 노는 걸 잘 모르는 모양이니까."

"아닙니다. 제가 알고 있는 것 중, 분명 카마께서 마음에 드실 놀잇거리가 있을 것입니다."

나는 그저 쓸데없는 고집이라고 생각했지만, 자마드는 카마의 마음에 드는 대답을 하지 못한 불명예를 씻어야 한다고 생각하는 모양이었다. 자마드는 한참을 입을 꾹 다문 채 머리를 쥐어짰다. 그 시간마저 지루했던 나는 꾸물꾸물 손가락으로 방석 끝을 쥐어뜯었다. 손가락 사이로 금술이 이리저리 오갔다.

얼마나 지났을까, 한참 끝에 머리를 쥐어짜 낸 자마드가 최후의 대답을 하듯 결연히 말했다.

"장기! 장기는 어떠합니까? 주사위를 던져 판 위에서 말을 옮기는 게임입니다."

"흐음……."

자마드가 하는 설명을 들어보니, 우리 쪽의 베가몬 비슷한 보드게임인 것 같았다. 그것도 머리를 쓰는 것에서 벗어나는 건 아니지만, 그나마 논다는 것에 합당한 선택지이기는 했다.

자마드는 내 눈치를 보며 눈을 데굴데굴 굴렸다. 이번에야말로 간택을 바라는 모양새였다. 내가 바라는 건 실뜨기나 공기놀이같이 좀 더 생각 없이 할 수 있는 놀이였지만, 장기 같은 것도 나쁘지는 않았다. 나는 고개를 끄덕였고, 그제야 자마드의 얼굴에 안도의 기색이 비쳤다.

자마드는 얼굴의 선이 선명하고 짙어, 부담스럽게 느껴질 정도로 강렬한 인상이었다. 첫인상만 놓고 보자면 순정만화 속에 나오는 차가운 도시 남자의 표본 같은 생김새요, 술탄이라는 게 믿기면서도 믿기지 않는 외모였다.

하지만 나와 눈이 마주치는 순간의 얼굴은 언제나 살갑고 부드럽기 그지없어, 나에게 반한 것은 아닌가 자칫 착각할 만큼 달콤했다. 게다가 내 사소한 말도 예민하게 받아들이고, 내 맘에 족한 대답을 하기 위한 자마드의 노력에 가슴이 설레지 않았다면 거짓말이리라. 솔직히 나도 사람인지라, 비록 지금은 반신이지만 어쨌건 저렇게 잘생긴 미남이 극진하게 잘해주는 모습에 괜한 기대를 품기도 했다.

하지만 그것이 마냥 나를 좋아해서라고는 생각되지 않았다. 자마드의 호의를 그의 진심으로 착각하면 내 꼴이 우스워질 뿐이었다. 제 능력에 대해서건 주신에 대해서건, 나는 이 세계에 대해 아무것도 모르는 데다 까칠하기까지 했다. 그의 하렘에는 안 그래도 그의 구미에 맞추기 위해 노력하는 미인들이 잔뜩 있을 텐데, 그런 사랑스러운 미인들을 두고 남자 옷이나 입고 뒹굴뒹굴하는 나에게 굳이 지극정성을 다하는 이유라는 건, 불유쾌할 정도로 명쾌했다.

내가 카마가 아니었다면, 자마드가 이렇게 대해줬을까? 물론 주신의 제단에서 내려왔으니 잘해주기야 했을 테지. 그에게는 주신의 사랑이라는 명분이 필요하니, 날 잡아두어야만 했다. 자마드에게 있어서 나는 그저 정치적인 도구, 그 이상도 이하도 아닐 것이다.

나는 설레는 가슴을 애써 억눌렀다. 괜한 기대를 하지 말자고 몇 번이나 다짐하고 나서야 자마드를 마주 볼 수 있었다. 자마드는 여전히 초콜릿처럼 부드럽고도 달콤한 표정으로 날 지켜보고 있었다.

"나중에 제가 시간 나면, 장기를 알려드리겠습니다."

"됐어. 안 그래도 바쁠 텐데."

심드렁히 답하려 노력했지만, 목소리 끝이 조금 신경질적으로 높게 나간 것 같은 기분이 들었다. 나는 아무렇지도 않은 듯, 밝은 목소리로 말을 덧붙였다.

"배우는 방법 정도야 크하트한테 물어봐도 되니까. 나중에 내가 배우고 나면 같이 한 판 하자고."

그리 말하며 씩 웃으니, 자마드는 못내 아쉬운 표정을 지었다. 하지만 그 밑에 숨겨진 진심이 진짜 아쉬워하는 건지, 아니면 귀찮은 일을 손쉽게 덜어내어 내심 안도하고 있는 것인지 알지는 못했다.

"되도록이면 제가 알려드리고 싶었는데……. 그렇다면 오늘은 일단 키오스크에라도 가보는 건 어떠합니까? 풍경이 볼만합니다."

"키오스크가 뭔데?"

"풍경을 보며 쉴 수 있는 누각이랍니다. 저는 라바림 키오스크를 추천합니다. 전경이 탁 트여서 저도 마음이 답답하면 자주 나가는 곳이죠. 지금 나가시면 선선하니 좋을 겁니다."

"좋아."

바깥공기라도 쐬며 기분 전환을 하면, 심란한 마음이 그나마 조금 가라앉을 듯했다. 저 잘생긴 얼굴을 계속 마주하고 있다가는 알면서도 홀릴 것 같았다. 자마드는 그러면 국정을 봐야 한다며 먼저 자리에서 일어섰다. 방을 나서면서, 시종들에게 내 외출에 대해 이것저것 지시하는 소리가 들렸다. 나는 그런 자마드의 관심을 모르는 척 자리에 엎어졌다. 저게 가식이라는 걸 모르는 게 차라리 행복할 것 같았다.

❧⁂❧

술탄의 추천답게, 라바림 키오스크는 탁 트인 전경과 찰랑거리는 수면이 일품이었다. 화려한 무늬의 타일이 촘촘하게 깔린 광장을 지나면 연꽃이 가득한 연못이 보였다. 돌다리를 건너면 연못 안에 황금 지붕으로 뒤덮인 정자가 있었는데, 시종들이 미리 준비해뒀는지 카펫과 푹신한 쿠션, 그리고 간단한 다과가 준비되어 있었다.

처음에는 물 근처라 시원하기도 하고, 연꽃을 보는 것도 퍽 좋았는데 보기 좋은 꽃도 한 철이지, 이내 질리고 말았다. 시원하고 달콤한 수박을 베어 먹으면서도 심드렁한 표정은 감춰지지를 않았다. 나는 먹던 수박을 내팽개치고는 옆의 시종에게 물었다.

"여긴 볼 게 물이랑 꽃밖에 없어?"

"술탄께서 가끔은 배를 띄우기도 하십니다만……. 배를 띄울까요, 카마시여?"

나는 잠시 고민했다. 배를 타는 것도 썩 재밌어 보였지만, 오늘따라 유독 해가 쨍쨍했다. 반신이 되면서 더위와 추위에 대한 저항력이 상당히 강해진 덕에 그리 덥지 않기는 해도, 괜히 피부가 그을릴까 걱정이 되었던 나는 고개를 내저었다.

"아니, 그건 됐고. 저기 있는 연꽃, 꺾어도 되는 거야?"

"물론입니다. 아랫것을 시켜 꺾어 오도록 할까요?"

"응."

저렇게 큰 연꽃을 직접 보는 건 처음이었다. 단순한 호기심으로 쉽게 대답한 나는, 저 연꽃을 큰 접시 물에 둥둥 띄워 방 안에 장식해두면 썩 보기 좋을 거로 생각했다.

시종이 손짓하니, 어디선가 쑥 흑인 하나가 나타났다. 이곳 다르마인들은 모래색 피부를 갖고 있다 하였는데, 나타난 흑인 노비는 어디를 보아도 숯처럼 시꺼먼 피부색이었다. 햇빛 밑에서 일하느라 탔다고 생각하기에는 이목구비적인 특성이 좀 달랐다. 다른 인종도 있구나. 나는 알아낸 새로운 사실을 머릿속에 입력했다. 하렘에 대한 내용과 함께 크하트에게 물어볼 생각이었다.

흑인 노비는 곧 작은 조각배 하나를 연못 위에 띄웠다. 획획 몇 번 노를 저으니 멀찍이 있는 연꽃에 금방 도달했다. 노비가 연꽃 줄기를 잡고 칼로 단숨에 베어내니, 연꽃이 뚝 떨어졌다. 노비는 연꽃을 조심스레 들고 내가 있는 정자 쪽으로 뱃머리를 돌렸다.

배가 가까이 다가오니, 나는 난간으로 다가섰다. 난간에 손을 디딘 채, 연꽃을 받기 위해 손을 뻗었다. 하지만 그 순간, 잘못하여 난간을 지지고 있던 팔이 죽 미끄러졌다. 몸이 기우뚱하며 연못에 빠질 뻔했지만, 다행히도 날 잡아준 손이 있었다.

잠깐. 날 잡았다고?

나는 당황하여 천천히, 날 잡아준 이를 향해 고개를 들었다. 한 손에 연꽃을 쥔 노비가 배 위에 선 채로 아슬아슬하게 날 잡고 있었다. 나는 어색하게 웃으며 말했다.

"아, 고마워."

"……."

"저기, 놓아주지 않을래?"

내 부탁에도 노비는 묵묵부답이었다. 무엇에라도 홀린 사람 같았다. 홀리긴 홀렸겠지. 내 빌어먹을 권능에. 나는 이를 악물었다.

노비의 숨결이 거칠어지고, 그의 손에서 연꽃이 툭 하고 떨어졌다. 벌게진 눈은 충혈 된 채 나를 바라보고 있었고, 코에서는 콧김이 쉬익쉬익 나는 것 같았다. 놓아달라는 명을 듣지 못한 듯, 되레 나를 잡은 손에 힘을 주어 잡아당겼다. 생각보다 강한 힘이 아니었지만, 당황한 상태다 보니 획 끌려갔다. 내 입술에 사내의 숨결이 닿았다. 그 순간 머릿속에 크하트가 했던 말이 획 하고 떠올랐다.

─카마와 입을 맞추면 사랑에 빠져…….

"잠깐. 잠깐!"

그제야 아차 한 나는 바락 외치며 노비를 밀어내었다. 노비는 순순히 밀려났지만, 정신을 차리지 못하고 어질어질해 보였다. 그가 휘청거리더니, 이내 배 위에서 중심을 잡지 못하고 연못으로 떨어지고 말았다. 풍덩, 소리와 함께 노비의 몸이 연못 밑으로 까무룩 가라앉았다 다시 올라왔다. 노비는 그제야 정신을 차렸는지, 어푸어푸 몇 번이나 자맥질하며 연못 밖으로 빠져나오기 위해 노력했다.

"카마시여!"

나는 예상치 못한 일에 머리를 짚고 비틀거렸다.

노비가 날 잡는 순간 몰려온 시종들은 차마 나를 건들지는 못하는 듯, 발만 동동 구를 뿐이었다. 갑작스러운 소란에 군사들이 우르르 몰려왔다. 군사들은 시종들에게 사태 파악을 듣고는, 연못에서 간신히 빠져나온 노비를 잡아끌어 연행했다.

나는 주저앉은 채로 무릎 사이에 머리를 파묻었다. 숨을 몇 번 들이쉬니까 좀 살 것 같았는데, 주변에서 시종들이 재잘재잘 시끄럽게 구니 다시 짜증이 났다. 나는 손을 휘휘 내저었다. 그러기가 무섭게 목소리가 줄었다. 무슨 스피커 볼륨을 내리기라도 한 것처럼 즉각적인 반응이었다.

자마드랑 접촉했을 때는 내 능력에 대해 모르고 있었을 때이기도 했거니와 자마드가 정말 아무렇지도 않아 보였기에, 내 능력을 은연중에 과소평가하고 있었던 모양이다. 그저 자마드나 다른 시종들이 과잉 반응을 하는 거로 생각했던 게 틀림없었다. 그러지 않았더라면 지금 일어난 사건에 이렇게까지 충격받을 리가 없으니까.

단단히 틀어잡은 사내의 손아귀와 욕망 어린 눈길, 벌레가 기어가는 듯 근지럽게 흐트러지는 숨결. 무엇 하나 혐오스럽지 않은 게 없었는데, 오로지 그것이 나 때문에 일어난 일이라는 걸 알게 되니 나 자신이 싫어졌다.

독충은 자신을 지키기 위해 체내에 독을 비축한다. 모든 것들은 각자 살아남기 위한 방향으로 진화하는 법이었다.

쓸모없는 것은 퇴화하고, 필요한 것만 남는 것이 자연의 이치였다. 그렇다면 내 이 능력은, 권능은, 무엇 때문에 생겼고 무엇 때문에 아직 남아 있는 걸까. 신의 욕정이 뭐 그리 대단한 것이라고.

영혼을 탈탈 털어 다른 세계에까지 가서 세탁을 해왔는데도 미처 지워지지 못한 얼룩 같은 능력에, 나는 신경질적으로 머리카락을 잡아 뜯었다.

꽁∾❤∾꽁

그 일이 있고 한참 뒤에야 나는 비틀거리며 키오스크를 나설 수 있었다.

아직도 머릿속이 복잡했다. 자기혐오와 주변 사람들에 대한 불신감이 나라는 존재의 뱃속을 틈틈이 채웠다.

보고를 받았는지, 내가 침실에 도착하기가 무섭게 헐레벌떡 자마드가 들이닥쳤다. 뛰어왔는지, 구릿빛 뺨을 타고 한 줄기 땀이 주룩 흘렀다.

푹신하게 누빈 소파 위에 엎어진 내 앞에 자마드가 털썩 주저앉았다. 자마드가 손을 위로 치켜드니, 시종들이 금세 손수건과 차가운 냉수를 가져다주었다. 자마드는 숨을 고르고는, 침착해진 표정으로 입을 열었다.

"오늘 키오스크에서 큰일 났었다는 이야기를 들었습니다."

"별건 아니었어."

나는 최대한 평정을 가장하고, 담담히 대꾸했다. 아직도 손끝이 차갑게 식은 채 달달 떨렸지만, 쿠션을 꾹 끌어안는 것으로 감추었다.

"자마드는 멀쩡했었으니까, 나는 겨우 그 정도로 그런 반응을 보일 줄 몰랐어."

"……저도 무척 힘겹게 참아낸 것입니다, 카마시여."

괜히 미안한 심정이 들었다. 자마드 역시 아까 그 흑인 노비처럼 휙 돌아버릴 수도 있었는데, 자제심으로 참았다는 것 아닌가. 이곳의 노비 취급이 얼마나 관대한지는 모르겠지만, 학자인 크하트마저도 그리 내 앞에서 머리를 조아리고 발발 떨었거니와 시종들도 시종일관 저자세였다. 일개 노비라면 겁에 질린 채, 성욕이라고는 눈곱만큼도 떠올리지 못할 상황이었다. 그런데도 순간 정신을 놓았을 정도니 자마드도 마냥 편하게 견뎌낸 것은 아닐 터였다.

그나저나 그 사실을 확인하기 위해서는 아닐 테고 공사다망한 술탄 자마드가 이리 다급하게 행차한 이유가 있을 터였다. 나는 쿠션을 끌어안은 채 흘끔 자마드를 보았다. 자마드는 여전히 조각 같은 얼굴에 걱정을 가득 담은 채, 우려를 담고 말했다.

"카마께서 만약 상대를 원하신다면, 제가 혈통 좋고 엄선된 사내들을 진상하여 카마의 하렘을 따로 만들어드리도록 하겠습니다. 하지만 노비는 아니 됩니다. 카마의 명예에 누가 되거니와 그들은 모두 환관입니다."

"아니, 실수였다고. 누차 그, 잠자리 상대는 필요 없다고 말했잖아."

나는 입술을 삐죽이 내밀고 투덜거렸다. 잘생긴 자마드가 뚱쟁이 같아 보였다. 순간이라도 자마드에게 미안했던 마음이 거품처럼 푸시시 꺼졌다.

자마드는 내가 그런 대답을 할 줄 알았다는 듯이 슬며시 웃었다. 짙은 피부 사이로 흰 이가 드러나니 시원스러워 보였다. 카마는 다행이라며 고개를 끄덕였다. 그제야 한시름 놓은 듯 자마드는 너털웃음을 지으며 말을 덧붙였다.

"하여간 카마께 불경스럽게 군 노비는 처리했으니 너무 걱정하지 마십시오."

순간 내가 뭘 들은 건지, 이해할 수 없었던 나는 자마드를 멍하니 바라보았다. 자마드는 내가 저를 빤히 바라보는 이유를 알 수 없는 듯 나와 멀뚱히 눈을 마주쳤다.

나는 혼자 중얼거리듯 물었다.

"처리했다고?"

"네."

"어떻게?"

"깔끔하게요. 카마께서는 더는 신경 쓰실 필요 없습니다."

"설마, 죽였다는 말이야?"

"당연합니다."

자마드는 담담하게 고개를 끄덕였다. 마치 거슬리는 것이 있어 옆으로 치워두었다는 듯이 평이한 어조였다. 내가 몇 번을 물어도 자마드의 대답은 달라지지 않았다.

얼굴이 잔뜩 일그러졌다. 알 수 없는 답답함과 오갈 데 없는 분노로 가슴이 들끓었다. 분명 그 노비의 행동은 끔찍했지만, 그렇게 된 이유가 이유이니만큼 나는 그 노비의 처벌을 바라지 않았었다. 그건 분명, 내 실수였다.

키오스크에서 괜히 연꽃을 꺾어달라고 한 건 나였고, 시종들보다 먼저 자리에서 일어서 연꽃을 받으러 간 것도 나였다. 미끄러진 것도 나였다. 모조리 나 때문이었다.

나는 절규하듯이 바락 외쳤다.

"그건 그저 실수였을 뿐이야!"

내가 소리치니 자마드는 황급히 고개를 숙이고 머리를 조아렸다. 잔뜩 머리를 낮춘 자마드는 내가 왜 소리치는지 모르는 것 같았다. 이유조차 알지 못한 채, 그는 그저 내 화를 풀기 위해 노력했다. 나는 그게 더 화가 났다.

"카마께서 그러시다면 되었습니다만······."

"아니, 그러면 되었다는 게 아니라······. 결국 아무 일도 없었잖아. 내 능력 때문이었고. 게다가 환관이었다며. 근데 굳이 죽일 이유가 있던 거야?"

나는 신경질적으로 머리를 쓸어 올리며 자마드를 쏘아붙였다. 자마드가 그 노비를 죽인 데는 내가 짐작하는 것 이상의 이유가 있을 것이다. 관습적인 이유, 정치적인 이유, 종교적인 이유 등등. 하지만, 그래도 어떻게 할 것인가 내 의견 정도는 물어볼 수도 있었잖아. 죽일 필요까지는 없었는데. 아니면 차라리 죽었다고 알려주질 말든가.

나도 그 노비의 죽음을 모르는 척 넘기고 싶었다. 하지만 그럴 수가 없었다. 이미 알게 되었고, 그 노비가 죽은 이유는 분명 나 때문이었으니까. 울화통이 터질 것 같았다. 벌겋게 타오른 밤을 한입에 꿀떡 집어넣은 듯이 홧홧했다.

들끓는 내 심정을 모르는 자마드는 잡초를 뽑았을 뿐이라 말하는 것 같은 태연한 표정으로 나를 위로했다.

"카마의 손을 만지는 영광을 얻었으니, 윤회한 다음 생에서는 다르마인으로 태어날 것이 분명합니다. 노비도 기뻐하며 죽었을 테니, 카마께서는 노비의 일에 너무 심려치 마십시오."

"맙소사……."

나는 차마 말을 잇지 못했다. 자마드의 의도와는 달리, 그의 위로는 나에게 얼토당토않을 뿐이었다. 죽는 마당에 무슨 기쁨이요, 무슨 영광이라는 말인가. 하지만 자마드는 진심으로 그리 믿는 표정이었다.

몇 번이나 입을 열었지만, 말은 입 안에서 헛돌다가 사라졌다. 생명은 소중하다든가, 인간은 평등하다든가. 자마드에게 하고 싶은 말이 이리저리 뒤섞였다. 하지만 도저히 자마드를 설득할 엄두가 나지 않았다. 특히나 나는 반신이라는 이유 하나만으로 호사를 누리고 있는 처지로서, 불평등한 삶의 산증인이었다.

"그자가, 다르마인이 아니라서 죽은 거야?"

"다르마인만이 누릴 수 있는 영광을 수마트인에게도 나누어 주었으니, 당연합니다."

"그러면 그, 다르마인들은 상관없는 거고?"

나는 최대한 「괜찮은」 범위에 관해 물었다. 분명 장담하건대, 황성에서 머물다 보면 오늘과 같은 일이 이번 한 번뿐은 아니리라. 그때마다 사람이 죽어 나가는 꼴은 보고 싶지 않았다. 비록, 내 눈앞에서 죽는 건 아니지만 마음에 얹혔다. 나는 불안한 눈으로 자마드를 바라보았다.

"그렇습니다. 물론 카마께서 원치 않으시는데도 카마의 은총을 바라는 이들은 죽음으로 그 죄를 갚아야 할 것입니다."

"물론 내가 그런 걸 원하는 건 아니지만, 그, 죽이지 않는다는 선택지는 없는 거야?"

내 얼굴이 일그러졌다. 자마드는 난처한 듯한 웃음을 지었다. 내가 억지를 쓴다는 듯한, 곤혹스러운 웃음이었다. 무고한 이를 죽이라는 것도 아니고, 죽여야 하는 사람들을 죽이지 말라는 것도 아니고, 그저 죽이지 않아도 되는 이를 죽이지 말라는데 뭐가 억지란 말인가. 하지만 자마드는 그리 생각하지 않는지, 고개를 숙이며 간절하게 말했다.

"카마께서는 주신의 유일한 자식이요, 소중한 자식입니다. 주신께서 노하셔 저희 일족을 버리시지 않게 하기 위해서는, 그럴 수밖에 없습니다."

"버려져?"

"주신께서는 인자하고 너그러우시지만, 자신을 기만한 자들에 대해서는 가차 없으신 분입니다. 수마트인들도 원래는 다르마인이었습니다. 주신을 기리는 춤과 노래를 담당하는 부족이었지요. 하지만 제사에서 춤의 방향을 틀려 제사를 망쳐놓았습니다. 모욕당했다는 사실에 크게 화가 나신 주신은 업화의 불로 그들을 불태웠고, 그 때문에 새까맣게 타버린 수마트인은 검은 피부로 태어나게 되며, 다르마인들의 노비가 되었죠. 노비로서 선행을 쌓아 업보를 씻어내면, 내세에는 다시 다르마인으로 태어날 수 있게 된답니다. 하지만 그렇게 되기까지의 고행이 기나길지요. 저는 술탄으로서, 저희 아그니족을 수마트인으로 만들고 싶지 않습니다, 카마시여."

나는 내가 제대로 들은 게 맞는지 확인하기 위해, 되물었다.

"고작 춤의 방향을 틀렸다고?"

"중요한 제사요, 중요한 춤입니다. 주신의 은혜로서 세상이 순환한다는 것을 기리며 오른쪽으로 돌아야 하는데, 역행으로 돌았다는 것은 주신을 기만하는 것이 아니겠습니까?"

나는 입이 떡 벌어졌다. 주신이라는 자가 생각보다 치졸하고 옹졸하다. 자마드는 끔찍하다는 듯이 미간을 찌푸렸다. 짙은 눈썹이 휘어지며 검고 긴 속눈썹이 보랏빛 눈동자 위로 파르르 드리웠다.

"게다가 저주받은 자의 이야기도 있습니다. 저도 직접 본 적은 없지만, 주신께 버림받은 영혼으로 붉은 눈동자를 지니고 있다 하지요. 수마트인들은 그래도 주신께서 자비를 베푸셔서 가호를 내려주시지만, 저주받은 자는 단단히 노기를 산 덕분에 주신의 가호가 일절 거두어졌다고 들었습니다. 주신의 가호가 닿지 않으니 세상의 모든 이들이 그를 꺼린다고 합니다. 그렇기에 환생을 거듭한다 하더라도 불행한 삶을 살 수밖에 없는 운명입니다."

들으면 들을수록 첩첩산중이었다. 처음에는 왜 내 말을 듣지도 않고 제멋대로 사람을 처리하나 원망스럽기도 했는데, 주신이 저래서야 자마드가 예민하게 구는 것도 이해가 갔다. 내 맘에 드는 일이더라도 주신의 맘에 들지 않으면 그대로 일족 몰락의 위험에 처하기 때문이었다. 신의 존재가 현실 세계에 직접 드리워져 있는데, 그 신의 성격이 까탈스러워서야. 게다가 자마드는 주신의 목소리를 들을 수 없다고 했다. 자마드로서는 최대한 주신에게 밉보이고 싶지 않을 것이었다.

나는 그제야 왜 아그니와 인드라, 바르나가 균형을 맞추어 사이좋게 지내는지 알 것 같았다. 그들끼리 싸우다 주신에게 쏟는 정성이 소홀해지기라도 하면, 모래에서 태어난 이들 모두가 손을 잡고 다시 모래로 돌아갈 수도 있는 일이었다.

나는 한숨을 내쉬었다. 결국은 내가 원치 않는 일을 하면 주신이 화를 낼 것이요, 내가 원해서 하는 일이라도 주신의 마음에 들지 않으면 역시 주신이 화를 낼 거라는 이야기였다. 나는 딱 한 번 만나본 주신을 떠올렸다. 일견 자애로워 보이지만 그 스스로가 정한 일에서는 남의 말을 듣지 않는, 독불장군적인 구석이 있었다. 만물의 신에 사람을 창조했다 하니 그 정도 오만이야 당연하다 생각했지만, 그가 바로 내 아비라는 게 문제였다.

어쩔 수 없네. 다시 이런 일이 일어나지 않기 위해, 내가 고를 수 있는 선택지는 그리 많지 않았다.

"나, 훈련을 받겠어."

나는 짜증스레 툭 내뱉으며 머리를 벅벅 긁었다. 썩 여성스러운 행동거지는 아니었지만, 하도 속이 타니 손이 저절로 머리로 향했다. 갑작스럽게 튀어 나간 대화의 흐름을 미처 파악하지 못한 자마드가 되물었다.

"무슨 훈련 말씀이십니까?"

"무술이나 그런 거. 내 한 몸 지킬 수 있는 거."

그와 동시에 다른 이들의 목숨도 지킬 수 있으면 더 좋고. 이번 일은 내가 멍청하게 미끄러져서 생긴 문제였다. 지금까지는 다른 사람들의 시중을 못 받는다는 게 귀찮다며 불평불만을 품었지만, 그렇게 가벼이 넘길 일이 아니라는 걸 깨달았다. 한 번 미끄러져서 넘어질 때마다 사람이 하나씩 죽어 나가면, 신경쇠약에 걸릴지도 몰랐다.

다르마인이면 죽을 이유까지는 없다고 하지만, 술탄이 주신의 눈치를 보며 나를 대한다는 걸 알게 된 이상 어쨌든 내 한 몸 정도는 추스를 필요가 있었다.

무술 같은 걸 배우면 적어도 길 가다가 넘어지지는 않겠지. 나는 이를 갈았다.

바람에 흩날리는 버드나무와 같은 움직임으로 상대의 접근을 모조리 피해내는 성룡이 떠올랐다. 그 정도면 상대방이 나를 만지기 전에 먼저 피해낼 수도 있지 않을까.

나는 좋은 생각을 떠올렸다며 자화자찬했다.

물론 성룡처럼 되는 것은 쉬운 일이 아니요, 성룡과 같은 움직임이 단기간에 얻을 수 없는 평생 쌓인 훈련의 산물임과 동시에 짜고 치는 고스톱인 영화 편집의 결과라는 걸 당시의 나는 간과하고 있었다. 냉정하게 생각해보면 말도 안 되는 소리였지만, 그 순간만큼은 진지하기 그지없었던 나는 결연하게 자마드를 응시했다.

자마드는 넋을 놓고 나를 바라보고 있었다. 절대 나의 결심을 응원해주는 표정은 아니었다.

한참의 침묵 끝에 자마드의 입가가 떨떠름하게 올라갔다. 미묘한 눈썹 각도가 놀라는 것 같기도 하고, 신기해하는 것도 같았다. 부정적인 반응은 아니었지만 긍정적인 반응도 아니었다. 그 증거로, 그는 선뜻 허락을 내려주지 않았다.

"카마는, 참으로 신기한 말씀을 하시는군요."

"뭐가 신기한데?"

나는 내 말에 어디가 신기할 여지가 있는지 되짚어 보았다. 나 때문에 사람이 죽었다. 근데 그 이유가 넘어지는 나를 잡아줬기 때문이었다. 그러니까 덤벙대면서 넘어지고 싶지 않은데, 주의하는 데 한계가 있는 일이니 내 몸 내가 알아서 움직이려고 무술을 배워보겠다. 나 나름대로는 로지컬하고 명확한 인과관계였다. 물론, 「나 나름대로는」인 게 문제였지만.

"반신이라 하셔도 여자이신데 무술을 배우겠다 하시는 것도 그러하고, 옷차림도 꾸미는 걸 좋아하지 않으시는 것도 그러하고⋯⋯."

"여러모로 여자답지 못하다 이거지."

"카마를 모욕할 생각은 아니었습니다."

자마드는 황급히 바닥에 닿을 정도로 고개를 숙였다. 예전에는 그런 자마드의 행동이 정치적인 이유 때문일 거로 생각하고 그냥 넘겼는데, 오늘 주신의 업적에 대해 듣고 나니 왕국의 흥망성쇠를 위한 필사적인 접대로 보였다. 하긴, 그 정도가 아니라면 술탄이나 되는 위치에, 저렇게 잘생긴 사람이 고작 말 한마디에 벌벌 떨며 눈치를 보지는 않았겠지. 자마드가 안쓰러웠던 나는 손을 휙휙 내저었다.

"됐어, 됐어. 모욕당했다고 느끼는 건 아니고."

어차피 이전 세계에서도 여성스럽다는 선입견에 관련된 것들과는 썩 거리가 멀었던 편이다. 평상복으로는 바지가 더 편하고, 치마와 스타킹은 불편하기 짝이 없었다. 손톱에 매니큐어를 칠하느니 차라리 벽에 페인트칠을 하는 게 더 편하다는 소리를 술자리 우스갯소리로 내뱉는 데다, 내숭이나 애교는 쑤려야 쑬 수가 없을 정도로 없었다. 게다가 덜렁대기가 일쑤이니 여자답지 못하다는 소리는 숱하게 들어왔다.

이전 세계에서도 여자다운 취급을 못 받았는데, 여자라고는 하렘에 갇혀 나가지도 못하는 이 세계에서는 내 행동이 얼마나 괄괄해 보일까.

자마드가 그리 말하는 것도 당연했다.

하지만 그래서 어쩌라고. 편한 길을 두고 굳이 고생해가면서까지 여자답다는 말을 듣고 싶은 생각은 없었고, 그건 이 세계에서도 마찬가지였다. 나는 턱을 괴며 심드렁히 말을 이었다.

"하여간, 배워두는 게 편하니까. 어차피 심심하기도 했고. 시간 때울 겸 잘되었네. 아니면 뭐, 여기는 무술을 할 수 있는 계급이 따로 있는 거야?"

그것도 그럴싸했다. 카스트 제도에서도 제사장인 브라만은 최상위 계층이었고 군인 계급인 크사트리아는 그 밑의 계급이었으니까.

"그건 아닙니다만……."

다행이었다. 딱히 계급으로 제한된 일이 아니라면 허락해주지 않을 이유가 없었다. 내가 원한다면 혈통 좋고 잘생긴 미동을 잔뜩 안겨줄 것처럼 굴어놓고는, 겨우 호신용으로 무술 배우겠다는 말을 거절하지는 않을 터였다. 결국 자마드는 한숨을 내쉬며 고개를 끄덕였다.

"그러면 무술 선생을 찾아보도록 하겠습니다."

ﻼﻼﻼﻼﻼ

　다음 날, 예정되었던 대로 나는 숙소를 옮겼다. 술탄의 침실이 있는 곳에서 그리 멀지 않았지만, 두꺼운 성문을 하나 지나야만 했다.

　문을 넘기도 전부터 이상한 분위기가 감돌았다. 우선적으로, 성문을 지키고 있는 근위병들이 수마트인이었다.

　술탄 궁에 있는 이들은 모두 다르마인들이었고, 근위병 또한 마찬가지였다. 어제, 나 때문에 죽은 수마트인이 내가 처음으로 본 수마트인이었다. 그리 보기 힘든 수마트인이 갑자기 여기저기 많이 보이니 위화감이 느껴졌다.

　"여기는……."

　"하렘입니다. 아무래도 카마께서도 여자분이신지라……."

　시종의 말에 나는 얼굴을 일그러트렸다. 내 숙소가 하렘에 있다는 이야기는 듣지 못했는데.

　이곳은 여자와 남자의 거주지가 철저하게 분리되어 있었다.

지금껏 술탄의 궁에 머물면서 여자를 본 적이 한 번도 없었는데, 여자는 전부 하렘에만 있기 때문이었다. 하렘에 들어갔다 하여 전부 술탄의 여자라는 뜻은 아니었지만, 그래도 기분상 왠지 찝찝했다. 그런 내 불편한 심기를 읽었는지, 나를 안내한 시종이 황급히 덧붙였다.

　"그래도 술탄께서 하렘의 여인들과 달리 특별히 대우하라 이르셨습니다."

　"그 특별대우가 얼마나 대단한지 들어나 보지."

　말이 불퉁하게 나갔다. 술탄의 방에 얹혀사는 기분에서 벗어나나 했더니, 새 숙소가 그 답답한 하렘 안에 있을 줄이야. 자마드는 애초에 날 하렘에 집어넣을 생각이었던 걸까. 왠지 속은 기분에 짜증이 났다.

　"카마께서는 술탄과 같이 하렘을 자유롭게 나다닐 수 있으며, 카마께서 원하시는 일은 무엇이든 들어드리라 하였습니다. 만약 사내를 원하시면……."

　"아, 그건 됐어. 됐어."

　나는 짜증스레 손을 내저었다. 출입이 자유로운 걸 보아하니 숙소만 하렘 안으로 옮겨 이것저것 번거로워졌을 뿐이지, 지금까지의 생활 패턴과 크게 달라지지는 않는 모양이었다. 솔직히 이쪽 예법을 완전히 무시할 생각은 없지만, 그렇다 해서 마음에 들지 않는 예법에 따라줄 생각도 없었다.

차도르를 입지 않겠다 거부한 것 또한 마찬가지였다. 만약 하렘에 감금된 채로 평생 나가지 못할 것이라 했으면 난 당장에 술탄의 집무실로 뛰어갔을 터였다. 주신에게 황궁을 폭파해 달라고 기도하면서.

내가 말을 일축하자 시종은 깜짝 놀랐다. 그가 나에게 보내는 시선을 보아하니, 술탄이 내려준 특권이 엄청나게 대단한 모양이었다. 나로서는 우스울 뿐인데. 특권에 관한 것으로 말씨름하고 싶지 않았던 나는 말을 돌렸다.

"여긴 전부 수마트인들만 있는 거야?"

"불편하십니까? 당장 제 재량으로는 어쩔 수 없는 일이지만, 술탄께……."

"아니, 아니. 그냥 궁금해서 물어본 거야."

아까는 손짓에 짜증스러움이 담겼다면, 지금은 당황감에 필사적으로 손을 내저었다. 불편하다니, 도대체 뭐가 불편해? 이제 막 본 사이인데.

시종 또한 내 의중을 읽지 못한 듯 당황스러워하였다. 그는 큼큼, 헛기침을 하고는 내가 물어본 질문에 대한 답을 해주었다.

"술탄의 후계는 중요한 문제입니다. 오로지 아그니 황족만이 주신의 목소리를 들을 수 있으니까요. 그렇기에 하렘에는 술탄의 혈통의 정직성을 위하여 거세된 환관들을 배치한답니다."

"그런데 굳이 수마트인일 필요가 있는 거야?"

"거세 과정이 완벽하지 않아, 가끔 예외가 있기 때문이지요. 거세가 되었는데도 양물을 세우고, 씨를 뿌리는 자가요."

시종은 근엄한 표정으로 낯부끄러운 소리를 잘도 했다. 마치 백과사전을 읽는 듯한 그의 어투에, 나도 낯을 붉히지 않고 태연하게 그의 이야기를 들을 수 있었다.

"그 예외를 걱정하느라 하렘처럼 닫힌 공간에서 남자 노비를 쓰지 않을 수는 없죠. 그렇기 때문에 하렘의 남자 노비가 수마트인인 것입니다. 태어난 아이의 피부를 보면 여인들이 부정을 저질렀는지 저지르지 않았는지 바로 확인할 수 있으니까요."

시종의 얼굴에 뿌듯함이 감돌았다. 이런 신묘한 계책을 생각해낸 자신의 조상님들에 대한 존경심이 무럭무럭 피어오르는 모양이었다.

하지만 나로서는 불쾌할 뿐이다. 듣자하니 하렘에 있는 여인들이 유일하게 접촉할 수 있는 남자는 술탄을 제외하고는 노비뿐인 모양인데, 그조차도 수마트인을 배치했다는 것은 여자들을 믿지 못한다는 뜻이나 진배없지 않은가. 나는 얼굴을 찡그러트렸다.

"그렇기에 저희 다르마인은 여기까지밖에 들어서지 못합니다. 여기서부터는 하렘의 여관들이 카마를 모실 것입니다."

"……."

시종은 고개를 숙이고 물러섰다.

나는 그들을 두고 홀로 하렘 안으로 걸어 들어갔다. 빳빳이 선 수마트인 근위병들은 정면만을 바라보고 있어 눈이 마주치지 않았다.

하렘으로 들어가는 문을 넘어서자, 기다리고 있었다는 듯 여관 여럿이 내 앞에 무릎을 꿇었다. 그녀들은 내가 입기 싫다고 난리를 친 하늘하늘한 옷을 맵시 있게 차려입고 있었다. 천을 몸매가 드러나게 칭칭 감아 어깨 너머로 늘어뜨린 옷차림새는 몹시 불편해 보였다. 과연 저 옷을 입고 무슨 일을 할 수 있을까. 아마 양반 다리 하고 앉지도 못할 것이다. 역시 저런 옷, 안 입는다고 하길 잘했다. 나는 속으로 혀를 내둘렀다.

내가 속으로 그녀들의 옷을 뜯어보고 있는 동안, 그중 제일 으뜸으로 보이는 여관 하나가 내 앞에 나서며 말했다.

"카마를 뵙습니다."

"그래. 방으로 안내해줘."

"술탄께서는 카마의 방을 이곳에 있는 여인들과 멀찍이 떨어진 곳에 두라 하였습니다. 카마께서는 술탄께서 행차하셔도 거실로 나오실 필요가 없습니다. 이곳에서의 전반적인 생활은 여관인 저희가 모실 것이나, 혹여 하렘 밖으로 나가신다면 꼭 수마트인 노비를 데리고 나가셔야 합니다."

여관의 손짓에 수마트인 노비 하나가 나타났다. 건장한 몸이지만 짙은 피부는 밤이 되면 가려져 보이지 않을 것 같았다.

안 그래도 어제 수마트인 노예로 인해 한번 푸닥거리를 했었는데, 술탄이 순순히 내 곁에 수마트인 노예를 두는 게 납득이 가지 않았다. 그런 내 의문을 읽었는지, 여관이 빙그레 미소 지으며 대꾸했다.

"이 수마트인 노비는 하렘에 몇 없는 완벽하게 거세된 이입니다. 앞으로 카마의 전용으로 시중을 들 것입니다."

그러면 그렇지. 나는 쓰게 웃었다. 자마드를 얕보는 것은 아니었지만, 가끔 그가 얼마나 철두철미한지 잊을 때가 있었다. 이 수마트인 노비가 내 일거수일투족을 전부 자마드에게 보고한다 해도 그러려니 싶을 정도였다. 조금 질리는 듯한 답답함에, 나는 알았으니 숙소로 가자며 여관을 재촉했다. 일어난 지 얼마나 되었다고, 정신적인 피로 때문인지 벌써 엎어져서 쉬고 싶었다.

하렘 내의 모든 건물에는 굵은 쇠창살이 세워져 있었다. 창살의 무늬가 육각별의 모양인 곳도 있었고, 삼각형인 곳도 있었지만, 창살이 없는 창문은 없었다. 4층 높이로 우뚝 선 건물들 사이로 손바닥 한 뼘이면 가려질 것 같은 하늘이 몽실몽실 흘러갔다.

건물과 건물 사이가 널찍했던 하렘 밖과 비교하니, 감옥이 따로 없었다. 이곳에 있는 여인들은 어떻게 이걸 견디고 사는지 모르겠다. 나로서는 자신이 없었다.

숙소로 가는 길 건너에서 까르르대는 여인들의 웃음소리가 들렸다. 나는 흘끔, 그쪽으로 시선을 주었다. 하지만 건물 너머인지라, 그녀들의 모습을 볼 수는 없었다. 그리고 보니 오달리스크들과 멀리 떨어진 곳에 내 숙소가 있다고 했지. 하렘 내에서도 격리된 기분이었다.

내 방으로 주어진 곳은 술탄의 침실보다는 규모가 작았지만, 안의 화려함을 따지면 그보다 더했다. 막 눈인 내가 보기에도 진귀하기 짝이 없는 것들이 방 안을 가득 메우고 있었다. 하다못해 바닥에 깔린 카펫의 무늬조차도 그러했다. 금장으로 덧씌운 위에 루비와 옥을 박아 장식한 콘솔 위에 있는 물병 또한 섬세한 무늬가 아름다웠다.

"어떠십니까? 술탄께서 직접 지시한 대로 장식한 방입니다. 술탄께서 신경을 많이 쓰셨어요."

여관은 그리 말하며 술탄이 얼마나 나를 신경 쓰는지, 물건 하나하나의 귀함에 대해 설명했다. 무엇 하나 허튼 것이 없는 방 안은, 술탄이 신경 써서 채워 넣었다는 말을 그대로 증명하고 있었다.

방 안의 물건들에 호기심이 들지 않는 건 아니었지만, 우선 나중에 생각하고 싶었다. 나는 여관들이 이것저것 설명하는 말을 전부 무시하며, 비척비척 소파에 가 앉았다. 그러고는 그대로 드러누우니, 여관들은 입을 다물고 향을 피워주었다.

코끝에 향기로운 향이 닿았다. 숙면을 도와주는 향이었다. 나는 그대로 손으로 눈을 가려 창을 타고 들어서는 햇빛을 가렸다. 그리고는, 귀찮고 짜증 나는 일들을 전부 끌어모아 꿈속에 미루기 위해 그대로 까무룩 잠이 들었다.

CHAPTER 3
변화와 적응

낯잠을 늘어지게 자고 일어나니, 크하트가 와서 접견실에서 기다리고 있다며 여관이 말을 전했다. 나는 늘어지게 켠 기지개로 잠을 마무리 지은 뒤, 옷차림을 가다듬고 접견실로 향했다. 크하트는 하렘에 들어올 수 없는지라 접견실로 가려면 하렘 밖으로 나서야 했다.

술탄이 내려준 수마트인 노비가 내 뒤를 쫓았다. 이러저러해도 앞으로 계속 같이 다닐 사이였다. 이름 정도는 알아두는 게 좋을 것 같았던 나는, 대뜸 노비에게 물었다.

"너, 이름이 뭐야?"

"……."

노비는 내가 말을 걸 거로 생각지 못했는지 깜짝 놀랐다.

노비는 잔뜩 난처한 표정을 지으며 고개를 내젓더니, 양 검지를 입술 위에 겹쳤다.

"말을 하지 못해?"

노비는 고개를 끄덕였다. 나는 한숨을 내쉬었다.

"그럼 네 이름을 알 때까지, 널 모카라고 부를게. 넌 커피색 같은 피부를 지니고 있고, 난 커피는 모카커피가 좋거든."

내 말이 끝나기가 무섭게 노비가 바닥에 꿇어앉아 나에게 절을 올렸다.

당황하여 그를 보고 있으니, 모카는 절을 세 번 하고 일어서며 감격에 찬 눈빛으로 나를 보았다. 이름을 뭐 거창한 걸 붙여준 것도 아니고, 그저 내 필요에 따라 붙였을 뿐인데 지나치게 좋아하니 민망했다. 애완동물에게 이름을 붙여도 그것보다 더 성의 있게 붙이겠다 싶었던 나는 괜히 마음이 불편해져서 획, 접견실로 가는 발걸음을 재촉했다.

크하트는 커다란 덩치와 맞지 않는 자그마한 커피잔을 들고 있었는데, 내가 접견실에 들어서기가 무섭게 커피잔을 내려놓고 고개를 숙였다. 나는 크하트 건너에 있는 상석에 털썩 주저앉았다.

"한참 기다렸어?"

"아닙니다. 숙소는 어떠신지요. 마음에 드십니까? 술탄께서 신경 많이 쓰셨다는 이야기를 들었습니다."

"그렇게 다들 입 모아 말하지 않아도 자마드가 신경 써주는 건 알고 있어. 그런데 그러면 나는 앞으로 계속 이 하렘에 있어야 하는 거야?"

나는 탐탁지 않다는 듯 얼굴을 일그러트리며 물었다.

일단 내 숙소를 애써 만들어주었으니 당분간 머물긴 하겠지만, 그리 오래 있고 싶은 곳은 아니었다.

왕실 학자인 크하트라면 내가 하렘 밖에서 지낼 수 있는 방법을 알지도 몰랐다. 나는 기대를 품고 크하트를 바라보았다. 크하트는 활짝 웃으며 고개를 끄덕였고, 그것은 내 기대심을 부풀게 했다.

"만약 술탄의 하렘에 머물기 싫으시다면, 카마께서 따로 하렘을 만드시면 됩니다. 아마 내궁인 엔데룬에 카마의 하렘이 만들어질 것입니다. 물론 금녀의 구역으로 삼아……."

"내 하렘을 갖고 싶은 생각은 없어……. 그런 거에 관심 없다니까."

어처구니없는 크하트의 답에 완전히 기운이 빠진 나는 지쳐서 중얼거렸다. 내가 하렘 외로 거주지를 옮길 다른 명분은 없는 것 같았다. 주신은 날 보내면서 그냥 하고 싶은 대로 살면 된다더니, 생각보다 규율에 얽매이고 명분에 얽매여서 하지 못하는 게 많았다.

속았어, 속았어. 나는 투덜거렸다.

나에게 당연한 것이 이쪽에서는 이상한 것이고, 이쪽에서 당연한 것이 나에게 이상하니 사사건건 부딪치지 않는 것이 없었다. 물론 억지로 우기거나 명령이라며 강제로 시키면 내 주장은 받아들여질 터였다. 하지만 그렇게까지 뻔뻔해지기에는 아직 인간으로서의 예의가 남아 있었다.

하대하는 거나 남들 부려먹는 건 익숙해졌지만, 이곳의 예법을 전부 무시하고 억지 주장을 부리는 건 또 다른 차원의 문제였다.

시종들이 내 다과를 내오니, 현관을 지키고 있던 모카가 받아서 내 앞에 대령했다. 나는 냉큼 다과로 손을 뻗었다. 크하트는 모카를 보고는 놀란 표정을 지었다.

"수마트인이네요."

"내 전용으로 쓰라고 술탄이 내려줬어. 그런데 말을 못하더라고. 이름이 뭔지 몰라서 모카라고 부르고 있어."

"카마께서 직접 이름을 내려주신 겁니까?"

"응. 왜 그런 반응이야?"

이름을 내려줬다기보다는 그냥 내 필요에 의해서 부르는 것일 뿐이었지만, 크하트의 반응에는 유난스러운 데가 있었다.

"수마트인은 이름이 없습니다. 이름은 존재를 정의하는 존귀한 언어인 만큼, 주신에게 버림받은 이들에게는 사치일 뿐이니까요."

"이름이 없다고? 그럼 불편하잖아."

"카마께서는 상냥하시군요."

크하트는 감동받은 표정을 지었다. 마치 내가 수마트인들의 불편함까지 신경 써주는 착한 신인 것처럼. 아니, 나는 내가 불편하다는 뜻이었는데.

말을 하면 할수록 이상해져 가는 상황에 나는 그냥 쿠키만 먹었다. 내가 침묵한다 하여도 대화가 끊기는 일은 없었다. 크하트는 혼자서도 천 마디의 말을 할 수 있는 사내였으니까. 크하트는 여러모로 놀랍다는 듯 다다다 이야기를 늘어놓았다.

"술탄께서 카마께 수마트인을 전용으로 내려주었다는 것은 카마님을 존중하신다는 뜻이랍니다. 보통 눈이 자주 마주치면 없던 정도 생긴다고, 하렘 안의 간통을 우려하여 환관을 한 여인의 소유로 두지 않습니다. 당번제로 돌아가게 하죠."

"그놈의 간통, 간통. 술탄들이 간통에 트라우마라도 있는 것 같군."

거의 프로이트적 수준의 강박증 같았다. 이 세계의 거세법이 진보했다면, 하렘에 있는 모든 시종은 거시기를 완벽하게 뚝 떼어냈을 게 분명하다고 나는 확신할 수 있었다.

크하트는 트라우마라는 단어가 생소한지, 몇 번이나 입에서 굴려보았다. 왕실학자인 자신이 모르는 단어라는 게 신경 쓰이는 모양이었다.

"트, 라우마요?"

"정신적으로 얽매여 있다고."

"아아, 어쩔 수 없습니다. 하렘에 다르마인 노예가 있었던 시절, 간통을 저지른 이크발 때문에 아그니 왕족의 혈통이 끊길 뻔 했으니까요. 아그니 왕족의 남자만이 주신의 말을 들을 자격이 되니 무척 큰일이었습니다. 저희 아그니는 주신께 제를 올리고 목소리를 듣는 왕국. 저희가 할 일을 제대로 하지 못하면 세 왕국이 이루고 있는 균형이 일그러지니까요."

아무리 생각해봐도 이곳은 전적으로 주신에게 얽매인 세계였다. 모든 관습과 문화의 뒷면에 주신이 도사리고 있었다.

나는 크하트의 말 중 익숙하지만 알지 못하는 단어를 캐치했다. 이크발. 안 그래도 크하트에게 물어보려고 했던 것이었다.

"그 이크발이라는 건 뭐지? 직책인가?"

"하렘은 이 왕궁에 있는 모든 여인이 머무는 곳이지요. 시녀, 궁녀 할 것 없이 말입니다. 이크발은 술탄을 모신 적이 있는 이들로, 아들을 낳지 못한 자를 뜻합니다."

"좀 더 자세히 말해줘."

그래도 하렘 안에 들어왔으니, 하렘에 대해 얼추 알아둘 필요는 있었다. 주변에서는 눈치 볼 필요가 없다고 말하지만 그래도 알고 무례하게 구는 것과 몰라서 무례하게 구는 것은 다르지 않은가. 참고로 나는 이왕이면 전자가 좋았다.

"그들은 대부분 오달리스크부터 시작합니다. 소실 후보인 여자들이지요. 보통 하렘 내에서 시중을 드는 여관들이 여기 포함됩니다. 그중 술탄의 눈에 띄어 총애를 받지만, 침실에 들지 못한 자는 구즈데라 하며, 침실에 들게 된 이를 이크발이라 합니다. 아들을 낳게 되면 카딘의 위치에 오르며, 술탄의 어머니이신 발리데 술타나 다음의 권력을 차지하게 되지요. 보통은 발리데 술타나가 하렘의 최고 권력자라고 보시면 됩니다."

"그러면 가서 인사라도 해야 하는 게 아닌가?"

"하지만 현 술탄께서는 일찍이 모후를 잃으셨지요. 발리데 술타나의 부재로 인해 하렘의 규율이 흐트러질까 걱정한 술탄께서는, 아들이 없음에도 불구하고 예외적으로 레누카 이크발을 카딘에 봉하셨습니다. 현 하렘의 유일한 카딘이시죠."

카딘은 아들을 낳은 자. 레누카라는 여자가 유일한 카딘인데 예외적으로 봉해졌다는 것을 보아 현 자마드에게는 아들이 없는 모양이었다.

나는 뒷머리를 긁적거렸다. 목 근처 오는 머리칼은 조금 길었는지 귀찮게 목에 들러붙었다.

"그럼 그 카딘에게라도."

"카딘이 아니라 설령 발리데 술타나라 할지라도, 카마께서 먼저 찾아가 보실 필요는 없습니다."

크하트는 단호히 답했다.

크하트는 덩치가 산만 해도 쭈글쭈글 눈치를 보는 편이었는데, 그가 답지 않게 눈을 부라리며 단호하게 구니 왕실학자가 아니라 무슨 대장군 같았다.

"그쪽에서 먼저 인사를 드리러 올 것이니, 카마께서는 절대 먼저 움직이지 마십시오. 카마께서 아랫것들의 사정을 봐주실 이유가 전혀 없습니다."

크하트는 거듭 강조했다. 나도 썩 가서 보고 싶을 정도로 의욕이 넘치는 것은 아닌지라 그냥 성의 없이 고개만 두어 번 끄덕이며 과자가 있는 곳을 향해 손을 뻗었다. 하지만 손끝에 잡히는 것은 아무것도 없었다.

모카가 바로 새 과자 그릇을 내어주었다. 모카를 보니 어제의 일이 또 생각이 났다.

"그러고 보니 내가 넘어진 걸 잡아줬다가 나에게 홀린 수마트인 노비 하나가 죽었어. 이전 카마는 어떻게 지낸 거야? 가다가 넘어지면 누가 잡아주지도 못하겠어."

크하트는 내가 별 이상한 소리를 한다는 듯 대꾸했다.

"문헌에 기록되기를, 카마께서는 주로 가마를 타고 다니셨으며, 혹여 걷다 넘어진다 하더라도 카마의 주위에는 카마의 취향에 맞는 미동과 미장부들이 항시 대기하고 있었다고 합니다. 수마트인 노비와는 차원이 달라요."

지금의 내가 별종이라는 어조였다.

전생의 내가 어땠는지는 몰라도, 정말 성욕의 신이라는 타이틀에 걸맞은 사람, 아니 반신이었다는 것만큼은 분명했다. 크하트고 자마드고 나만 보면 하렘하렘 해대는 게 조금은 이해가 갔다. 그들이 알고 있는 「카마」는 그런 존재였으리라.

저런 이야기를 들으면 언제 한번 날 잡아서 문헌을 뒤져보기라도 해야 하나 싶다가도, 그걸 알아서 무얼 하나 하는 생각도 들었다. 「카마」라는 이름을 갖고 「카마」로서의 능력을 갖추고 있는 건 똑같았지만, 전생과 지금의 나는 명백히 다른 존재였다. 어차피 전생의 나에 대해 알아봐야 그런 괴리감이 커질 뿐인데, 굳이 알아내어 혼란스러워할 필요는 없을 것 같았다.

∞◦♥◦∞

크하트의 말대로, 그날 저녁 바로 하렘에서 인사가 왔다. 레누카 카딘이 직접 다른 이크발들을 이끌고 내 방으로 찾아왔다. 자식이 없다는 말에 나는 은연중 하렘의 여자 수를 얕보고 있었는데, 그리 짐작한 것이 우스울 정도로 이크발의 수는 많았다.

총애 여부와 상관없이 술탄이 한번 품은 여자는 이크발이 된다 하였으니, 적어도 여기 있는 여자들은 자마드가 다 한 번씩 건드렸다는 이야기와 일맥상통했다.

이크발들이 들어오니 내 응접실이 꽉 찼다. 다들 수컷 공작새처럼 화려하게 차려입었는데, 옷과 장식에 꿀리지 않을 정도로 얼굴 또한 아름다웠다. 반투명의 하늘하늘한 재질의 옷 아래 드러난 몸매는 풍만하고 매끄러워서, 나처럼 나올 데 안 나올 데 구분 못 하고 전부 들어가 있는 비쩍 마른 나뭇가지 같은 몸매와 비교가 되었다.

남성복을 입고 있어서 다행이다. 적어도 몸매는 가려지니까 저들과 비교는 안 될 것 아닌가. 나는 속으로 몰래 안도의 한숨을 내쉬었다.

나와의 비교는 둘째 치고서라도, 같은 여자인 내가 봐도 꽃밭에 온 것처럼 흡족한데 사내들의 눈에는 어떠할까 가히 짐작되었다. 나는 소파에 길게 누워 앉은 채로, 그들의 인사를 받았다. 이크발들의 제일 앞에는 레누카 카딘이 있었는데, 군계일학. 수많은 꽃 중 단연 눈에 띄는 미인이었다. 모래색 피부라기엔 투명한 석영에 가까운 피부색은 어둠 속에서도 반짝반짝 빛이 났다. 푸른 눈동자와 길게 늘어트린 은백색 머리카락은 인외의 존재 같은 분위기를 풍겼다.

"카마를 뵈옵니다."

"어어. 그래."

레누카 카딘이 너무 예뻐서 넋을 놓고 보고 있다 보니 한 박자 늦게 대답이 나갔다. 자마드도 보고 있으면 감탄만 나오는 미남이었지만, 레누카도 만만치 않았다. 자마드의 곁에 있어도 꿀리지 않을 것 같은 외모에 나는 한풀 더 자신감이 깎였다. 저렇게 생긴 애들이 보기에 나 같은 애가 성욕의 신이라고 있으면 비웃음밖에 안 나올 것 같았다. 그 순간만큼은 아테네가 아라크네에게 품은 열등감을 이해할 수 있었다.

"카마께서 하렘에 거주하시게 되었다니, 하렘의 영광입니다."

"나야말로, 미인들 사이에 운 좋게 끼게 되니 행운이네."

진짜로. 외모만으로 따지면 나는 이크발이 무엇이냐, 여기 여관만도 못할 것이었다. 물론 여자에게 외모가 다가 아니라는 건 알지만, 그거야 남녀평등 대한민국에서나 통하는 이야기였고, 심지어 그 남녀 평등하다는 곳조차도 외모지상주의가 팽배해 있었다. 이곳도 더하면 더했지 덜하지는 않을 터였다. 심지어 여기 하렘의 여자들은 악기도 잘 뜯고 시도 잘 읊고, 이것저것 특기도 많다고 들었다. 난 그런 건 하나도 못하는 데다 별다른 특기도 없어, 외모도 별로야. 정말 부모 잘 만난 덕이네. 금수저의 삶이 이런 건가. 나는 귀 뒤를 긁적였다.

그때 이크발 하나가 나섰다. 굽이치는 붉은 머리카락이 인상적인 미인이었다.

붉은 머리의 이크발은 도전적으로 눈을 치뜨며 말했다.

"카마시라면 당연히 하렘의 일원이 될 자격이 있지요."

어떻게 들으면 카마가 아니었다면 하렘의 일원이 될 자격이 없다는 말처럼 들렸다. 물론 이크발이 저런 의도가 아닌, 좋은 의도로 한 말일 수도 있었지만 그건 그다지 중요하지 않았다. 내가 기분이 상했다는 게 중요하지. 물론 내가 카마가 아니었다면 하렘에 들어설 자격이 없다는 걸 누구보다도 잘 알고 있는 것이 바로 나였다. 자격지심 어린 불쾌감으로, 내 목소리가 뾰족하게 나섰다.

"이 하렘의 주인은 자마드잖아? 나는 안 그래도 그것 때문에 불쾌하던 찰나야. 내가 자마드의 것도 아니고, 단지 여자라는 이유로 여기 들어와 있는 거니까 말이야."

나는 짜증스레 주먹으로 팔걸이를 쾅쾅 내리쳤다. 그러기가 무섭게 레누카 카딘을 포함한 이크발들이 바닥에 납작 엎드린 채로 머리를 조아렸다. 예쁜 여자들을 보는 게 좋은 것과 별개로, 이미 형성된 무리에 들어가는 것이 상당히 스트레스 받는 일이라는 걸 잠시 잊고 있었다. 나는 불편한 심기를 숨기지 않고 그대로 드러냈다.

"별로 이쪽에 신경 쓰지 않아도 되고, 그냥 너희 살던 대로 살면 돼. 너희끼리 노는 데 안 끼워줬다고 투덜대지는 않을 테니까. 난 귀찮은 게 딱 질색이야. 무슨 말인지 알아들었지?"

"……알겠습니다, 카마시여."

다들 입을 모아 대답했다. 그제야 좀 화가 풀렸지만, 썩 이야기를 섞고 싶지 않았던 나는 홱 고개를 돌렸다. 여인들은 어찌할 바를 모르고 서로의 얼굴만을 마주 보았다. 나는 모카를 향해 손을 내저었다.

모카는 곧 차게 식힌 나무 열매 음료를 가져왔다. 찬 음료를 벌컥 들이켜니 속이 좀 뻥 뚫리는 것 같았다.

그때 여관이 술탄의 행차를 고했다. 갑작스러운 자마드의 등장에 여인들은 깜짝 놀라는 기색이었지만, 이내 능숙하게 얼굴에 교태로운 미소를 짓고 술탄을 맞이했다. 나를 대할 때와는 사뭇 다른 그 모습이 감탄스러울 정도였다.

"술탄을 뵈옵니다."

"어어. 왜 왔어."

"노비에게 이름을 붙여주셨다면서요."

카딘과 이크발들의 인사는 허공에서 흩어졌다. 자마드는 그녀들에게 약간의 관심조차 주지 않았다. 성큼 들어서기가 무섭게 대뜸 묻는 자마드의 질문에 나는 심드렁히 대꾸했다.

"알면서 왜 물어. 왜. 수마트인한테는 이름도 못 붙여줘? 너 하자니 불편하고, 말을 못하니 이름도 모르고, 그래서 대충 지어준 이름인데."

"수마트인에게는 영광일 것입니다만……."

차라리 애완동물 이름을 붙여도 덜 호들갑을 떨겠다. 나는 탐탁지 않아 보이는 자마드의 표정에 속으로 구시렁댔다. 내가 생각했을 땐 정말 별거 아닌 일인데, 자마드가 예민하게 구는 걸 보니 카마는 직접 다른 이들 이름을 붙이지도 못하는 모양이었다.

나는 뒷목을 벅벅 긁었다. 여성스럽지 못한 태도에 이크발들 몇이 작게 실소하는 것이 보였다. 저런 이가 카마라니 말도 안 된다며 비웃는 것 같았다. 뭐라 한 소리 할까 싶다가도, 괜히 다들 모여 있는 데서 큰소리 내기 싫었던 나는 그냥 한숨만 내쉬었다.

"하여간 다들 볼일 봤으면 나가봐."

"레누카, 이크발들을 물리도록."

자신만 남고 다른 이들을 물리는 자마드의 태도가 퍽 자연스러웠다. 나는 눈을 가늘게 뜨고 자마드에게 말했다.

"너도 가라고."

"저는 아직 볼일이 끝나지 않았습니다, 카마시여."

자마드는 생긋 웃으며 대꾸했다. 웃는 얼굴에 침 못 뱉는다고, 심지어 그 웃음의 주인이 저렇게 잘생긴 미남이어서야 대놓고 안 된다고 잘라 말하기가 거북했다. 하지만 사람은 적응의 생물이었다. 자주 마주했다고 고새 익숙해진 건지, 나는 얼굴을 차게 하고 고개를 내저었다.

"오늘 보아하니 하렘에서 머물 모양인 거 같은데, 자고 일어나서 말해."

"하지만 카마께서는 늦잠꾸러기이지 않습니까."

"내일은 일찍 일어날게."

"믿지 못하겠습니다. 저와 함께 있는 것이 싫습니까?"

아, 이건 좀. 처량한 듯 눈썹을 축 내리 깔고 하는 말마저 거부할 수 없었던 나는 잠시 말문이 막혔다.

자마드의 태도에 놀란 건지, 내 방을 나서던 레누카와 이크발들의 표정이 깜짝 놀란 채였다. 얼마나 놀랐으면 나가던 발걸음마저 멈추고 자마드와 날 바라보고 있을까. 하긴, 자마드의 태도는 술탄이 반신을 대하는 태도라기보다는 애첩이 그 주인을 대하는 태도 같았다. 왕국의 술탄이 저러는 모습에 놀라지 않는 쪽이 이상할 터였다. 하지만 자마드는 타인의 시선 따위는 신경 쓰지 않은 채 뻔뻔스레, 더욱더 생떼를 썼다. 결국 포기한 나는, 자마드는 남으라 말하는 수밖에 없었다.

자신이 바라는 대로 이뤄진 결과에 자마드는 흡족한 듯 얼굴 만면에 미소를 띠고 물었다.

"숙소는 마음에 드십니까?"

"하렘 안이라는 것만 아니면."

"혹시 불경한 이들이라도 있는 거라면……."

"잔걱정 많기는."

나는 피식 웃으며 대꾸했다. 뭐 그리 중요한 볼일인가 했더니, 결국 시시껄렁한 안부였다. 굳이 오늘 이리 물어야 할 이유는 없을 텐데. 부득불 남아서 사람을 귀찮게 했다.

나는 아까, 나에게 이상하게 날 선 태도를 보였던 붉은 머리의 도발적인 이크발을 떠올렸다. 방을 나서면서 나와 자마드를 보는 눈길에 독기가 그득 서려 있었다. 나는 손가락으로 툭툭, 턱을 두드렸다. 이곳은 하렘이었고 여자들이 자마드의 관심을 구걸하는 공간이었다. 그것이 자마드를 사모해서든, 자신이 살기 위해서든.

자마드의 속내야 어쨌든 그는 나에게 지극정성이었고, 그것이 그녀들의 심기를 건드릴 가능성이 상당히 높았다. 이래서 하렘에 오기 싫었다니까. 입술이 비틀려 올라갔다.

그런 내 심기를 읽은 것인지, 자마드가 고개를 숙이며 말했다.

"카마께서는 하렘의 규칙에 따를 필요가 없습니다. 왕성의 규칙에 따라 하렘에 들어와 주신 것만으로도 죄송스럽습니다."

"뭐, 있어보고 진짜 마음에 안 들면 나갈 거니까. 그때는 네가 안 된다 해도 나갈 거야."

"그리되지 않도록 최대한 노력하겠나이다."

자마드의 얼굴이 결연했다. 나는 알겠다며 고개를 끄덕였다. 내가 불쾌하지 않도록 자마드가 노력한다고 하니, 나도 불평불만은 잠시 접어두기로 했다.

하렘에서의 생활이 편하면 편한 대로 나쁜 건 아니고, 불편하면 불편한 대로 나가면 되는 일이었으니까. 나는 가볍게 생각했다.

࿇࿇❧࿇࿇

카딘과 이크발 모두가 모인 자리에서 보여준 자마드의 태도에 하렘 안이 술렁거리는 것 이 느껴졌다.

불안하고 초조한 분위기가 하렘의 공기를 침침히 물들였다. 확실히 자마드는 눈에 띄게 나에게 잘해주었다. 원래 친절한 사람이라고 생각했지만, 하렘에서 웅성거리는 이들을 보아하니 마냥 그렇지는 않은 모양이었다. 남들한테 별로 관심이 없다고는 하나 그 정도 눈치는 있었다.

적발의 이크발이 왜 나에게 적대적인 태도였는지 대충 짐작이 갔다.

불안하고 초조할 테지. 카마랍시고 등장한 인물은 성욕의 신인 데다 자마드의 자식을 낳을 수 있는 「여자」였다.

자마드를 꾀어서 하렘의 카딘에 등극하는 것도 손쉬운 일이요, 그들의 밥그릇을 하나 빼앗긴다 생각하고 있을 게 뻔했다. 자마드의 남다르게 대하는 태도가 의심에 말뚝을 박았겠지. 나는 한숨을 내쉬었다.

나는 자마드가 그런 행동을 하는 것이, 마냥 나를 위해서라고는 생각하지 않았다. 분명 그는 나와의 친분을 유세하고 있었다.

일부러 남들 다 보는, 입이 많은 곳에서 다정하게 치근덕거리면서. 「술탄과 카마가 친하다.」라고 소문내고 싶기라도 했던 걸까? 그렇다면 도대체 왜?

머리를 열심히 굴려보았다. 내가 알고 있는 정보가 적었기에 생각해낼 수 있는 경우도 적었다. 하지만 그만큼 잔가지에 휩쓸리지 않고 분명하게 본질을 볼 수 있다는 장점이 있었다. 그리 오래지 않아, 나는 자마드가 왜 일부러 그런 소문을 내는지 대충 짐작할 수가 있었다.

「카마」와의 친분을 통해 주신의 가호를 대신할 생각일 테지. 자마드가 주신의 목소리를 듣지 못한다는 사실은 크하트를 통해 알고 있었다.

고작 나와 친하다는 것으로 무마될 성질의 것인지는 의문이었지만.

나로서는 딱히 나서서 부인할 이유가 없었다.

못마땅한 부분이 있기는 하지만 자마드가 해줄 수 있는 한에서는 최대한 배려해주고 있었고, 실제로 내가 받는 것들에 무엇 하나 허술함이 없다는 것도 알고 있었다.

생각해보면 이 세계에서 제일 친하다 꼽을 수 있는 것이 자마드이기도 했다.

완전 거짓부렁은 아니니만큼, 나는 「술탄과 카마가 친하다.」라는 소문을 묵인했다. 그 정도쯤이야, 밥 얻어먹는 자의 도리로서 감내해줄 만했다.

자마드는 언제나 나에게 친절했다. 물론 그것이 마냥 순수하지 않다는 것 또한 잘 알고 있었다. 아니, 솔직히 말해서 거의 100퍼센트 정치적인 속셈이겠지. 나는 한숨을 내쉬었다.

솔직히 자마드에게 호감이 없다는 건 거짓말이리라. 자마드는 무척 잘생겼다.

예전 세계에서 봤던 잘생긴 모델들 사진 사이에 자마드를 끼워 넣는다고 해도 그다지 위화감이 들지 않을 정도였다. 그렇게 잘생긴 상대가 심지어 나에게 친절하기까지 하니, 마음이 동하지 않는 여자가 이상할 터였다.

초등학교 시절, 친한 친구들 사이에서 서로 좋아하는 상대의 이름을 공유하는 은밀한 놀이가 유행했을 때가 있었다. 그때, 의무감에 반에서 제일 인기 있을 거라 짐작되는 부반장의 이름을 거론했던 것이 내 첫사랑이었다.

고작 그런 뜨뜻미지근한 사랑만을 품어온 나에게, 자마드의 외모는 산불처럼 가슴을 활활 타오르게 하기도 했지만 동시에 차마 손을 델 수 없게 만들기도 하였다. 저것은 관상용이다. 그 냥 조각상일 뿐이야. 할리우드 배우는 할리우드 배우와 사귄 다. 나는 그냥 평범한 사람과 질릴 정도로 평범한 연애를 하는 게 어울리는 평범한 사람이었다.

지금은 신이 되었다 뭐다 떠받들어지고 있지만, 나는 내 본 질을 착각하지 않기 위해 노력했다. 「본질」이라기보다는 분수 에 더 가까우리라.

사실 나는 부반장을 정말 좋아했다. 제일 좋아하는 편지지 에, 또박또박 정성 들여 러브레터도 썼었다. 하지만 건네주지 못했다. 부반장이 날 좋아해줄 리가 없으니까. 다른 예쁜 여자 아이들을 좋아할 게 분명했다.

그랬기에 처음에 이 능력에 대해 들었을 때, 어처구니없고 귀찮은 마음도 있었지만 다른 한편으로는 괜한 설렘이 있었다. 이 능력만 있으면 상대도 절대적으로 날 좋아하게 만들 수 있 었다. 짝사랑 따위는 이제 안녕이다. 나는 내심 시시덕거렸다.

하지만 그래 봐야 진짜 저에게 매력이 있어서 사랑이 이루어 지는 것이 아니었다. 나라는 인간은 짝사랑만 전전하던 전생의 모습 그대로일 뿐, 그들이 날 좋아하게 되는 것은 오로지 신으 로서의 이 능력 때문일 게 분명했다.

사람의 마음을 능력으로 사는 꼴이었다. 나는 분명, 나에게 보내는 그들의 사랑을 믿지 못하리라. 의심하고 부정하며 자기 혐오로 가득 찰 게 분명했다.

그렇게 되고 싶지는 않았다. 그랬기에 나는 내 능력을 절대 쓰지 않으리라 다짐했다.

능력으로 마음을 사는 것은 이기적인 생각이다. 나는 마음속에 불퉁대는 욕망을 애써 억눌렀다.

궁금하기는 했다. 자마드처럼 저렇게 잘생긴 사람이 나를 좋아한다고 말하는 기분은 어떨까. 하지만 나는 자마드에게 호감이 생기기가 무섭게 고이 그 마음을 접었다.

분수에 맞지 않는 욕망이 불러일으킬 참변이 내가 감당할 수 없는 것일까 봐 두려웠다.

지금에 만족하자. 미남이 이렇게 지극정성을 다해주는 걸 어디 가서 경험해보았겠는가.

비록 정치적 목적에서 나오는 호의이기는 하지만. 하여간 이게 바로 부모 잘 둔 덕이라는 건가. 아하, 이게 바로 금수저 인생의 낙이로구나. 고개를 주억거리는 내 마음 한 켠이 괜히 꿉꿉했다. 애써 묻어놓은 너덜너덜한 자존감의 시체가 거기에 있었다. 나는 모르는 척, 고개를 돌리고 웃었다. 영혼 없는, 가면뿐인 미소였다.

아그니 술탄의 궁전은 비룬과 엔데룬, 하렘으로 나뉜다. 비룬은 외정으로 궁정 사람들을 비롯한 국민들에게도 자유롭게 열려 있다. 엔데룬은 내정으로 술탄의 침실과 집무실, 편전 등 술탄이 거주하는 곳이니만큼 조금 더 절차가 까다롭다. 주로 귀족들과 고위 고관들밖에 들어서지 못하는 곳으로, 제2의 문에서 철저하게 감시를 한다.

마지막 하렘은 여인 거주 구역으로, 사내들은 일절 접근이 금지되는 금단의 구역이다. 현재 내가 머무는 곳으로, 답답하기 그지없는 새장이었다.

뻐꾸기부터 문틈마다 창살이 있으니 몸을 내밀 수도 없고, 마음만 같아서는 저 창살, 그대로 뽑아버리라 하고 싶은 심정이었다. 내 집이 아니니 차마 그럴 수 없지만. 창살 사이를 타고 유려한 음률이 스며들어 왔다. 이크발와 구즈데들이 악기 연습을 하는 모양이었다.

술탄의 마음을 조금이라도 저에게 향하게 하기 위한, 그들 나름의 생존 전략이었다.

이 하렘에서의 나는 여전히 외톨이었다. 내가 말을 걸기 전까지 말을 거는 이도 없고, 다들 설설 피해 가기 일쑤였다. 쉽게 말을 나눌 수 있는 상대는 크하트나 자마드였지만, 공사다망하기 그지없는 둘을 그저 내가 심심하다는 이유로 붙잡아 둘 수는 없지 않은가. 그나마 자주 만나는 모카는 벙어리였으니, 하렘에서의 생활이 편할지언정 기꺼울 리 없었다.

심심함에 몸을 비틀고 있을 때, 여관이 술탄의 전언을 받아 왔다. 내 무술 선생을 구했다는 말이었다. 뛸 듯이 기뻤던 나는 선생을 만날 날을 손꼽아 기다렸다.

약속한 날에는 햇볕이 쨍하고 들이쳤다. 잔뜩 들뜬 나는 편한 옷을 차려입고 엔데룬으로 발걸음 했다. 엔데룬에 있는 제2정원에는 이미 자마드와 한 사내가 와 있었다. 사내는 자마드와 키가 엇비슷했지만, 확실히 훈련한 몸답게 두꺼운 느낌이 들었다. 한 스물 후반은 되었을까. 자마드 옆에 있어 다소 외모가 퇴색되는 면은 있었지만, 그래도 남자답게 잘생긴 사내였다. 사내는 허리춤에 둥근 검을 차고, 허리를 꼿꼿이 세우고 있었다. 딱 보기에도 군인 같은 남자였다.

"이쪽은 카마께 호신 무술을 가르칠 예니체리 락시타라고 합니다. 인드라에 유학도 다녀왔을 정도로 뛰어난 인재죠."

음……. 굳이 비교하자면 줄리앙과 아그리파 정도의 차이랄까. 줄리앙이 잘생기기는 했지만 아그리파도 아그리파 나름대로 나쁘지 않았다. 짙은 검은 머리칼을 짧게 친 것이 더 강인해 보였다. 구릿빛 피부에 청록색 비단이 무척 잘 어울렸다. 그러고 보니 하렘의 여자들은 다양한 머리카락 색을 지니고 있었는데, 우연인지 내가 본 사내들은 전부 검은 머리였다.

"자마드도 락시타도, 전부 검은 머리네."

"사내들이니까요."

"여자들은 은발도 있고 적발도 있던데. 그러고 보니 검은 머리인 여자를 본 적이 없어."

"여자들은 꽃이기 때문입니다. 다양한 머리카락 색과 화사함으로 사내에게 기쁨을 주지요."

당연하다는 자마드의 말에 내 얼굴이 와락 일그러졌다. 남자는 검은 머리, 여자는 형형색색의 머리카락. 무슨 유전자 레벨로 남녀 차별하는 것도 아니고, 우스운 이야기였다. 나는 다듬지 않아 삐죽삐죽한 머리끝을 매만지며 중얼거렸다.

"……나는 여자인데도 흑발인데."

"그건 카마께서 저희에게 기쁨을 주는 존재가 아니기 때문입니다. 카마는 특별한 분이시니까요."

그리 말하며 자마드는 눈을 휘어 웃었다. 이렇게 예외라는 대답을 받을 때마다 나는 굉장히 알 수 없는 기분을 느꼈다.

내가 이 세계 「여성」의 프레임에 끼워 맞춰진 채 살아갈 자신이 있느냐 하면 절대 아니었지만, 그렇다 하여 나 혼자 여자에서 그리고 인간에서 동떨어진 채 존중받을 때마다 속이 뒤집히는 기분이었다.

그렇다 해서 내가 이렇게 종교적으로, 문화적으로 켜켜이 쌓여온 관습을 타파할 자신은 없었다. 이 세상 사람들 모두를 설득하고 깨달음을 주어야 하는데, 그건 생각만 해도 아득해지는 어려운 문제였다. 불합리하고 비이성적인 결과 앞에서 나는 무력함을 느꼈다. 하지만 이 목구멍에 꽉 틀어막힌 감정을 누구에게라도 토로할 수 없다는 사실이 제일 답답했다.

혼란한 내 머릿속을 모르는 자마드는 락시타를 돌아보며 말했다.

"카마께서 호기심이 많고 궁금한 게 많으시니, 최대한 대답해드리도록 해라."

"……알겠습니다."

자마드는 바쁜 일정이 있어 가봐야겠다며 자리를 떴다. 정원에는 나와 락시타만이 남았다. 생각보다 머쓱하고 어색한 상황에 나는 말을 선뜻 붙이지 못하고 딱딱하게 웃어 보였다. 물론, 락시타는 나보다도 더 딱딱한 표정을 짓고 있었다.

락시타는 그림으로 그린 듯한 무인이었다. 말수가 적고, 무뚝뚝한 태도가 얼굴 외형에도 적용되는 것 같았다.

나는 칼날처럼 서 있는 분위기를 누그러트릴 겸 말이라도 붙이고자, 아까 자마드가 락시타를 소개할 때 했던 말 중 궁금했던 것을 물었다.

"인드라에는 뭘 배우러 다녀온 거야?"

"각 나라에는 왕국을 지키는 예니체리들이 있지만, 인드라에는 그와 별개로 신의 군대가 있습니다."

자마드가 대답해주라 해서 대답해주는 건지, 락시타는 순순히 설명을 늘어놓았다. 자마드처럼 유려하게 흐르는 말투도 아니고, 크하트처럼 알고 있는 많은 것을 풀어놓는 말투도 아니었다. 자기가 알고 있는 것을 머릿속에서 떠올리고, 천천히 풀어내는 락시타의 대답은 느릿느릿했다.

"신의 군대?"

"아그니에서는 아그니 왕족을 따라 신의 목소리를 들을 수 있는 힘이 있다 하면, 인드라에는 신의 힘이 담긴 아이들이 태어납니다. 찌르는 창끝에서 번개가 나오고, 그 괴력은 바위도 쪼갤 정도라 하죠. 그들은 신의 군대로서, 신의 명에 따라 이교도를 말살하는 신벌 집행자입니다. 신군이라 하지요. 물론 요즘은 그 의미가 많이 퇴색된 편이지만, 그렇다 해도 신의 축복은 여전한지라 그들의 곁에서 같이 수련하는 것을 예니체리의 최고의 명예로 칩니다."

"오……."

번개도 내리치고 바위도 쪼갤 정도라니, 사람을 꾀는 내 권능보다 저런 것이 훨씬 대단해 보였다. 하지만 결국은 같은 본질이리라. 정해진 능력, 정해진 권능, 정해진 이름, 정해진 굴레. 저런 힘을 갖고 태어난 그들에게는, 신의 군사로서 훈련받는 인생밖에 없었을 것이다. 선택의 여지조차 없었겠지. 마치 카마로서 이 세계에 와서 카마로서 굴러가는 내 인생처럼.

사색에 잠겨 딴생각하고 있는 내 머리 위로 딱딱하다 못해 차갑기 그지없는 락시타의 목소리가 떨어져 내렸다.

"궁금한 것, 다 물어보셨습니까? 그러면 훈련으로 들어가겠습니다."

위압적인 태도에 나는 알았다 고개를 끄덕였다. 락시타는 우선 내 체력과 근력 등 신체조건이 얼마나 되는지 알아보았다. 애초에 운동하는 걸 좋아하는 편도 아니었거니와, 한동안 이 세계에 와서 빈둥대기 바빠 완전 저질 체력일 거로 생각했다.

하지만 생각과 달리 내 몸은 잘 움직였다. 이질적인 괴리감이 들 정도로, 유연하게 쭉쭉 뻗어 나갔다. 하긴, 생각해보면 이미 내 몸은 저 세계에서 죽었다. 철골에 꿰뚫린 채 너덜너덜해진 몸을 분명히 저 세계에 두고 왔으니, 이 세계에서의 몸은 주신이 다시 빚어준 것일 터였다.

왜 진즉 깨닫지 못했을까. 아마 겉보기에는 지난 생의 몸과 지나치게 흡사했기 때문이리라.

팔의 길이, 발가락의 생김새, 콧대의 높이, 약간 짝짝이인 눈매 모두. 평범한 모습 그대로 옮겨 왔기에 체력도 그대로일 거로 생각했는데, 주신이 제법 신경 쓴 모양이었다.

하긴, 외모와 달리 체력은 생존에 관계된 문제이기는 하지.

카마가 전생에 인간에게 죽었다 하니 주신도 신경이 많이 쓰였을 것이다.

아, 혹시 최근 들어 꾸곤 하였던 꿈이 카마 전생의 죽음인 걸까. 만약 그게 맞는다면……. 나는 꿈을 되짚어 떠올렸다. 작열하는 태양빛이 검날에 부딪혀 눈을 찌르고, 나는 모든 것을 받아들인 채 팔을 뻗었다. 그리고 그린 듯이 내리치는 검의 궤적. 다시 떠올리니 머리가 지끈거리며 아파졌다. 썩 좋은 기억이 아닌데 억지로 되짚어서 그런 것 같았다. 머리를 흔들어 상념을 털어낸 나는 다시 훈련에 집중했다.

정원을 몇 바퀴나 뛰어도 그다지 지치지 않는 내 모습에 락시타는 고개를 끄덕였다.

"확실히 신의 몸이기는 하군요. 좋습니다. 그럼 바로 검을 잡도록 하겠습니다."

내가 체력이 좋은 것이 신의 몸이기 때문이라 단정 짓는 것이, 내가 단련했다고는 생각하지 않는 것 같았다. 물론 그게 사실이었기에 부정할 여지는 없었다.

나는 완전히 초보자라서 검을 잡는 법부터 배워야만 했다.

나는 락시타가 말하는 대로 자세를 잡았지만, 엉거주춤하기 짝이 없었다. 엉망인 내 모습에 락시타는 혀를 찼다.

보통은 잡아서 자세를 교정하는 모양인데, 나는 카마였다. 락시타가 잡아주려고 해야 잡아줄 수가 없으니, 말과 시범으로서 가르쳐줄 수밖에 없었다. 락시타가 검집 끝으로 내 관절을 툭툭 쳤다. 반신에게 이렇게 불순하게 굴어도 되는 건가 싶긴 했지만 다른 방법이 없으니 어쩔 수가 없었다.

나는 락시타가 시키는 대로 몸을 움직였지만, 여의치가 않았다. 거울이 없으니 내가 어떤 꼴인지 알 수 없던 나는 한참 자세를 요리조리 바꿔보았다. 체력이 좋게 해주는 김에 그런 센스도 좋게 해주지. 나는 주신에 대한 불만을 속으로 잔뜩 늘어놓았다.

체력이 좋아졌다고 기뻐한 것이 무색하게도, 자세를 잡는 데 한참이 걸렸다. 결국 그날, 검을 쥐는 법을 아는 것에서 수련은 끝이 났다.

락시타는 참을성이 좋은 편이었다. 그게 아니면 계급이 깡패라고, 탐탁지 않은데도 불구하고 반신인 나에게 차마 성질을 부릴 수가 없어 애써 억누르고 있는 게 분명했다. 몇 날 며칠이 지났는데도 훈련은 지지부진, 앞으로 나아가지를 않았다.

일주일이 지났을까, 많이 좋아졌다고는 하나 전지적 내 기준에서인 만큼 락시타는 많이 답답할 것이었다.

왕궁 예니체리나 될 정도라면 모르기는 몰라도 엄청난 엘리트에, 주변의 사람들도 재능이 차고 넘치는 이들일 것이다. 그런 그가 보기엔 나는 학습 부진아겠지.

훈련을 시작하고 한 달이 되었다. 진도가 나가기는 했지만 거의 첫날과 다를 바는 없었다. 기어코 참지 못한 락시타가 훈련이 끝내고 버럭 말했다.

"여자가 굳이 검을 잡을 필요가 있습니까?"

한 달 동안 몇 번 말을 섞지는 않았지만, 그것만으로도 락시타가 날 그다지 좋아하지 않는다는 걸 깨닫는 데는 무리가 없었다.

좀 더 노골적으로 말한다면 경멸한다는 것이 정확하리라. 지난번 붉은 머리 이크발에 이어 락시타까지. 나는 이 세계 사람들이라고 해서 전부 카마를 좋아하지는 않는다는 것을 알게 되었다.

"게다가 당신은 카마입니다. 손만 까딱이시면 인드라의 신군이 카마를 지킬 텐데, 굳이 이러시는 연유가 무엇인지 모르겠군요. 심심하니까 배워보자, 이런 거로 생각한 겁니까?"

한번 물꼬가 트이니, 락시타는 쉽게 성을 잠재우지 못했다. 하고자 하고 바랐던 나도 답답해 죽을 것 같은데, 억지로 끌려온 락시타도 속이 한참 끓었던 모양이었다. 락시타의 말이 내 가슴을 후벼 팠다.

내가 그저 심심해서 검을 배워보자 생각한 것도 아니었고, 나 나름의 이유가 있기는 했지만 그렇다 해서 필사적이었던 것도 아니었다. 락시타와의 수련 시간, 딱 그만큼만 투자했다. 마음 한구석이 켕겼다.

"그게 아니라……."

"무술을 얕보지 마십시오."

그리 말하며 락시타는 냉랭히 뒤돌아섰다. 갑작스러운 상황에 당황한 모카가 나에게 다가왔지만, 나는 떠나가는 락시타의 뒷모습을 멍하게 바라보았다.

락시타의 말에 상처받지 않았다면 거짓말이지만, 솔직히 안도하는 마음도 있었다. 카마로서의 신성성이 그들의 호불호를 가릴 정도는 아니라는 사실은, 적어도 그들의 「불호」만큼은 진실한 감정이기 때문이었다.

차라리 이게 더 알기 쉬웠다. 되레 직설적인 말이 고마울 정도였다. 게으르고 멍청한 나. 떠받들어지니까 정말 뭐라도 된 줄 알아서. 도대체 왜 검술을 배우겠다고 한 거야.

락시타는 제대로 보았다. 나는 무술을 얕보고 있었다. 그냥, 운동해야겠다며 헬스를 끊는 것처럼 가볍게 생각했다.

나는 손에 쥔 검을 내려다보았다. 한 손에 잡힌 휘어진 곡도는, 예전이었다면 두 손을 이용해도 간신히 치켜들 수 있었을까 싶은 무게였다.

근력이 붙은 덕에 내가 들 수 있는 무게는 무거워졌는데, 나 때문에 흩어질 목숨의 무게는 가볍기만 했다. 나를 잡아주었던 수마트인의 검은 손가락을 떠올렸다. 기억 속에서 뭉개진 얼굴 중, 유일하게 뚜렷한 것은 욕망에 들뜬 벌건 눈동자뿐이었다. 나 때문에 타올랐고, 나 때문에 꺼져간 생명의 불꽃이었다.

나는 묵직한 검을 바닥으로 늘어트린 채, 답답한 내 자신의 모습에 한숨을 내쉬었다. 얼굴을 가린 손가락 사이로 한숨이 갈래갈래 새어 나갔다.

‰◌❤◌‰

락시타와의 일 이후로, 나는 하렘에 와서도 검을 잡았다. 어차피 하렘 내의 내 숙소는 사람의 행적이 드문 곳에 있는 만큼, 내가 다소 못 볼 꼴을 보여도 볼 사람이 없을 터였다.

검에 매진하는 나를 보며 모카는 전전긍긍한 표정을 지었다. 하지만 말을 할 수도 없거니와 내 선택에 모카가 직언할 권한이 없으니, 모카는 그저 내 수발을 들 뿐이었다.

검을 휘두르느라 드는 힘보다도, 제대로 내가 휘두르고 있는 게 맞나 확인하는 데 소모되는 정신력이 더 컸다. 체력은 그다지 닳지 않았는데, 정신력이 푹푹 깎여 나갔다. 그렇게 훈련한 지 며칠이 되었을까. 눈에 띄게 휙휙 좋아지는 건 없었지만, 그래도 굼벵이 기어가는 속도였던 예전보다는 빨리 진도를 뺄 수가 있었다.

내 검세를 한참 지켜보던 락시타는 무덤덤하게 물었다.

"따로 연습을 시작하셨습니까?"

"으응."

연습을 시작했다는 말을 하지는 않았는데, 그렇게 티가 났나 싶었던 나는 머쓱하게 뒷목을 긁적였다. 락시타는 고개를 끄덕이며 무뚝뚝이 대꾸했다.

"이전보다 훨씬 낫군요."

"그래?"

"그렇다 해서 만족할 정도는 아니지요."

내가 반색하니, 락시타가 뚱하게 첨언했다. 그래도 락시타에게 처음 듣는 칭찬인지라, 올라간 내 입꼬리는 쉽게 내려가지 않았다. 노력이 인정받았다는 사실에 다소 흥분했는지 검세가 흐트러졌고, 바로 뒤따르듯 락시타에게 호된 말을 들었지만 그래도 좋았다. 락시타의 질타를 들으며 몇 번이고 다시 자세를 잡은 뒤에야 다시 흐트러진 검세를 바로잡을 수 있었다.

"솔직히 카마께서 이렇게 오래 검을 잡을 거라고는 생각지 못했습니다."

락시타의 검은 눈썹 사이의 미간에 자잘한 주름이 가며 까만 눈동자가 꾹 눌려 사라졌다. 락시타가 그리 생각했어도 무리가 없는 일이기는 했다. 그만큼 처음 검을 잡았을 때의 내 마음가짐은 형편없었다. 지금도 결연한 의지라든가 다짐과는 거리가 멀기는 했지만, 그래도 처음에 비하면 훨씬 낫다 자부할 수 있었다.

"처음에는 카마께서 무술을 배운다는 이유로 애첩을 들이려고 하는 거로 생각했습니다. 저는 술탄을 위한 검으로, 술탄께서 명하는 일은 뭐든지 하기로 맹세한 예니체리지만, 그 일만큼은 쉽게 받아들일 수가 없었습니다."

순간 내 입가가 굳었다. 내가 아는 자마드는 충분히 그것까지 염두에 두었을 것이다.

어쩐지 너무 젊고 잘생긴 남자다 싶었지. 속에서 한숨이 끓어 나왔지만, 내 답답한 심정이 락시타의 심정보다는 덜할 것이라 차마 그 앞에서 한숨 쉴 수는 없었다.

"카마께서 선뜻 저를 취하시지 않기에, 저는 카마께서 유희를 즐기시려는 거로 생각했습니다. 제가 시키는 수련은 잘 받아들이셨지만, 그렇다고 해서 검을 수련하려는 사람답지는 않으셨으니까요. 그래서 저는 카마의 마음에 들지 않기 위해 더

불온하게 굴었습니다. 차라리 불경죄로 감옥에 끌려가는 게 나을 것 같았습니다."

그리 말하는 태도가 덤덤하기 그지없었다. 난 또 자마드에게 허락이라도 받고 엄격한 교관 행세를 하는 줄 알았는데, 알고 보니 애첩으로 끌려온 꼴이요, 그에 감옥에 갇힐 생각까지 했었을 줄이야.

사람이 뻣뻣하고 옹고집일 거라는 짐작은 했지만, 참으로 어지간하기도 했다.

"네 말이 사실이었는걸, 뭐. 심심하니까 배워보고 싶었다고 여겼던 것도 당연해. 필사적이지도 않고."

내 말에 락시타의 입이 딱 다물렸다. 뭔가 심란한 표정이었다. 나는 들고 있던 검을 허공에 휙 휘둘러보았다. 은빛 궤적이 허공을 갈랐다. 처음 검을 잡았을 때보다 검로는 훨씬 매끄러웠다.

"사실 무술을 훈련하고 싶었던 건 아니야. 난 카마지만, 이 빌어먹을 권능을 쓰고 싶지는 않거든. 그러려면 어느 정도 내 몸을 추스를 필요는 있을 것 같아서. 언제 무슨 일이 있을지 모르잖아."

그리 말하며 어깨를 으쓱였다. 최대한 내가 검 실력을 안 쓰는 쪽이 좋겠지만, 이 세계의 위험성을 생각해볼 때 어느 정도 준비는 하는 쪽이 좋을 터였다.

권능을 쓰고 싶지 않다는 말에, 락시타의 눈이 오묘하게 빛났다. 한참의 침묵 끝에, 락시타는 「그렇다면 지금의 반 배 정도 훈련을 더 늘려라.」고 말했다. 지금도 충분히 검술에 많은 시간을 투자하고 있다고 생각했는데 아닌 모양이었다.

그래도 락시타가 나를 조금은 믿어준 것 같아서 기뻤다. 나는 락시타가 말한 대로 그다음 날부터 훈련을 조금 더 늘렸다. 아침잠이 많았던지라 아침에는 뒹굴면서 하루를 보냈는데, 아무리 생각해도 훈련 시간을 늘리려면 아침 시간을 내는 수밖에 없을 것 같았다. 나는 눈꼬리에 그렁그렁 매달린 잠을 손끝으로 훔치고는, 늘어지게 하품하며 검을 어깨에 걸치고 정원으로 나섰다.

두어 번 습관적으로 검을 휘두르니, 그다음부터는 관성이 붙었다. 몸을 움직이다 보니까 잠도 깼다. 나는 검 끝으로 차근차근 검로를 찾아 그렸다.

그때, 저 멀찍이에서 소란스러운 소리가 들렸다. 누가 지나가는 모양이었다.

누구보다도 내 검술이 엉망이란 걸 잘 알고 있던지라 조금 부끄러워졌다. 그래도 저들이 이 정원을 지난다는 보장도 없을뿐더러, 남들 눈치 보느라 멈추는 게 더 부끄럽다고 생각한 나는 꿋꿋이 검을 휘둘렀다.

하필이면 그 무리가 정원에 들어섰다.

그들에게 신경 쓰지 말고 검을 휘두르자 생각했지만, 우르르 들어서는 수가 꽤 되는지라 결국 나는 눈치를 보며 검 끝에서 힘을 뺄 수밖에 없었다.

무리의 앞에 있는 여자는 한번 보면 잊을 수가 없는 미인, 레누카 카딘이었다.

곱디고운 은백색 머리카락을 길게 늘어트린 레누카 카딘은 사뿐사뿐 높은 굽의 신발을 신고 여관에게 몸을 기댄 채 나에게 다가왔다.

"레누카 카딘."

"카마를 뵈옵니다. 무술 연습 중이셨습니까?"

"응. 못 볼 꼴을 보였군."

나는 어색하게 뒷목을 긁었다. 하렘에 있는 여성들은 다들 귀한 집안 여식일 테니 격조 높은 무술을 많이 봤을 터였다. 내 검술이 얼마나 형편없는지 알아챘을 거로 생각하니 좀 많이 부끄러웠다. 하지만 레누카는 감탄 어린 탄성을 지으며 말을 받았다.

"아닙니다. 무술이 허락된 여성은 처음 보아서요. 역시 카마시군요."

"여기서는 무술이라는 게 허락되고 말고 해서 배우는 건가?"

"물론입니다. 남자 중에서도 무술을 배울 수 있는 건, 예니체리들뿐입니다."

생각보다 이곳에서 무술이라는 것이 고등 지식인 모양이었다. 하긴, 무협지에서도 화산파의 비전 신공을 배우는 이는 혈족이나 수련생 등으로 제한되는 것으로 나오니, 이곳도 그럴 수는 있었다.

락시타가 나에게 무술을 얕보지 말라는 것에는, 나의 방만한 태도뿐만 아니라 이 세계에서 무술이 갖는 위상 또한 관련이 있었던 것이리라. 락시타에게는 여러모로 자존심이 상하는 일이었을 테지. 본의 아니게 상처 주게 된 꼴에 나는 휴, 작게 한숨지었다.

이렇게 레누카와 마주친 것도 인연인데, 무작정 너 갈 길 가고 난 할 일 하련다는 태도로 대응하기도 그랬던 나는 칼을 검집에 넣고는 여상하게 말을 걸었다.

"산책 중이었던 거야?"

아까는 레누카의 키가 무척이나 커 보였는데, 반 뼘 정도 굽이 있는 신발을 신고 있는데도 나보다 시선이 아래였다. 호리호리하고 얼굴이 작아 이렇게 작으리라고는 생각지 못했다. 레누카는 작게 미소 지으며 대답했다.

"네. 간만에 햇살이 찾아들어……."

"하긴, 그렇게 하얀 피부라면, 햇볕이 많이 따갑겠어."

레누카의 피부는 백도처럼 하얬다. 무의식중에 손이 레누카의 뺨으로 향했다. 그 순간만큼은 아무 생각도 없었다.

옆에서 시중을 들던 모카가 깜짝 놀란 표정을 지었는데, 그 표정을 보고 나서야 나는 내가 하던 짓을 깨달았다. 닿기 직전에 황급히 손을 추스를 수 있어 다행이었다.

─카마의 능력은 남녀노소를 가리지 않고, 절대적이다.

크하트가 했던 말이 그제야 머릿속에 떠올랐다. 왜 뻔히 알고 있었으면서도 내 능력이 남자한테만 적용된다고 생각했을까. 나는 당황한 심정을 안으로 삼킨 채, 어색하게 손끝을 잡아당겼다. 아마 같은 여자라서, 원래 세계에서도 스스럼없이 스킨십했던 대상이라서 경계심을 놓았던 게 분명했다. 순간 치솟은 당혹스러움은 쉽게 가라앉지 않았다. 여유롭게 레누카를 상대할 자신이 없었던 나는 그녀에게 축객령을 내렸다.

"그러면, 나는 조금 더 훈련해야겠어."

"아, 시간을 뺏어서 죄송합니다."

"아니야. 만나서 즐거웠어, 레누카 카딘."

그리 말하며 나는 쓰게 웃었다. 손을 절레절레 흔들어서 작별 인사를 하는 나와 달리, 레누카는 형식을 갖춰 고개를 숙였다. 숙인 레누카의 뺨이 약간 달아올라 있었다.

레누카로서는 인사를 했을 뿐인데, 갑작스레 카마인 내가 손을 뻗으니 당황스러웠을 것이다. 그녀는 술탄의 아내인 카딘으로 하렘의 최고 책임자인 만큼, 나에게 희롱당할 뻔한 사실이 불쾌하고 끔찍할 수도 있었다.

솔직히 술탄인데도 불구하고 간이든 쓸개든 다 **빼줄** 듯이 구는 자마드가 특이 케이스겠지. 하지만 내가 어쩔 수 없는 일이었다. 나는 예쁜 레누카에게 미움받았을지도 모른다는 사실에 뒷목을 긁적였다.

락시타가 날 좋아하지 않는다고 느꼈을 때와 조금 다른 안타까움이 응어리로 남았다.

৵৩❤৩৵

락시타는 예전보다 훨씬 누그러진 태도로 나를 대했다. 하지만 그렇다 해서 웃으며 듣기 좋은 소리를 해준다는 건 절대 아니었다.

"훈련을 늘렸다고 하셨습니까?"

"응."

"카마시여. 당신은 검에 재능이 없습니다. 그것만큼은 단언드릴 수 있습니다."

락시타는 진지한 표정으로 단호하게 말했다.

예전에는 괜히 날이 서서 뾰족뾰족했다면, 이제는 둔탁한 둔기로 두드려 맞는 기분이었다. 간언하는 것이 천성임이 분명했다. 오죽하면 락시타의 저런 대쪽 같은 성격이 마음에 들지 않았던 자마드가 이 기회에 그를 치워버릴 생각으로 내 검술 스승으로 보낸 것이 아닌가 추측될 정도였다.

나는 턱을 타고 흐르는 땀을 훔쳐낸 채 땅바닥에 주저앉았다. 몇 날 며칠을 봐온 락시타가 저리 단언하니, 허탈한 심정이 들었다.

"너무한데. 그래도 노력하면 된다 해주는 게 스승 아닌가."

"현실 인식을 하게 하는 것 또한 마찬가지이죠. 높은 무예는 불가능에 가까우니. 공격보다는 방어에 치중해서 갈고닦는 게 낫겠습니다."

그래도 검을 포기하란 소리를 안 하는 게 그나마 다행이었다. 생각해보면 내가 사람을 공격할 일이 뭐가 있겠는가.

나는 락시타에게 모든 것을 맡긴다는 의미로 고개를 끄덕였다. 그래도 허무한 마음은 어쩔 수가 없어, 괜히 차오르는 성에 나는 데굴데굴 잔디밭을 굴렀다.

나는 종종 답답하거나 일이 맘대로 되지 않으면 방 안에서 이리저리 굴러다녔는데, 그것 말고는 스트레스를 풀 길이 없었기 때문이었다. 내 물건도 아닌데 부수고 난리 칠 수도 없는 노릇이었으니까.

내 괴행동을 처음 본 락시타는 어이없다는 표정을 지었지만, 모카는 그럴 줄 알았다는 듯이 고개를 슬쩍 내저었다.

나는 분에 찰 만큼 굴러다니고 발을 뒹굴고 난 다음에야 잔디밭에 대자로 뻗었다. 한참을 시근덕거리니 머리가 좀 차게 식었다.

마냥 손 놓고 있을 수만은 없어서 검을 잡았지만, 어쩌면 나는 방향을 잘못 잡고 있는 걸지도 몰랐다. 이렇게 안 되는 노력을 하느니, 차라리 주신을 한번 만나보는 게 나을지도 몰랐다. 락시타의 말대로 내 호위야 그냥 다른 사람에게 맡기면 되는 일이니까, 내가 이 고생을 하게 만든 근본적인 원인, 빌어먹을 권능을 없애는 게 더 편하고 빠른 길일 터였다.

주신이 안 된다 하면 다리를 잡고 늘어져서 애원이라도 하고 싶은 심정이었다. 절박한 건 아니었지만 막막했다.

나는 그날, 자마드에게 말했다.

"주신을 만나고 싶은데."

"갑작스레 왜……."

"물어볼 게 있어서."

"……제단에 불을 붙이라 하겠습니다."

자마드는 떨떠름한 표정이었다.

원래 주신의 목소리를 듣기 위해서는 1년에 한 번, 주신제 때 신주와 제물을 바치고 경전을 읊어야만 가능했다.

그마저도 제물을 바치는 제사장이자 술탄이 아그니 왕족이어야만 한다는 조건이 있었다.

그러나 현 술탄 자마드가 집권하고 나서, 아무리 신주와 제물을 바치고 경전을 읊어도 주신은 대답해주지 않았다. 처음에는 신주에 문제가 있다, 그다음엔 제물이 잘못된 것이다, 여러가지 이유를 들먹였지만 그것에도 한계가 있었다. 결국 자마드의 혈통에 대한 의심으로 모든 이야기는 귀결되었다.

그런 상황에서 나는 그냥 제단에 불만 붙이면 주신과 이야기를 나눌 수 있다 하니, 자마드가 기꺼워하지 않는 것도 이해가갔다. 하지만 그렇다 해서 자마드의 눈치를 보느라 미뤄둘 수 있는 일이 아닌지라, 나는 모르는 척 그러라 답했다.

제단은 엔데룬 안, 왕궁의 한가운데 놓여 있었다. 몇 달 전이 세계에 떨어진 이후로 단 한 번도 제단을 찾아가 본 적이없었다. 그래도 부녀지간인데, 지금껏 한 번도 주신을 찾지 않았던 내가 필요할 때만 그를 찾는 것이 무정하다 하여도 솔직히 반박할 말이 없었다.

눈에 익은 기둥과 벽을 지나, 나는 제단이 있는 곳으로 갔다. 그때는 사람들이 많았고 상황도 상황이었던지라 살펴볼 겨를이없었는데, 이렇게 혼자 찾아와 보니 그때 보지 못했던 것이 많이 눈에 띄었다. 제단이 있는 공간을 제외하고 돌벽으로 빙 둘러져 있었는데, 벽마다 주신을 기리는 부조가 새겨져 있었다.

신관이 제단에 불을 붙였다. 확, 타오르는 불길이 일렁이며 얼굴을 데웠다. 그러고 보니 지난번에 여기서 나왔었지. 전혀 안 뜨거웠는데. 나는 무의식중에 허공에서 날름대는 불꽃에 손가락을 가져다 대었다. 여전히 뜨겁지 않았다. 신기하다 싶어 불에 손을 좀 더 깊숙이 넣어보았다. 마치 물살을 가르는 듯, 살랑살랑한 기분이었다.

"큼, 큼큼."

주신을 어떻게 부르는지 알지 못했던 나는 애꿎은 목청을 가다듬었다. 신관들은 고개를 숙이고 내가 하는 짓을 지켜보고만 있었다. 그러지 말고 좀 알려주지. 그렇게 생각했을 때, 불길 속에서 웬 손 같은 것이 불쑥 튀어나와 일렁였다. 손처럼 보이는 불꽃이었는데, 마치 이리로 오라는 것 같았다. 나는 제단 계단에 엉거주춤 앉아 있던 엉덩이를 들고, 조심스레 한 발짝 한 발짝 제단으로 다가섰다. 코앞에 불이 활활 타오르고 있었다. 나는 눈을 꾹 지르감고 불 속으로 발을 내디뎠다.

몇 발짝 걸었을까, 완전히 불 속에 들어왔는데도 뜨거움이 전혀 느껴지지 않았다. 나는 그제야 눈을 뜨고 주위를 두리번대며 살펴보았다.

[잘 지내고 있는 것 같구나.]

갑자기 들리는 목소리에 나는 깜짝 놀라 몸을 움찔거렸다. 목소리는 귓가에서 말하는 것처럼 가까웠다.

좀 더 정확히 말하자면 뇌에 대고 말하는 기분이었다. 내 앞에 불꽃이 솟구쳤다. 불꽃 안에서 불꽃이 솟아오르는 기이한 광경에 나는 순간 넋을 잃었다. 솟아오른 불꽃 기둥은 점점 사람의 형체를 갖추더니, 익숙한 모습이 되었다. 주신이었다.

"잘 지내고 있기는 하지만."

나는 기름으로 번드르르해진 뺨을 긁적였다. 여기에 떨궈준 게 고마울 정도로 자마드는 무척 잘해주었다. 하지만 고마운 건 고마운 거고, 싫고 아닌 건 아닌 거였다. 나는 불쑥, 주신에게 손바닥을 내밀며 맹랑하게 말했다.

"사람 발정시키는 이거, 도통 불편해서 살 수가 없어요. 왜 하필 이런 능력이에요? 다른 능력 없어요? 그 인드라의 신군 같은 능력이나……. 아니, 없어도 되니까 당장 회수해주세요."

주신은 느릿하게 눈을 두어 번 깜빡였다. 불꽃으로 빚어진 인형인지라 눈동자의 움직임처럼 세밀한 감정 표현은 없었지만, 그것만으로도 충분히 주신이 난감해하고 있다는 사실을 눈치챌 수 있었다.

[왜 불편한지 난 잘 모르겠구나. 네 종이 널 지켜줄 텐데.]

"아니, 그러니까 그 종들 때문에 무술을 배우고 있거든요."

나는 한숨을 쉬었다. 주신은 이 능력이 뭐가 문젠지 정말 모르는 거 같았다.

나는 차근차근 설명하기 위해 노력했다.

"내가 뭐 중학교 때 처녀 탈출에 원나잇 기본으로 하고 다니고 그런 애였으면 또 모르겠는데, 나 모태솔로고 남자랑 손잡는 건 단체 줄넘기 때밖에 없었다고요. 그런 나한테 이런 능력이 뭐가 필요해요. 쓸모없어요."

[너는 거리낄 필요가 없다. 네가 원하는 인간은 너를 좋아하는 게 당연하다. 넌 내 자식이니까.]

주신은 자애롭게 미소 지었지만 그 내용은 전혀 자애롭지 않을뿐더러, 내 화를 부채질하고 있었다. 말이 계속해서 반복되었다.

도돌이표를 찍고 찍고, 몇 번을 쓸모없다 말해도 왜 쓸모없는지 이해를 못하는 데다 되레 설교까지 했다. 내 말은 주신의 한쪽 귀로 들어가서 다른 쪽 귀로 나오는 게 틀림없었다. 무슨 생신과 멸신의 환생 과정을 보는 것 같았다.

「이런 능력 쓸모없다, 거두어달라」는 내 주장과 「너는 사랑받아 마땅하다」는 주신의 주장이 평행선을 그린 채 한참을 오갔다. 결국 포기한 것은 나였다. 도저히 한마디 섞을 때마다 정신력이 갈려 나가니 더는 버틸 수가 없었다. 나는 백기를 드는 대신 휙휙 손을 내저어 주신을 휘저었다.

"아, 됐어요. 알았어요. 저 이만 가볼게요."

[그러려무나.]

주신은 흩어지는 와중에도 자애로운 미소를 지었다.

나는 휙 뒤돌아서서 그대로 후닥닥 불길을 빠져나와 제단을 걸어 내려왔다.

쿵쾅쿵쾅, 돌계단을 밟아 내려가는 발걸음에 힘이 들어갔다.

개운해지고자 주신을 만나려 한 것인데, 마음이 더 답답해졌다. 주신의 말이 가슴에 돌덩이처럼 짓눌렀다. 결국은 뭐야, 이 능력에 적응하라는 거 아냐. 자식을 무슨 카사노바에 돈 주앙으로 만들고 싶은 건가. 아니면 다산의 상징이라든가. 지나가던 나는 괜히 주신이 조각된 돌벽을 발로 쾅 찼다. 내 발길질에 신관들이 화들짝 놀랐지만, 나는 개의치 않고 두어 번 더 발길질을 해댔다.

짜증이 났던 나는 하렘에 돌아가면 잔뜩 뒹굴다 못해 카펫을 몸에 돌돌 말 거라 이를 갈았다. 그래도 풀릴 것 같지가 않았다.

⋙⋘♥⋙⋘

주신을 만난 뒤 나는 성이 난 발걸음으로 하렘으로 돌아왔다. 하렘에 도착하고 얼마 지나지 않아 자마드가 찾아왔다.

빙긋이 웃으며 내 안색을 살피는 것이 느껴졌다. 제단에서부터 잔뜩 화를 내었다는 보고를 받은 게 틀림없다. 내가 이 세계에 오고 나서 처음으로 주신을 만나고자 했던 일이니만큼, 다들 은연중에 주시하고 있던 모양이었다. 내가 골을 내며 아무 말도 하지 않고 입을 딱 다물고 있자, 자마드는 살랑살랑한 태도로 말을 걸었다.

"주신은 잘 만나고 오셨나이까."

"아아, 몰라. 짜증 나."

나는 발라당 침대에 누웠다. 생각만 해도 짜증 났다. 어떻게 할 수 없다는 답답함이 거세게 나를 옥죄었다. 카마가 이 권능을 거두어 가기만 하면 모든 게 다 편할 텐데. 나는 발을 굴렀다. 푹신한 쿠션이 내 발 뒤꿈치에 푹푹 파여 나가며 먼지만 뿜어내었다.

술탄을 앞에 두고 한껏 방만한 내 태도에도 자마드는 화를 내지 않고 여전히 웃는 낯이었다. 어지간히도 주신과의 대화가 궁금했는지, 자마드는 한껏 내 비위를 맞추며 낮은 자세로 계속해서 물었다.

"주신은 어찌하여 만나고자 한 것입니까?"

거듭되는 자마드의 질문에 나는 침구에 몸을 누인 채, 고개만 돌려 자마드를 바라보았다. 내 예의 없는 행동에도 자마드는 생글생글 웃으며 나를 바라보았다.

미인이 저리 구니, 나도 사람인지라 마음이 조금 약해지는 것을 느꼈다. 나는 손으로 머리를 괸 채 자마드를 바라보았다.

"궁금해?"

"오신 뒤 처음으로 만나신 것 아니셨습니까. 궁금할 만도 하지요."

자마드는 궁금하다는 걸 감추지 않았다. 생각이 빤히 보이는데도 아닌 척 가식 떠는 것보다 차라리 이게 낫다. 나는 심드렁히 입을 열었다.

"그냥."

자마드는 침착하게 내 다음 말을 기다렸다. 그냥, 이라는 성의 없는 대꾸에 자마드가 실망이라도 하는 모습을 보였더라면 그냥 어물쩍 넘어가려고 했는데. 나는 한숨을 내쉬고는 말을 이었다.

"내 능력, 버리고 싶어서."

내 말에 자마드의 보랏빛 눈동자가 크게 뜨였다. 충격적인 모양이었다. 하긴, 몇몇 사람들이 보기엔 더할 나위 없이 좋은 능력일 수도 있겠지. 하지만 나에게는 짐덩이 그 이상도 이하도 아니었다. 나는 주신과의 대화를 떠올렸다. 머릿속에 다시 되새김질하는 것만으로도 화가 나고 답답했다. 나는 빡치는 기분을 애써 억누르며, 담담하게 말하고자 노력했다. 하지만 마저 심정을 감출 수는 없는지 입꼬리가 파들, 하고 떨렸다.

"하지만 안 된다 그러더라고. 안 된다기보다, 내가 왜 이 능력을 버리고 싶어 하는지 모르는 것 같던데."

나는 허공에서 손을 휘저었다. 이 손바닥이 닿는다고 해서 왜 발정하는 건지 메커니즘을 모르겠단 말이야. 장풍이나 에네르기파 같은 거나 나오면 좀 좋아? 락시타에게 왕창 깨져가며 무술을 배울 필요도 없고 말이야.

하지만 나만 이 능력이 마음에 안 드는 듯, 자마드 또한 주신처럼 내가 권능을 왜 버리고 싶어 하는지 영 이해할 수 없다는 표정이었다. 원하는 사람을 마음껏 휘두를 수 있는데, 왜 이 능력을 포기하려 하느냐는 듯한 의문이 자마드의 얼굴에 그대로 드러났다. 자마드 정도의 술탄쯤 되면 표정 관리에 능한 만큼, 내가 그의 표정을 읽을 수 있다는 건 그가 별달리 그 궁금증을 감출 생각이 없다는 것과 마찬가지였다.

나는 픽 웃으며 자마드를 골리듯이 말했다.

"너도 모르는 것 같아 보이네."

날카롭게 푹 찔리는 말에 자마드는 퍼드덕 놀란 표정을 지었다.

그들은 타인과 닿을 수 없다는 것이 얼마나 답답한 일인지 모른다. 그렇다면 닿고 싶은 이들과 잔뜩 뒹굴면 되는 일 아니냐 대답할 것이 머릿속에 훤했다.

주신이고 자마드고, 자애로운 척하면서 사람 위에 올라서는 것이 무척 자연스러운 이들이었다. 그들은 이 권능으로 인해 좌지우지되는 이들의 인권 따위에는 아무런 생각도 없는 것 같았다. 그들의 세계에서는 평범한 이들이 그들을 위해 희생하는 건 당연한 일이겠지. 나는 입맛이 썼다.

물론 나 또한 이기적이었다. 하지만 나의 이기심은 소심한 소시민의 이기심일 뿐이었다. 내 이기적인 마음으로 타인의 인생을 아무렇지도 않게 어그러트리는 일은 무리였다. 카마로서 타인의 위에 군림하는 지금의 꼴은, 공작새의 깃털을 끌어모아 장식한 까마귀일 뿐이었다.

"저기, 자마드."

"네."

나는 데굴 자리에서 일어서 쿠션을 끌어안았다. 자마드를 빤히 바라보자 그가 어색하게 입꼬리를 잡아 들어 웃어 보였다. 어디까지나 가식적으로, 조건반사적인 미소라는 걸 이제는 눈치챌 수 있었다.

"내 능력이 대단해?"

"당연합니다."

자마드의 대답은 빨랐다.

그것은 진심 어린 대답이라기보다는 주신에 대한 맹목적인 믿음의 결과물처럼 들렸다. 이 세계에 주신이 끼치는 영향이 크다는 것은 알고 있었지만, 자마드의 태도는 어딘지 좀 이상한 구석이 있었다.

겉보기에는 멀쩡했지만, 이야기가 길어지다 보면 미처 숨겨지지 못한 기이한 그의 내심이 고개를 추켜들었다. 신실한 믿음이라기에는 어딘가가 비틀려 있는 시선. 그 비틀림은 어디서부터 시작된 것인지, 무슨 영향을 끼치고 있는지 짐작되지 않게 이리저리 꽁꽁 엉켜 있었다.

"하지만 그다지 쓸모는 없잖아? 끽해야 하렘을 쉽게 만들 수 있는 정도……? 그마저도 내가 바라지 않으니까 더 쓸모없고."

우와, 이렇게 늘어놓고 보니 정말 쓸모없다. 전혀 생산적이지 못한 능력이잖아. 나는 고개를 내저었다. 자마드는 무어라 하고 싶은 말이 있는 듯했지만 내 말을 기다렸다. 나는 숨을 고르고, 말을 이었다.

"솔직히 말이야, 내가 주신의 자식이기는 하지만 별 능력 없잖아? 비를 내릴 수 있는 것도 아니고, 죽은 사람을 살릴 수 있는 것도 아니고. 나는 자마드가 나를 이렇게 우대해주는 이유를 모르겠어. 오로지 주신의 자식이라는 이유 때문이야?"

맨 처음에는 정말 내가 카마라서, 전생의 내가 뭘 했는지는 모르겠지만 이 세계에서 성욕의 신이라는 것이 퍽 지엄한 존재인지라 다들 나를 받드는 줄 알았다. 하지만 하렘으로 숙소를 옮긴 뒤, 그게 아니라는 걸 뒤늦게 깨달았다.

그들은 나를 평가하고, 뒤돌아서서 안 들리는 곳에서 내 흠에 대해 흉을 보았다. 까만 머리의 여자가 무슨 매력이 있느냐며, 몸매 구별 가지 않는 남복을 즐겨 입는 카마라니 괴팍하고 이상하기 그지없다 수군거렸다. 그런데도 불구하고 술탄이 「저런」 카마에게 단단히 빠져든 것은, 전부 그 천박한 권능 때문일 거라는 하렘 속 여인들의 뒷담에 나는 쯧, 혀를 찼다. 아마 내가 자마드를 독점한다 생각하여 질투하는 모양이었다.

전혀 듣고 싶은 이야기들은 아니었지만, 원래 좋지 않은 소리일수록 귀에 쏙쏙 들어오는 법이다. 더군다나 이 세계에 오면서 귀청이 밝아졌는지, 나에게 들리게 하지 않기 위해 소곤대던 소리들도 그저 선명히 들릴 뿐이었다. 그녀들이 날 욕한다고 해서 그녀들에게 뭐라 하여 일을 키우고 싶진 않았다. 나는 나에 대한 소문을 모르는 척하려 했지만, 그것도 퍽 힘이 들었다.

좌우지간, 그렇게 나에게 부정적인 사람들을 보면 대충 견적이 나왔다. 전생의 내가 귀한 대접을 받았더라면, 아마 권능을 사용한 덕분일 것이다.

그러니 그리 남녀노소를 불문하고 사랑받았다는 기록만 남았겠지. 권능을 사용하지 않으면, 카마라 하여서 꼭 사랑받는 건 아닌 모양이니까.

나에게서 이 쓸데없는 권능을 제외한다면, 나는 그저 「나」일 뿐이다. 짝사랑만 주구장창하고, 특별히 날 좋아해주는 사람도 없던 「나」. 그렇기에 권능을 사용하지 않는 내가 이런 귀하고 예외적인 대접을 받는 것이 이해가지 않았다.

나는 대답을 재촉하며 자마드를 멀뚱히 바라보았다. 자마드는 내가 그런 말을 할 줄은 몰랐다는 듯, 당황한 표정이었다. 자마드의 미간에 주름이 새겨졌다. 어찌 대답하면 좋을지 고민하며 한참을 침묵하던 자마드는 조심스레 입을 떼었다.

"왜 갑자기 그러시는지는 모르겠습니다만, 아닙니다. 당신은 주신께서 인간을 사랑한다는 증거, 그 자체입니다."

자마드의 목소리는 진지했다.

주신이 인간을 사랑한다는 증거. 글쎄, 과연 그러할까. 비록 두 번의 만남으로 그를 속단하는 것은 이를지도 모르지만, 내가 봐온 주신은 「인간을 사랑한다.」는 것과 약간 거리가 있는 사람이었다. 주신이 인간에게 발정했던 증거가 차라리 더 정확한 말이리라. 그래, 발정의 증거지. 그러니 내 권능 또한 이런 것이고.

나는 자조적으로 웃었다.

허허로이 웃는 나에게, 자마드는 더할 나위 없이 진지한 표정으로 숭배의 말을 읊었다.

"카마께 능력이 없다 해도, 달라질 건 없습니다. 카마는 카마십니다."

네 존재만으로도 도움이 된다는 말에도 내 마음은 헛헛했다.

그가 바라는 것이 「카마」인 나라기보다는 「주신」의 증거라는 것을 잘 알고 있기 때문이었다. 자마드에게 필요한 것은 주신의 자식이라는 칭호뿐일 테니, 내가 권능을 갖고 있든 없든 상관이 없겠지. 주신이 나에게 머리끝까지 화가 나서 나를 내치지만 않는다면, 거의 영원에 가까운 변함없는 칭호니까.

아무에게도 이해받지 못한다는 외로움이 나를 집어삼켰다. 마음도 허하고 몸도 허했다. 온통 허기져 기력 없이 몸이 축 늘어졌다.

사람의 온기가 절실했다. 하지만 내 빌어먹을 권능은 그조차도 가로막았다. 하다못해 동물의 체온으로라도 충족하고자 하였지만, 개고 고양이고 전부 나만 보면 뛰쳐나갔다. 썩 동물과 상성이 맞지 않는 모양이었다. 나는 품에 끌어안은 쿠션을 더욱 강하게 옥죄었다.

이것이 그대가 바라는 사랑받는 자식의 모습입니까. 이 세계에서 아무리 숭배받는다 하더라도 부평초처럼 마음은 둥둥 떠다녔다. 나의 뿌리는 아직도 지구를 향해 뻗어 있는 모양이었다. 차라리 아웅다웅 싸워도, 외식 한번 하려면 몇 번의 갈등을 해야만 해도, 가끔은 무시당해도 이전 세상이 나았다.

적어도 거기서는, 이렇게 홀로 동떨어진 느낌을 받지는 않았으니까.

CHAPTER 4
주신제

내가 이 세계에 떨어지고도 어느덧 1년이 지났다. 사실 1년인 것도 모르고 빈둥빈둥 있었는데, 주신제를 지낸다며 성 여기저기가 복작복작한 것을 보고야 아, 1년이 지났구나 하고 깨달았다.

주신제는 새로운 한 해를 기원하며 주신에게 제를 기원하는 축제였다. 이신께 풍요를 기원하는 가을 추수감사제와 함께 중요한 제사였다. 추수감사제는 각 나라에서 치르지만, 주신제의 경우는 주신께 직접 축복의 덕담을 듣는다는 의미가 있는 만큼, 주신과 접신할 수 있는 아그니 왕국에서 주관되었다. 아그니와 바르나, 인드라가 합심하여 제사를 준비할뿐더러, 서로 주신에게 잘 보이고자 기를 세우고 경쟁하는 덕에 제사는 풍요롭고 화려하기 그지없었다.

작년 내가 이곳에 발을 디딘 순간이 바로 이 주신제를 치르던 중이었다. 세월도 참 빠르다. 별것 한 것도 없는데 쏜살같이 지나간 시간에 나는 혀를 내둘렀다.

이 세계의 상식에 대해서 하나하나 배워가고는 있지만, 여전히 알지 못하는 것이 더 많았으며, 내 무술 실력은 최악이었다. 이 세계에 떨어졌을 때는 쇄골 언저리였던 머리카락이 어깨를 덮고 팔뚝을 가릴 정도로 자란 것이 시간의 흐름을 가시적으로 나타내 주었다.

예전에는 학교 규율도 있었고 관리하기도 어려운 만큼, 이렇게까지 길게 머리를 길러본 적이 없었다. 긴 머리카락에 익숙하지 않았던 나는 머리를 다듬고 싶었지만, 혹시 머리카락도 권능 이내일까 봐 섣불리 건들지 못하고 삐죽삐죽 길러대기만 했다. 하지만 몇 번의 조심스러운 시도와 접근 끝에 머리카락은 내 권능이 통하지 않는다는 것을 깨달았다. 그 순간만큼 주신을 찬양하고 싶은 순간이 없었다. 병 주고 약 주는 것도 아니고, 스톡홀름 신드롬도 아니고. 이 성가신 권능을 준 것이 주신이니만큼 주신에게 감사할 만한 일은 아니었지만, 하여간 그만큼 기뻤다.

때문에 나는 머리 시중을 열심히 시켰다. 두피 마사지까지는 못 받는 게 아쉬웠지만, 내가 가만히 누워 있는 동안 그들이 사록사록 머리카락을 매만지는 손길만으로도 충분히 흡족했다.

덕분에 머리카락에 유례없을 정도로 윤기가 자르르 흘렀다.

자마드는 제사장으로서 주신제를 준비하느라 한창 바쁜지, 얼굴 보기도 쉽지 않았다. 그렇게 아그니에서 준비를 하느라 한참 부산을 떠는 와중, 주신제의 날이 성큼성큼 다가왔다.

인드라와 바르나에서 사절단이 하나둘 도착하기 시작했다. 인드라의 사절단은 거대한 하얀 코끼리 위에 술동이를 잔뜩 실어 날랐다. 사람보다도 신주의 대접이 더 귀한 것이 신기했다. 바르나 또한 마찬가지였다. 귀하다는 하얀 쌍봉낙타의 혹 위에 함이 놓여 있었다. 그 안에 제를 지낼 때 읊을 제문이 놓여 있을 터였다.

사람 구경을 한답시고 하렘을 빠져나와 엔데룬의 높은 탑에 올라서서 그 모습을 지켜보던 나는 연신 감탄을 흘렸다. 이 성 안에 이렇게까지 사람이 많은 건 처음 보았다.

"사람이 복작복작하네."

"아무래도 1년에 한 번, 주신을 기리는 제사이니까요. 애초에 대륙의 제일 큰 제사였습니다만, 이번에는 카마께서도 계시지 않습니까. 카마를 뵙기 위해 인드라와 바르나의 술탄들 또한 오신 만큼 행렬이 어마어마하지요."

나와 함께 구경 나온 크하트가 껄껄 웃으며 답했다. 왕실박사이면서 겉모습은 장군 뺨치는 크하트가 옆에 서니 그림자가 어둑어둑 드리웠다. 예전에는 내가 무슨 엉뚱한 발언을 할까 잔뜩 눈치를 보던 것과 달리 이제는 제법 소리 내어 웃기도 하고, 능숙하게 받아치기도 했다. 나는 창밖의 모습에 시선을 떼지 못하며 중얼거리듯 물었다.

"날 보려고?"

"다들 주신을 섬기는 이들이니만큼 궁금하겠지요. 게다가 카마께서 작년에 내려오셨을 때는, 다들 뵙지 못하다시피 하였으니까요."

하긴, 그때는 누굴 더 만나고 말고 할 상황도 아니었지. 이 세계에 온 거야 내 발로 스스로 걸어 들어온 거니 당황스러울 이유는 없었지만, 말도 안 되는 내 능력에 대한 충격에 한참 머리 아플 시기였다.

나는 고개를 주억거렸다. 설마 저렇게 많은 사람이 전부 제단을 둘러싸고 있는 것은 아니겠지. 나는 괜한 부담감에 울컥 토악질이 치밀었다.

본래 주신제에서 주신의 목소리를 듣는 것은 술탄인 자마드였다. 하지만 자마드는 주신의 목소리를 듣지 못했다. 요 몇 년 동안 매번 주신제가 실패했고, 덕분에 인드라와 바르나도 날이 선 상태였다. 인드라에서 준비된 신주가 잘못된 것인가. 예법을 읊는 바르나에서의 실패인가. 그도 아니라면 아그니 왕족의 혈통 문제인가. 다들 의견이 분분한 채 목소리를 높이는 것으로 매년 주신제가 엉망이 되었다.

그래서 이번에는 주신제를 준비하며, 자마드가 넌지시 나에게 도움을 청했다. 주신의 목소리를 듣는 것 정도야, 나에겐 그다지 어려운 일이 아니니 흔쾌히 받아들였다. 하지만 주신제의 날이 다가오면 올수록 사람들 앞에 나서야 한다는 사실이 부담되기 시작했다.

"아아아아, 도망치고 싶다."

"답지 않게 약한 소리를 하십니다."

"아아아아~."

대학 다닐 때 조별과제에서도 PPT 발표는 내가 안 하려고 최대한 요리조리 빠져나갔었는데. 나는 말끝을 늘이며 창틀에 몸을 기댔다. 크하트는 그런 내 모습을 보며 껄껄, 호탕하게 웃었다.

"카마는 잘하실 겁니다. 저와 많이 연습하셨잖습니까."

"이게 연습하고 실전이 다르단 말이지……."

나는 투덜거렸다. 어차피 도망친다 뭐 한다 말뿐이라는 걸 나도 알고 있었다. 말이나마 해보는 거지. 나는 코앞으로 다가온 주신제에 대한 걱정으로 한참을 찡얼대었다. 내가 그러거나 말거나. 주신제는 성큼 코앞으로 다가왔다.

꠵꠵♥꠵꠵

경건한 음악이 바닥에 잔잔히 깔렸다. 거대한 제단에 화르르 타오르는 불꽃이 주변에 빛을 드리웠다.

화려하게 치장한 나는 제단의 제일 앞에 앉아 있었다. 평소 입는 쿠르타와 도티도 좋은 것이었지만, 오늘 입는 것은 그 화려함이 궤를 달리했다. 흰옷에 금사로 놓인 자수의 면적이 어찌나 넓은지 멀리서 보면 금색 천으로 착각할 정도였다. 게다가 흰 천 또한 질 좋은 비단인지라, 진주를 갈아 넣은 듯 뽀얗게 빛이 났다. 옷이 그러한데 장식이라고 소박할 리는 없었다. 천 끝에 치렁치렁 늘어진 동전만 한 금붙이만 떼어 팔아도 한 몫 단단히 챙길 수 있을 것 같았다.

바르나에서 온 자들이 입을 모아 경문을 읊었다. 바르나 사람들은 누구나가 열다섯 살 때 생멸경문을, 스무 살 때 주이경문을, 서른 살 때 대경문을 외도록 배운다고 한다. 그 경문의 양이 상상 이상인지라, 그들은 일평생 경문을 외는 삶을 살아간다.

술탄을 비롯한 바르나의 대학자들 정도 되면 걸어 다니는 도서관이나 다름없었다.

지금 경문을 읊고 있는 자는 바르나의 술탄으로, 어린 시절부터 너무 공부에 탐닉하여 머리가 하얗게 셌다고 했다. 흰 머리를 길게 늘어트린 그는 한 치의 막힘없이 경문을 줄줄 읊었다.

크하트가 말하길 바르나 사람들은 모두 미치광이나 다름없을 정도로 경전에 빠져 있다 했다.

바르나의 술탄 또한 마찬가지인 듯, 신성한 경문을 직접 손에 쥐고 볼 수 있다는 사실에 그의 얼굴 가득히 열망이 차올라 있었다. 이미 외운 내용이기는 해도 경문 자체는 주신제가 아니면 볼 수 없도록 엄중히 관리되는 만큼, 바르나의 술탄은 이 기회가 기꺼울 것이었다.

바르나의 술탄이 청아한 목소리로 제례를 외자, 이어 인드라의 술탄이 옷을 정갈히 차려입은 신군들과 함께 신주를 들고 왔다. 굵고 묵직한 사내들의 외침과 함께, 그들은 술을 타오르는 불길에 뿌렸다. 알코올이 더해지자 일렁이는 화염의 혓바닥이 날름날름 주변을 핥아대었다.

내가 나설 때가 되었다. 타닥거리며 타오르는 불꽃의 소리와 음악 소리, 귀를 잠식할 듯 스며든 경문 외는 소리가 뒤섞여 일종의 황홀경을 느끼게 했다. 불꽃이 드리워진 사람들의 붉은 얼굴은 기묘할 정도로 뒤죽박죽이었다.

드디어 주신의 대답을 들을 수 있다는 것에 대한 환희와, 카마인 내가 나섰음에도 불구하고 실패하면 어쩌지 싶은 불안감이 어지러이 뒤섞였다.

제단 앞에는 자마드가 서 있었다. 타오르는 불을 향해 자마드는 손을 뻗으며 말했다.

"주신이시여, 카마께 다르마인이 나아갈 길을 알려주시옵소서."

그리 말하고 자마드는 나를 돌아보았다. 자마드는 당혹스러울 정도로 표정이 없었다. 차가운 그 얼굴 위에 불꽃의 그림자가 드리워지니, 어질한 열기에 섞여들어 간 얼굴은 언뜻 우는 것처럼도, 웃는 것처럼도 보였다.

순간 나는 잠시 움찔했다. 멀거니 나를 바라보는 것은 산 자가 아니라 죽은 자 같았다. 자마드는 막 죽은 시체 같은 표정으로 나를 재촉했다.

"카마시여, 이쪽으로."

나는 자마드의 손에 이끌려, 불 속으로 떠밀렸다. 눈앞을 가리는 불꽃이 정신없이 나를 집어삼켰다. 그 때문에, 나는 방금 내가 본 것이 무엇이었는지를 잊었다.

ᴥᴥ❤ᴥᴥ

　불 속에 걸어 들어가는 것은 몇 번을 해도 쉽사리 익숙해지지 않았다. 이것은 3D다. 3D 영화야. 나는 스스로에게 중얼거렸다.

　평범한 사람이라면 불에 들어가면 타 죽는다. 그런 만큼, 아까 자마드가 나를 기다리던 제단 바로 앞의 자리에서 아그니의 술탄이 주신에게 말을 거는 것이 원래 예식의 절차였다.

　아무리 불길이 날 해하지 못한다고 해서 불 속에 걸어 들어가는 기분이 유쾌한 것은 아니었다. 그냥 자마드의 자리에서 하면 안 되느냐고 진즉 물어봤었다. 하지만 자마드는 이쪽이 더 「좋아」 보인다며 웃는 낯으로 내 말을 묵살했다. 이 정도쯤은 내가 그냥 호락호락 그러라 하고 넘기는 것을 이제 파악한 모양이지. 내 입꼬리가 심술궂게 비틀렸다.

　제단의 한가운데쯤 도착했을까. 주신의 일렁이는 형체가 나를 기다리고 있었다.

불꽃과 시선을 마주하는 것 또한 익숙하지 않았던 나는 어버
버 말끝을 흐렸다. 그런 나에게 주신이 먼저 말을 걸었다.

[카마.]

"저기, 나가서 뭐라고 말하면 돼요?"

나는 바깥을 가리키며 본론을 꺼냈다. 오래간만에 만나는 주
신이었지만 별로 반갑지도 않고, 이야기를 오래 섞고 싶지도
않았다. 이번이 겨우 세 번째이지만 주신과 말을 하고 있으면
뭔가 쎄한 불안감이 뒷목을 스치고 지나갔다. 신으로서의 초월
성인지 뭔지는 모르겠지만, 인간과의 괴리감이 느껴져서 소름
이 돋았다. 내 불퉁한 반응에도 주신은 자애로이 대답했다.

[네가 바라는 대로.]

"그게 뭐예요."

[말 그대로란다. 네 뜻이 곧 내 뜻이니, 네 말이 곧 내 말과
같단다. 이곳 아그니의 술탄이 되고 싶으면 그리하여도 좋아.]

술탄 위를 거론하는 주신의 말이 진심으로 끔찍했다. 주신이
농담하는 것을 본 적은 없으니, 아마 저 말 모두가 주신의 뜻일
터였다. 그렇게 술탄 위를 아무한테나 휙휙 줘도 되는 건가. 자마
드나 다른 술탄들이 주신제를 치르기 위해서 얼마나 노력했는데.
그들의 노력을 폄훼하는 기분이 들어 괜히 내가 낯부끄러웠다.

불을 헤치고 오느라 잊었던 자마드의 죽은 얼굴이 다시금 떠
올랐다.

주신과의 대화는 아그니 왕족만이 할 수 있는 명예로운 일이다. 그것을 내가 모조리 **빼앗아간** 꼴이었다. 그런데도 그가 상처받지 않을 거로 생각했나. 아까는 무심히 넘겼던 자마드의 심정이 이제는 눈에 훤히 드러나 보였다.

불에 들어가기 싫다며, 자마드의 자리에 서면 안 되느냐 투덜대던 나를 보며, 그는 무슨 생각을 했을까. 내 얼굴이 순간 확 달아올랐다. 불 속이어서 다행이다. 불꽃의 열기에 내 부끄러움이 감춰지니까. 나는 이를 악물고 정색하며 주신의 말을 거절했다.

"아, 뭔 소리예요. 싫어요. 귀찮아요."

[후훗……. 너 좋을 대로 하려무나.]

주신은 그리 말하고는 휙 사라졌다. 주신이 사라짐과 함께 신주를 먹은 불길이 동시에 확 꺼졌다. 그토록 커다란 불이 담요라도 뒤집어씌운 것처럼 일순간에 사라진 모습에 나는 어안이 벙벙하여 불길이 사라진 제단을 바라보았다.

제단 앞에 앉아 있던 이들은, 드디어 주신이 그들의 제사를 받아주셨다는 기쁨에 소리쳤다. 격정과 무아지경에 차 환호하는 사내들의 목소리를 한 몸 그대로 받으며, 나는 주신이 뭐라 했다 하면 좋을지 그 짧은 시간 동안 머리를 한참을 굴렸다.

확실히, 주신을 만나면 일이 쉽게 풀린 적이 없었다. 원망스러운 주신의 방조에 입꼬리가 파들, 어색하게 올라갔다.

꼭꼭❤꼭꼭

주신께서 뭐라 하셨나 득달같이 캐묻는 광신도들의 질문에 나는 곤혹스러운 표정을 지었다. 주신은 너 좋을 대로 하라는 말밖에 하지 않았기 때문이었다.

불길한 말을 하자니 주신이 그대로 저주를 내릴 것 같았던 만큼, 나는 올해는 풍작일 테니 수확제를 편히 즐기라, 뭐 이런 소리로 상황을 어영부영 넘겼다. 말하면서도 내가 말한 대로 안 이루어지면 어쩌나 하는 불안감이 들었지만, 그건 그때의 일이니 어쩔 수 없다 무책임하게 생각했다. 아무리 내가 무책임해봐야 주신보다는 덜할 것 같았기 때문이었다.

내 말을 들은 아그니 사람들은 다들 감격에 찬 눈물을 흘렸다. 양심의 가책이 아주 조금 들었다.

주신제는 성공적으로 끝났다. 푸른색 봉화가 타올랐다. 주신의 답을, 그것도 긍정적인 답을 받았다는 의미였다. 봉화는 도시에 도시를 타고 멀리까지 퍼져 나갔다.

몇 년 동안 검은 연기만을 보아온 그들은, 드디어 타오르는 푸른 봉화에 기뻐하였다.

늦은 밤. 다른 신료들과 백성들이 웃고 떠드는 사이, 조용하고도 우아한 침묵이 질식할 듯 외따로 있는 화려한 공간에 내려앉았다. 술탄들끼리의 연회였다. 내가 제일 상석에 앉아 있고, 술탄 셋이 내 앞에 빙그르 둘러앉아 있었다. 자마드도 어지간히 미남이라고 생각했는데, 인드라와 바르나의 술탄들 또한 자마드에 비해 꿇리는 모습은 아니었다.

바르나의 술탄은 흰 머리카락을 길게 길러 내린, 학자 타입의 유약한 미인이었다. 이 정도 미인일 거라고는 아까 제사를 지내며 전혀 눈치채지 못했었는데. 아무래도 그때 경문을 탐하는 바르나 술탄의 시선이 광신도의 것이라, 저 외모가 쉬이 눈에 들어오지 않았던 모양이었다.

인드라의 술탄은 단단한 체격의 호남이었다. 굵직한 눈썹과 시원시원한 이목구비가 매력적이었다. 술탄 셋이 각자 다른 매력이 있으니 꽤 감상할 맛이 있었다.

하지만 꽃 감상도 한철이라고, 술탄 셋이 서로를 간 보듯이 눈치만 보고 있는 상황이 계속되자 지루하고 짜증 나기 짝이 없었다. 나는 벌컥 커피를 마셨다. 방으로 들어가서 쉬려는 찰나, 바르나와 인드라의 술탄이 찾아와 같이 차를 마시지 않겠느냐 제안했다.

별생각 없이 그러마 했는데, 지금 한참 후회하고 있었다. 꿔다놓은 보릿자루도 아니고. 내가 왜 여기 있는지도 모르겠고, 이 분위기도 마음에 들지 않고, 짜증 나는 것투성이였다. 내 불편한 심기가 얼굴에 그대로 드러났는지, 인드라의 술탄과 바르나의 술탄이 바로 고개를 숙이며 운을 떼었다.

"인드라의 술탄, 칼리프. 이렇게 카마를 뵈어 반갑습니다."

"바르나의 술탄, 앙투안. 카마께서 현신하신 이후로, 계속해서 카마를 뵙고 싶었습니다."

"아아, 그래."

짧게 끊어 답하는 무성의한 대답에 그들은 당황했다. 그렇게 뵙고 싶었다면서 왜 이제야 왔느냐는 말투처럼 들린 모양이었다. 나는 정말 별생각 없어서 한 말이었지만, 굳이 그들의 착각을 정정해줄 필요까지는 없어 보였다. 술탄 중 체격이 제일 건장한 인드라의 술탄, 칼리프가 고개를 바짝 낮추었다. 짧게 친 그의 뒷머리와 달리, 어느 정도 길러 땋아 장식한 오른쪽 옆머리가 바닥 위에서 흔들렸다.

"정말입니다. 저희도 진즉 카마를 찾아뵙고 싶었습니다. 하지만 아그니의 술탄께서 작년, 카마를 황급히 모셔간 뒤로 카마의 접견을 막더군요. 올해 카마께서 제사를 여신다는 말씀을 듣고 이리 부리나케 찾아온 것입니다. 저희의 진정성을 믿어주십시오."

"접견을 막다니요. 저는……."

아그니의 술탄이 카마에게로 향하는 외부 상황을 차단하고 있다는 요지의 말에 자마드는 다급히 변명하듯 입을 열었다. 어쩐지. 칼리프와 앙투안이 저에게 접근한 것을 본 자마드의 표정이 좋지 않더라니. 술탄들과의 모임을 제안받았다 하니 힘들지 않으시냐며 넌지시 거절해줬으면 하는 눈치를 줬던 것이 이제야 떠올랐다. 눈치가 없던 나는 괜찮다며 흔쾌히 수락했었지.

나도 이렇게 귀찮은 일이 벌어질 줄 알았더라면 죽어도 허락하지 않았을 것이다. 날 가지고 정치질을 하든 무엇을 하든, 왜 앞에 대놓고 내가 판결을 내려주길 원하는 것처럼 구는지 알지 못하겠다. 나는 대뜸 자마드의 말을 끊고 대신 말했다.

"아아, 그거 내가 귀찮아서."

"네?"

내 말에 술탄 셋이 전부 눈을 둥그렇게 떴다. 야야. 자마드. 너까지 그러면 안 되지. 나는 귀찮은 손길로 목 뒤를 벅벅 긁으며 심드렁히 말을 이었다.

"귀찮아서, 사람 들이지 말라 그랬어."

그리 딱 잘라 말하니, 술탄들은 전부 할 말을 잊었다.

자마드가 당황한 듯 눈을 끔뻑끔뻑 뜨며 나를 바라보았다. 내가 그리 말할 줄 몰랐는지, 정말 하나도 감을 못 잡은 표정이었다. 자마드와 내 눈이 마주쳤다. 나는 자마드를 보며 씩 웃어주었다.

내가 잘못한 것은 아니라지만 제사에 관해 자마드에게 미안한 심정도 있었던지라, 오늘은 최대한 자마드의 편을 들어주어야겠다 생각했다.

낯선 사람과 낯익은 사람이 있다면, 그래도 낯익은 사람 편을 드는 것이 도리 아니겠는가.

"하긴, 막 현신하신 터라 여유롭게 지내고 싶으셨겠지요."

바르나의 술탄, 앙투안이 비위를 맞추듯이 살랑살랑 웃으며 부드럽게 말을 받았다.

귀찮다와 여유롭다의 어감 차는 대단했다. 이 술탄들이라는 자들은 내가 팥으로 메주를 쑨다고 해도 카마의 말씀이니 당연하다 대꾸할 게 분명했다. 그걸 마냥 좋다고 받아들이면 편할걸, 이 못된 심보는 그러지 못하고 이리저리 불퉁대었다.

그러고 보면 자마드를 비롯해 앙투안도, 칼리프도 「카마」에게 대한 태도가 심하게 저자세였다.

락시타야 불손할 정도니 예외로 친다지만, 크하트와 비교하더라도 확실히 태도가 과했다.

크하트가 나를 떠받드는 한쪽에는 자마드에 대한 두려움도 있을 테지만, 자마드와 술탄들은 도대체 무엇을 두려워하기에 이런단 말인가?

내가 그 이유를 생각하기도 전에, 칼리프가 호쾌한 목소리로 대화의 물꼬를 돌렸다.

"그러면 지금껏 1년간 아그니에 계셨으니, 올해에는 인드라에 오시는 것이 어떠합니까?"

갑작스러운 칼리프의 제안에 어안이 벙벙해진 나는 눈을 끔뻑끔뻑 떴다.

뭐야, 나한테 선택지도 있는 거였어? 당연할 텐데도 새삼스럽게 느껴졌다. 지금껏 한 발짝 뒤로 물러서 있던 자마드가 더는 침묵할 수 없는지, 이를 악물고 대꾸했다.

"카마께서 이제 막 이곳에 적응하셨습니다, 인드라의 술탄."

"확실히 나쁘지 않은 제안이로군요, 인드라의 술탄. 그다음 해는 저희 바르나로 오셔도 좋지요. 카마께서 아그니에만 계시는 건 말도 안 되는 일입니다. 1년에 한 곳씩 돌아보신 뒤 마음에 드시는 나라에 거처를 정하시는 것이 옳지 않겠습니까?"

앙투안이 칼리프의 말을 받았다. 생긋이는 눈웃음은 부드러웠으나, 그 아래서 번뜩이는 눈동자는 뱀의 것이었다.

자마드는 초조한 표정으로 내 눈치를 보았다. 내가 그들의 말에 넘어가서 인드라나 바르나로 가겠다 말하면 어쩌나 하는 표정이었다. 그게 훤히 드러나 보이는 것부터가 자마드의 계략이라는 걸 알았다. 동정표를 사려는 거지. 내 입꼬리 한쪽이 옴씰거렸다. 그걸 알면서도 저 불쌍한 표정에 마음이 동하는 내가 참 웃겼다.

나는 한숨을 내쉬었다.

자마드가 저러지 않아도 1년간 마주한 정이 있는데, 단숨에 모르는 척 손 뒤집고 다른 나라로 칠렐레 팔렐레 향하겠는가. 나는 몸을 쿠션에 기대며 말했다.

"나는 아그니에 있을 거야. 자마드 말대로, 이제 막 적응했는걸. 난 아그니를 둘러보지도 못했어."

내 대답에 희비가 엇갈렸다. 자마드의 얼굴에 도는 화색이 꾸며진 것이라는 걸 알면서도 나는 괜히 뿌듯했다.

"하지만 한 나라에만 오래 계시는 것은 편애로 느껴질 수가 있습니다."

앙투안과 칼리프가 다급하게 말을 이었다. 나는 음료를 마시는 척 음료 잔으로 얼굴을 가렸다. 음료 잔의 가장자리 너머로 가늘게 눈을 뜨니, 몸을 바짝 엎드리고 고개를 조아리며 말을 하는 그들이 보였다. 그들의 시선에서는 간절함마저 느껴졌다. 확실히 술탄들은 이상할 정도로 나에게 저자세였다. 술탄이 술탄의 자리에 있는 이유가 바로 신성성인 만큼, 주신의 인정을 받은 나를 이용해 신성성을 보충함으로써 술탄 위를 확고하게 하려는 걸지도 몰랐다.

그건 저들 사정이고. 나는 어깨를 으쓱이며 말했다.

"그런데 아그니에 있으면 나 필요할 때마다 주신께 말을 건넬 수 있는데, 다른 나라에 있으면 그게 안 되잖아."

"……."

나야 주신에게 더는 할 말도 없고, 핑계나 다름없는 말이었지만 앙투안과 칼리프는 그 사실을 알지 못했다. 내가 이 세계로 오고 나서 주신을 만난 것이 단 한 번뿐임을 알고 있는 자마드만이 내 말이 거짓이라는 걸 알고 눈을 굴릴 뿐이었다. 나는 마지막으로 쐐기를 박았다.

"당분간 주신께 물어볼 것도 있어서 아그니를 떠날 수는 없고. 나중에 심심하면 놀러 갈게."

나는 그리 말하며 손을 내저었다. 축객령이었다. 앙투안과 칼리프는 무어라 못다 한 말이 많은 듯 입을 뻐끔댔지만, 내가 고개를 돌리고 그쪽을 바라보지를 않으니 차마 말을 꺼낼 엄두를 내지 못했다. 그들은 어쩔 수 없다는 듯이 다음을 기약하며 자리에서 일어섰다.

나는 그제야 나중에 보자며 그들을 바라보았다. 그들은 그래도 나중이 있다는 사실에 안도하는 듯, 어색한 웃음을 지으며 방을 나섰다.

침묵이 내리 앉은 방 안에는 자마드와 나만이 남았다. 자마드도 하렘에 가야 하는지라 겸사겸사 같이 가기 위해서였다. 주신제가 있는 날, 봉화가 올라가고 나서는 가족끼리 모여 연회를 즐기는 풍습이 있었다. 타국의 정상들이 초청되어 왔다면 내 상식으로는 그들을 연회에 초대하여 같이 즐길 텐데, 남녀가 유별한 이 나라에서는 불가능한 이야기였다.

마음 편한 모임은 아니었지만, 그래도 잘생기고 지위 높은 남자 셋이 내 대답만 기다리며 안달복달하는 것이 썩 나쁜 기분은 아니었다.

나는 픽 웃으며 몸을 쭉 폈다. 신발 사이에 가려진 허연 발가락 끝까지 쭉 펴지며 기지개를 켜니 온몸이 다 나른했다. 나는 잠시 누운 상태에서 창밖의 달을 바라보았다.

검은 하늘에 허옇게 드러난 달은 원래의 세계와 다를 바 없어, 가끔은 섬뜩한 느낌을 주었다. 아주 다르기라도 하면 좀 나았으려나.

아니면 더 괴로웠을까. 나는 그런 부질없는 생각을 하며 까닥까닥, 발을 흔들었다.

나는 흘끗, 자마드를 바라보았다.

살랑한 불빛이 그의 얼굴에 불빛을 비추니 깊은 눈매 위로 음영이 일순 휙 드리웠다.

자마드가 어떤 표정으로 나를 보고 있는지 알 수 없던 나는 자연스레 미간을 찌푸렸다. 왠지, 자마드의 시선이 평소와 다른 것 같은 느낌이 들었다.

그리고 보니 내가 자마드를 잡고 있음으로써 그가 하렘으로 향하는 시간이 더 지체되고 있다는 사실을 깨달았다. 자마드가 오기만을 오매불망, 목이 빠지라 기다리고 있는 하렘의 여인들을 떠올리니 내가 몹쓸 짓을 하는 것 같았다.

내가 미적거리느라 자마드가 늦었다는 것을 그녀들이 알면 또 날 선 시선이 따라붙을 게 분명했다. 마냥 내 잘못은 아니지만 그래도 괜히 뒷목이 근지러웠다.

임자 있는 남자란, 쯧쯧. 에구구. 나는 한참을 빈둥거리던 몸을 일으키며 허리를 두드렸다.

"너무 여유 부리고 있는 거 아니야? 하렘에 이제 슬슬 가봐야지. 다들 기다리고 있겠어."

"……."

"내가 말을 안 하면 자마드 너라도 가본다고 해야지. 여자들한테 상처 주면 나중에 큰일 나요."

자마드가 아무 말도 하지 않으니 내가 괜히 말을 주절거리게 되었다. 나는 자마드에게 농담조로 훈계하듯 말을 건넸다. 하지만 돌아오는 반응이 없으니 머쓱할 뿐이었다. 나는 내가 뭐 잘못한 게 있나 싶어 아까 술탄들과의 대화를 되짚어 보았다. 하지만 아무리 생각해도 내가 잘했으면 잘했지, 잘못한 건 없는 것 같았다.

아까, 아그니에 있을 거란 말에 화색을 띠고 좋아했던 게 거짓말처럼, 자마드의 표정은 무겁게 가라앉아 있었다.

내가 자리에서 일어섰지만, 자마드는 움직일 생각조차 안 하는 듯 미동도 없었다. 마음만 같아서는 손을 잡고 일으켜 세워서 데려가고 싶었다.

그게 안 되니, 말로서 재촉하는 수밖에 없었다. 나는 투덜거리듯 말했다.

"아, 거 참. 내 마누라도 아니고. 네 마누라 보러 가자는데 왜 그렇게 미적거려?"

평소에는 주로 내 불평불만에 자마드가 맞춰주는 식이었다. 그는 내가 부정적인 말을 던지면 항시 긍정적이고 밝은 대답으로 분위기를 회복하려 했다. 그랬던 만큼 나는 이 꿉꿉하니 무거운 분위기에 쉽사리 적응되지 않았다. 나는 한참을 자마드에게서 무언가 반응을 끄집어내기 위해 노력했지만, 여전히 자마드가 침묵하는 것을 보아 그다지 소용은 없는 것 같았다. 이런 상황에 그다지 면역이 없었던 내가 택한 것은 도피였다.

안 되겠다. 나 혼자서라도 하렘으로 돌아가야겠다. 속으로 30만 세자. 30초. 좋아. 그리 생각한 나는 일부터 세기 시작했다. 1, 2, 3. 속에서 세던 숫자가 30이 넘어서도 자마드는 움직이지 않았다. 나는 혀를 찼다. 애초에 일부터 센 것이 문제였다. 숫자가 세다 보니 늘어나잖아. 다음부터는 거꾸로 세야지. 결국 60까지 센 나는 홱 하니 발걸음을 돌렸다.

그제야 자마드가 자리에서 느릿하게 일어섰다. 생긴 것은 검은 흑표범처럼 날쌔게 생겨놓고서는, 느릿느릿 움직이는 것은 아주 나무늘보가 따로 없었다. 자마드는 내 곁에 서며, 그제야 무거운 입을 떼고 말했다.

"······감사합니다."

"뭐가? 너 기다려준 거?"

자마드가 무엇을 말하는지 알고 있었으나, 나는 모르는 척 대꾸했다. 다른 술탄들 앞에서 편들어준 것 정도야, 정말 별것 도 아닌데 괜히 티를 내고 싶지는 않았다. 아까 놀란 표정도 그렇고, 나는 자마드가 생각보다 나를 못 믿고 있다는 것을 깨 달았다. 믿으면 믿는 대로 내가 무슨 손안에 들어온 새냐며 기 분 나빠했을 거면서, 지금은 못 믿는다는 사실에 배신감을 느 꼈다. 정말 나 자신이지만 내 기분 맞추기가 어렵다. 나는 속으 로 한숨지었다.

자마드는 그런 나를 빤히 바라보았다. 보랏빛 눈동자에 밤이 스며들었다. 평소의 가식적인 미소가 아닌, 진중하고도 날카로 운 표정이었다.

지금껏 자마드가 나를 볼 때 가식적으로 군다는 걸 알고 있 던 나는, 그가 지어낸 가면 같은 미소를 벗어던지는 쪽이 훨씬 보기가 좋을 거로 생각했다. 하지만 그건 나의 착각이었다. 불 빛에 어릿어릿한 자마드의 표정이 괜히 섬뜩했던 나는 몸에 오 한이 들었다. 얼굴에 드리운 음영 때문에 생긴 착각이겠지. 나 는 그리 가벼이 넘겼다. 그러려고 노력했다.

ꙮꙮ♥ꙮꙮ

하렘에 들어서자, 커다란 술탄의 홀에서 불빛과 여자들의 목소리가 아른아른 새어 나왔다.

평소 술탄이 잠자리에 들 때, 하렘의 여자들이 그의 선택을 기다리는 곳이었다. 연회 준비를 바지런히 해놓은 듯 맛난 음식 냄새가 솔솔 풍겼다.

나야 아까 술탄들과의 모임에서 이것저것 주워 먹었지만, 자마드는 내내 인상을 쓰고 있느라 쫄쫄 굶었으니 배가 고프기도 할 것이다.

술탄이랍시고 위엄 잡고 있느라 배고픈 티도 못 내고 있고. 나는 괜히 자마드에 대한 동정심이 들었다.

"얼른 가봐. 다들 기다리고 있겠다. 나는 들어가서 좀 쉴게."

그리 말하며 자마드를 재촉했다.

자마드의 등을 떠밀듯 손이 들렸지만, 그에게 닿지 않고 허무하게 허공만 휘저었다.

대신 휘익휘익 작별 인사를 하듯 손을 내젓고는 내 숙소로 향하기 위해 발걸음을 돌렸다.

하지만 자마드의 낮은 목소리가 뒤돌아선 내 뒷목을 붙잡았다.

"카마시여."

"왜?"

나는 여상히 대꾸했다. 돌아본 자마드는 무언가 주저하는 모습이었다. 아까까지만 하더라도 침묵한 채 무게 잡고 있더니, 갑작스레 수줍게 돌변한 모습이 적응되지 않았던 나는 이맛살을 찌푸렸다.

"……오늘, 연회에 함께하지 않으시겠습니까."

"하지만 오늘은 가족끼리 보내는 날이잖아. 난 네 가족이 아닌걸."

"……."

내 거절에 자마드의 표정이 눈에 띄게 시무룩해졌다. 나는 당황하여 그런 자마드를 빤히 바라보았다. 내가 못 할 말을 한 것도 아닌데, 못 할 말을 한 기분이었다. 그, 그래. 조금 매몰차게 거절한 것 같기는 하네. 나는 다시 한 번 부드럽게 자마드를 타이르려 했다.

"생각해봐. 저 홀 안에는 예쁜 네 아내들이 너만 기다리며 치장하고 앉아 있을 텐데, 내가 너랑 같이 들어가면 어떻겠어. 나라면 굉장히 기분이 좋지 않을 거야."

"제 아내들이 문제입니까?"

아니, 네가 문제야. 전혀 알아듣지 못하고 엉뚱한 질문을 던지는 자마드를 보며, 나는 그리 말하고 싶은 마음을 애써 속으로 참아 눌렀다. 나는 평정을 가장하고 빙긋이 웃었다.

"하여간. 신경 써준 건 고마워. 하지만 난 쉬고 싶어서."

"저와 가족이 되기 싫으신 겁니까?"

"왜 이야기가 그렇게 되는데?"

어이가 없던 나는 미간에 주름을 잡고 짜증스레 되물었다. 오늘의 자마드는 이상하다.

자마드가 카마인 나에게 잘해주고 친한 척 치대는 것은 타인에게 보이기 위함이다.

인드라와 바르나의 술탄들 앞에서 그 정도로 보여주었으면 되었지, 여기서 더 뭘 바란단 말인가. 선을 넘어서는 자마드의 행동에 불쾌감을 느낀 나는 얼굴을 찡그렸지만, 자마드는 아랑곳하지 않고 나에게 매달렸다.

"저와 친밀히 얽히는 것이 싫으신 게 아니라면 같이 가주십시오. 부디, 저에게 카마와 주신제 밤의 끝까지 함께할 영광을."

자마드는 그리 말하며 허리를 꾸벅 숙였다.

높은 사람이 나에게 고개를 숙이는 기분이 어떨까 궁금했던 적이 있었다. 하지만 이 세계에 와서 자마드의 정수리를 보면서 느끼는 건데, 높은 사람들은 고개 숙이는 것마저도 그들의 말을 들어주지 않으면 안 될 것처럼 몰아가는 능력이 있다는 것이다.

자마드 얘가 진짜 왜 이러는 건지는 몰라도, 내가 고개를 끄덕일 때까지 하렘의 정원 한가운데서 이러고 있을 것 같았다. 나는 한숨을 쉬며 성가신 듯 뒷목을 벅벅 긁었다.

"거기서 말하는 밤의 끝이 그 가족 연회만 뜻하는 거, 맞지?"

"물론입니다."

긍정을 내포한 내 질문에 자마드의 얼굴에 화색이 돌았다. 나는 알았으니 먼저 앞장서라며, 자마드를 향해 손을 내저었다. 자마드는 밝은 웃음을 지으며 술탄의 홀로 향했다.

예전에 붉은 머리 이크발이 괜히 내게 파르르 했던 것이 떠올랐다.

분명 자마드와 같이 들어가면 이크발들 표정이 좋지는 않겠지. 예쁜 레누카 카딘도 별로 안 좋아할 거야. 미인들에게 미움받는 건 참 씁쓸한 기분이다.

미움받는 것이 내 책임이 아니라면 더더욱.

한숨이 절로 나왔다. 앞서 나가는 가벼운 자마드의 발걸음과 달리, 내 발걸음은 무겁기 짝이 없었다.

자마드의 등장으로 술탄의 홀이 한차례 부산을 떨었다. 그녀
들은 조용히 자마드를 맞이했지만, 그 와중에도 자마드의 시선
을 한 번이라도 끌어보고자 안간힘을 다했다.

자마드의 뒤를 뒤따르는 날 발견한 이들 몇의 표정이 흐려지
는 것을 보았다. 하지만 대놓고 눈총을 주는 이는 없었다. 그것
만으로도 나는 안도했다.

레누카 카딘이 앞서 자마드와 함께 나를 반겼다. 그녀의 푸
른 눈동자가 잠시 나에게 머물다 떠났다. 오늘따라 힘을 줬는
지, 레누카가 유난히 아름다워 보였다. 술탄인 자마드에게 짙
은 밤과 같은 마성이 있다면, 레누카는 달과 같은 여자였다. 은
은한 흰 비단에 은사가 수놓아져 있었는데, 그 와중에 정갈한
금장식이 유독 눈에 띄었다. 다른 이크발과 구즈데들의 화려한
차림새 속에서도 홀로 고고히 눈에 띄었다.

"레누카 카딘, 술탄과 카마를 뵙습니다."

그렇게 예쁜 레누카의 인사도 건성으로 넘긴 자마드는 성큼 자리로 갔다. 내가 올 것을 몰랐던지라 상석에는 술탄의 자리 밖에 없었다. 눈치 빠른 여관들이 재빨리 새로운 자리를 깔았다. 비어 있는 발리데 술타나의 자리였다. 자마드는 나를 바라보며 싱긋 웃었다.

"이쪽에 앉으시지요."

왜 하필 발리데 술타나의 자리인지는 모르겠지만 앉으라니 앉는 수밖에. 나는 성큼, 조심성 없이 다가가 자리에 털썩 주저 앉았다. 내가 앉고 나니 술탄도 자리에 앉았고, 그러고 나니 하렘의 여인들도 자리에 앉을 수 있었다. 도미노가 따로 없었다.

나는 홀 안의 분위기가 어색한 것을 읽을 수 있었다. 평소라면 술탄의 비위만 맞추면 되었을 테지만, 내가 있음으로써 그들은 뭘 하든 내 눈치까지 봐야 했다. 나는 고개를 절레절레 도리질 치며 방 안을 둘러보았다.

여인들의 고개는 자마드에게 향해 있지만, 그녀들의 눈동자는 시종일관 나에게 닿아 있었다.

그러고 보니 나에게 유독 날 선 반응을 보였던 적발 이크발의 모습이 보이지 않았다. 나는 고개를 갸웃댔지만, 굳이 물어서 행방을 찾을 만큼 친한 사이가 아니라서 관두었다. 나중에 기억나면 자마드나…… 아니면 레누카에게나 넌지시 물어보면 될 터였다.

안 그래도 레누카를 떠올리고 나니, 아까 자마드가 레누카의 인사를 그대로 지나쳤던 걸 떠올렸다. 나는 자마드를 흘끔 보았지만, 자마드는 레누카에게 어떠한 피드백도 줄 생각이 없어 보였다. 이래서 지 잘난 걸 아는 남자란. 나는 고개를 내저으며 레누카에게 어색하게 말을 걸었다.

"레누카 카딘은 오늘도 예쁘네."

내 말에 다들 눈을 둥그렇게 떴다. 심지어 자마드도. 나는 어색함에 볼을 긁적였다. 하지만 저렇게 예쁘게 차려입고 있는데, 이왕이면 예쁘다고 말을 해주는 게 좋지 않나 싶었던 나는 그냥 웃고 말았다.

레누카 또한 내가 말을 걸 줄 몰랐던 듯이 당황스레 나를 빤히 바라보다가, 이내 볼을 붉히며 수줍게 웃었다. 그 미소는 정말이지 한 떨기 백합 같았다. 하지만 레누카는 그렇게 아름다운 외모로 정말 잔인한 말을 꺼냈다.

"카마께서는…… 아름다우십니다."

"……어? 어. 레누카 카딘에게 그런 이야기를 들으니 민망한데."

레누카처럼 예쁜 사람한테 아름답다느니 뭐라느니 하는 소리를 듣자니 얼굴이 홧홧했다. 차라리 니콜 키드먼이 나보고 섹시하다고 말해주는 게 덜 부끄러울 것 같았다. 아주 엎드려 절 받기가 따로 없는 상황에, 나는 괜히 오지랖을 떨었다 후회했다.

안 그래도 내가 무어라 대꾸해야 할지 모르고 있던 찰나, 음식이 내어져 왔다. 여관들이 들락날락하면서 어색한 분위기가 한풀 꺾였다. 다행이다.

나는 가슴을 쓸어내렸다. 다음부터는 두 번 다시 다른 사람들 외모 칭찬은 하지 말아야겠다 다짐했다.

음식이 다 차려지고 나서, 자마드가 입을 열었다.

"올해의 주신제는 카마 덕에 무사히 진행되었습니다."

자마드가 그리 말하기 무섭게 다시 분위기가 어색해졌다. 나는 하하, 어색하게 웃었다. 굳이 하렘 내에서까지 내 공로를 치하해주지는 않아도 되는데. 하지만 자마드는 눈치를 정말, 정말 안 보는 남자였다. 그는 가슴에 해로운 잘생긴 미소를 지으며 말을 이었다.

"하렘의 모두들, 카마를 모시는 데 부족함이 없도록."

"명심하겠습니다."

다들 고개를 숙였다. 가족모임이 나라는 불순물이 낌으로써 「주신제, 제2의 막」 같은 분위기가 되어버렸다. 본다라면 서로 모여 덕담을 나누면서 식사를 하는, 가족끼리의 연회 같은 느낌이었을 텐데. 나는 쓸쓸하게 칠면조 다리 고기를 뜯었다.

"카마께서는 해주실 말씀, 없으십니까?"

하필이면 막 칠면조 다리를 뜯자마자. 나는 고기를 먹으려 입을 한껏 벌린 채로 자마드를 바라보았다.

그 안의 모든 이들의 시선이, 내가 칠면조 다리를 먹는 걸 지켜보고 있었다. 부끄러운 짓이란 짓은 지금 다 하고 있는 것 같았다. 아, 맘 놓고 먹지도 못해. 나는 큼큼, 헛기침을 두어 번 했다. 내가 딱히 해줄 만한 거창한 말은 없었다. 나는 심드렁히 대꾸했다.

"잘 먹고, 잘 살고. 다 먹고 살자고 하는 짓인데."

그리 말한 나는 호쾌하게 칠면조 다리를 입으로 물었다. 우물우물, 고기로 입을 틀어막음으로써 더 이상의 말은 하지 않겠다는 의지를 피력했다.

ഇൻ♥ൾ

여인들은 자마드를 위해 많은 걸 준비한 것 같았지만, 처음에는 내가 있어서 눈치를 보는지, 주춤주춤 제 실력을 내보이지 못하고 어색해했다. 나는 그들이 조금이라도 덜 어색하도록 모든 집중력을 먹을 것에 투여했다. 그 덕인지, 그들은 곧 나는 안중에도 없는 사람들처럼 자마드를 향해 기량을 펼쳤다.

그래도 시끌벅적한 이들 사이에 있으니, 심심치는 않았다. 어차피 쉬는 거야 매일 쉬는 일상인데. 간만의 소란스러움을 즐기기로 정한 나는 음료를 입에 굴리듯 흥얼며 춤추는 이크발들의 군무를 보았다. 이크발들의 무리 앞에 앉아 있는 레누카와 가끔 눈이 마주쳤는데, 불빛 때문인지 취기 탓인지, 그녀의 하얀 얼굴이 괜스레 붉어 보였다.

얼굴을 빤히 바라보는 것도 레누카에게 실례인 것 같아 은근슬쩍 자연스레 시선을 돌렸다. 하지만 늑대 피해 간 곳에서 호랑이 만난다고, 자마드와 대뜸 눈이 마주쳤다. 뭐야, 계속 날 보고 있던 거야? 자마드는 시선을 피하지도 않고 나를 빤히 바라보았다. 자수정 같다며 찬사를 보냈던 보랏빛 눈동자지만, 초점이 나에게 고정된 채 움직이지 않는 것은 섬뜩하기까지 했다. 결국 시선을 돌린 것은 나였다. 뭐야, 쟤, 왜 저래. 나는 애써 아무렇지 않은 척하면서 속으로 식은땀을 흘려대었다.

결국 나는 연회가 파할 때까지 자마드의 시선에 잡혀 있었다. 연회가 끝나고, 자마드가 오늘 밤을 상대할 여자를 택하는 시기가 되었다. 지금이 적기라고 생각한 나는 자리에서 홀라당 일어섰다.

"아아, 오늘 즐거웠어. 그럼 난 슬슬 이쯤 해서……."

"가시렵니까?"

"응. 내일 보자고."

나는 쾌활하게 말하며 손을 흔들었다. 하지만 따라 일어서는 자마드 덕에 나의 쾌활함은 그리 오래가지 않았다. 괜찮다며 몇 번을 사양했지만, 자마드는 그래도 모셔다 드리겠다며 부득불 나를 쫓아 나왔다. 자마드의 선택을 기다리며 지금껏 연회에서 애썼던 이크발과 구즈데들은 닭 쫓던 개처럼 멀거니 이쪽을 바라보았다.

"안 나와도 된다니까. 가서 레누카랑 있어. 오늘 레누카 예쁘던데."

홀을 빠져나와 정원을 지나면서, 나는 계속해서 자마드를 만류했다. 특별 취급도 해줄 때 안 해줄 때를 가려야지, 괜히 안 가도 되는 곳에 데려가서 어색하게 만들더니 종래에는 이 꼴이었다.

내 말에 우뚝 선 자마드가 나를 빤히 바라보았다. 어둠 속에서 달빛을 받은 자마드는 정말 밤의 신 같았다. 하지만 그의 시선은 아까 연회에서와 같이 불편하기 짝이 없었다.

자마드의 이상한 기색에 우리 뒤를 쫓던 여관과 내시들은 자마드와 나, 단둘만이 이야기할 수 있도록 자리를 비켜주었다. 전혀 달갑지 않은 배려였다. 자마드는 중얼거리듯, 혼잣말처럼 말을 건넸다.

"카마께서는, 저에게 아무것도 기대하지 않으시는군요."

"아냐, 기대 많이 해."

"무슨 기대입니까?"

"……."

적어도 날 먹여주고 재워주지는 않을까 하는 기대. 하지만 그대로 말하기엔 내 자존심도 쪽팔리고, 자마드의 자존심도 쪽 팔릴 것 같았다.

천하의 술탄을 「여차하면 카마를 굶기고 내쫓을 옹졸한 이」로 보고 있다 말하는 거나 진배없는 기대였으니까.

할 말이 없었던 나는 그냥 머쓱히 입꼬리를 잡아 올려 웃었다. 자마드는 그런 내 웃음이 기껍지는 않은지, 허탈한 표정을 지었다.

"카마는 마치 제 술탄 위 같으신 분입니다."

내가 왜 술탄의 자리 같다는 거지? 갖고만 있어도 든든하다 이건가? 나는 알 수 없는 자마드의 말에 고개를 갸웃거렸다. 자마드는 나에게로 손을 뻗었다. 자마드의 손이 내 눈앞에서 멈췄다. 그의 손바닥이 내 시야를 가린 채 어른거렸다. 덕분에 나는 자마드가 무슨 표정을 짓고 있는지 알 수 없었다. 그의 손가락 사이로 생소한 감정을 지닌 자마드의 목소리가 흘러내렸다. 그것은 분노 같기도 했고, 증오 같기도 했으며, 애달프기까지 했다.

"저는 갖고자, 지키고자 그리도 아등바등하는데도 이 자리는 굳이 제가 아니어도 되는 것이겠지요."

자마드는 손을 그대로 움켜쥐는 듯한 시늉을 했다. 손가락 사이로 사라지는 자마드의 손바닥 안에 내가 있는 듯, 자마드의 손짓에 숨이 턱 하니 막혀왔다.

자마드가 술탄의 자리에 불안감을 느끼고 있다는 건 진작부터 알고 있었지만, 그래도 왜 나한테 이러는 건지 이해할 수가 없었다. 최근에는 그래도 우리, 멀쩡하게 잘 지냈었잖아. 오늘따라 자마드는 이상했고, 이상하다.

나는 자마드의 불안정한 심리를 이해하기 위해 머리를 굴렸다. 아마 내가 자마드를 대신해서 주신과 만난 것과 더불어 다른 술탄과의 만남이 원인이지 않을까. 나는 자마드의 역할을 대신함으로써 그가 술탄으로서 있을 곳을 한 움큼 베어 가진 것이나 다름없었다.

물론 자마드가 부탁하여서 한 것이기는 했지만, 사람 마음이라는 것에는 이성으로 납득하지 못하는 허한 구석이 있는 법이었다. 게다가 다른 술탄들이 자기네들 나라로 오라 앞다투어 말하니, 자마드로서는 불안하기도 했을 거라 나는 어렴풋이 짐작할 뿐이었다.

하지만 자마드는 내 짐작이 오산이라고 낙인이라도 찍듯이, 충격적인 말을 꺼냈다.

"저는, 카마께서 저만의 카마가 되어주셨으면 합니다."

"뭐?"

처음에는 얘가 무슨 말을 하는지 알아듣지 못했던지라 나는 의아하게 되물었다. 그러지 말았어야 했는데. 그냥 헛소리 말라고 일축하고 끝냈어야만 했는데.

자마드는 다시금, 천천히, 내가 확실히 알아들을 수 있도록 분명한 발음으로 또박또박 말했다.

"카마를 사랑합니다."

나는 눈만 끔뻑끔뻑 떴다. 너무 놀라면 말도 제대로 안 나온다더니. 환생하는 시점에서도 따박따박 주신에게 따지고 들었던 내가 사랑 고백에 말문이 막혀서 어버버할 줄은 생각도 못 했다. 하지만 그 사랑 고백이 이런 식이어서야 할 말이 없는 것도 당연했다. 뜬금없고 당혹스러운 것도 정도가 있어야지. 나는 기가 찬 한숨만 뱉었다.

하지만 자마드는 내가 이런 반응인 것이 못마땅한 표정이었다. 좀 더 감격에 겨워하거나, 하다못해 난처해하는 반응이라도 보이길 바란 모양이었다. 어처구니없는 반응이 아니라. 그는 진심으로 자신이 제대로 된 고백을 했다고 믿는 것 같았다.

"왜 그런 반응이십니까."

"아니, 당황스러울 만도 한 게."

나는 뒷목을 긁적여도 보고, 눈을 데굴 굴려도 보고, 주변을 서성여도 보았다. 하지만 아무리 그런 식으로 굴어도 대답은 나오지 않았다.

차오르는 의문의 답을 홀로 내지 못한 나는 결국 자마드에게 물었다.

"도대체 왜?"

내가 궁금한 것은 그가 날 사랑하는 이유가 아니었다. 나는 자마드가 나를 사랑한다고 믿지 않았다. 나는 왜, 자마드가 나를 사랑한다고 말하는지 그게 궁금했다. 내 질문에 자마드는 고민조차 하지 않은 채, 반사적으로 틀에 박힌 대답을 꺼냈다.

"왜라니요……. 카마는 아름답고도……."

"아니, 그런 거 말고. 정말 왜?"

나는 자마드를 빤히 바라보았다. 자마드의 미간이 설핏 찌푸려졌다. 내가 이렇게 물을 줄 몰랐던 사람 같았다. 한참을 골몰하던 자마드는 난처한 듯 고개를 갸웃대더니, 이내 처량 맞은 표정을 지어 보였다. 내가 평소 저 표정에 약하다는 것을 알고 일부러 저러는 게 분명했다.

"카마께서는 제가 마음에 들지 않습니까? 아, 혹시 제가 술탄이라 다른 사내를 품으실 수 없는 것을 걱정하시는 겁니까? 그거라면……."

"아니아니, 그런 게 문제가 아니라."

말이 계속해서 겉돌고 있었다. 짜증이 난 나는 한숨을 뱉었다. 머리가 지끈거리며 아파졌다. 오늘 온종일 주신제로 시달린 것도 모자라 술탄들과 2차도 나가고, 거기에 하렘 여인들의 장기자랑까지 봐주느라 3차까지 왔다. 나는 이것만으로도 충분히 지친 상태였는데, 마지막으로 자마드가 이리 쐐기를 박아줄 줄이야. 나는 욱신욱신 쑤시는 관자놀이를 엄지로 꾹꾹 누르며 말했다.

"그 연회, 거기까지만 어울려달라며."

"물론 그랬습니다만……."

"그래. 거기까지야. 내가 해줄 수 있는 건."

나는 딱 잘라 말했다. 오늘 만큼은 얼렁뚱땅 순순히 넘어가줄 수가 없었다. 자마드의 말은 선을 넘었다. 사랑이라니. 입에 침이라도 바르고 그런 거짓말을 해라. 하지만 자마드는 되레 더 불쌍한 척하며 나를 간절히 바라보았다. 우수에 찬 보랏빛 눈동자에 눈물이 차올랐는지, 물기 어린 반짝임이 눈에 띄었다. 그는 뛰어난 거짓말쟁이였다. 사랑에 대해 모르는 것만 제외하면.

"제가 사내로서 부족합니까?"

"아니 애초에……."

정말, 정말로 자마드는 자신의 제안이 문제라고는 생각지 않는 것 같았다. 내 질문의 의도를 모르는 걸 넘어, 그는 뭐가 사랑인지 모르는 게 틀림없었다. 나라고 해서 사랑에 대해 아는 게 많은 건 아니요, 되레 까막눈일 정도였지만, 적어도 자마드가 나를 사랑하는 게 아니라는 건 알았다.

자마드가 만약 사랑에 대해 안다면, 저 능구렁이가 나를 이렇게 허술하게 속일 리가 없었다. 내가 속은 줄도 모르게, 오히려 내가 자마드를 좋아할 수밖에 없게 만들었겠지. 지금까지 내가 봐온 자마드는 그런 남자였다.

"너는 내 말을 들을 생각이 없잖아. 자마드."

내가 몇 번이고 남자는 필요 없다, 나는 그냥 평범하게 살고 싶다 직접적으로 말했는데도 자마드는 계속해서 남자에 대해 말했다. 자마드가 술탄이라서, 내가 다른 남자를 품을 수 없어서 답답할 거라 말하는 자마드의 말에 답답함을 느꼈다. 자마드는 나를 카마의 틀에 가두었다. 그의 머릿속에서 나는, 선대 카마의 발자취이자 주신의 자식, 그뿐이었다. 현재의 「나」는 그에게 존재하지 않았다. 그는 내가 어떤 식으로 이 세상을 보고 어떤 식으로 생각하는지, 아무런 관심도 없을 터였다.

그런데 나를 사랑한다라. 그게 웃기지도 않는 개소리라는 건 명백한 것 아닌가.

"난 솔직히 못 믿겠거든. 나에 대해서 너, 아무것도 모르잖아."

나는 어깨를 으쓱였다. 입꼬리가 절로 올라갔다. 비난하고 싶지 않아도 쓴소리가 절로 나왔다. 얼마나 내가 우습게 보였으면 저런 되지도 않는 말로 날 꼬드기려 한단 말인가. 나는 날 선 눈초리로 자마드를 훑었다. 자마드의 얼굴은 눈에 띌 만큼 희게 질려 있었다.

내가 그를 거절했다는 게 충격인지, 아니면 그가 나를 사랑하지 않는다는 것을 내가 눈치채서 충격인 건지 알 수는 없었다.

휴, 깊은 한숨이 나왔다. 사실 자격지심도 있었다. 이 세계의 미의 기준은 나의 이전 세계와 엇비슷했다. 나는 이러니저러니 해도 눈에 띄게 예쁘지 않았고, 자마드는 눈이 돌아갈 정도의 미남이었다. 이건 여관들의 말과 락시타의 말을 통해 확인받은 거니 객관성만큼은 충분했다. 자마드에게는 이미 미의 여신의 현신 같은 레누카가 아내로 있었다. 그런 자마드가 무엇 하러 날 좋아한단 말인가. 카마라는 내 신분을 제외하고는 이유가 없었다.

나는 애초에 사랑에 있어서, 그리고 성적 매력에 대한 자존감이 그리 높은 편은 아니었다. 지금은 카마로 있으면서 성적 매력이 맥스를 찍었다고는 하지만 치트키 같은 것일 뿐이었다. 치트키는 사기였고, 과한 치트키는 게임을 재미없게 만든다. 지금의 내 상태가 딱 그 짝이었다.

지금, 자마드의 고백이 아니더라도 나는 계속해서 사랑에 대한 회의감에 휩싸일 것이다. 그건 단언할 수 있을 정도로 분명한 일이었다. 내 능력의 도움 없이도 나를 사랑해줄 만한 사람이 있을까도 의문이었고, 내 능력 없이도 날 좋다 하는 사람은 십중팔구 내 카마라는 정치적, 종교적 이점을 이용하려고 접근하는 게 분명했다. 자마드처럼.

과거에는 사랑에 대해서 무언가 애틋한 로망 같은 게 있기는 했다. 나랑은 거리가 먼 것이라 단정 짓기는 했지만, 그래도 소개팅이니 고백이니, 평범한 사랑에 대한 갈망이 있었다. 그때는 그래도 언젠가는 인연이 닿으면 할 수는 있는, 정도의 거리감이었다.

이제는 평생 얻을 수 없는 것일 터였다. 「사랑」은 눈에 보이지도 않을 정도로 멀어졌다. 우스웠다. 성욕의 신이면서 사랑과는 백억 광년은 떨어져 있다는 게. 아니, 도리어 성욕의 신이라서 사랑을 믿지 못하게 되는 것일 수도 있었다.

나는 할 말을 잃고 멍하니 나를 바라보는 자마드에게 마지막 쐐기를 박았다.

"그냥 우리 지금처럼 있자고. 정치적 동반자든, 이해득실 따지는 관계든. 난 네가 마음에 들었고, 최대한 네 편을 들어줄 거야. 그러니까 괜히 사랑 같은 거 엮어 넣지 마. 그거, 생각만치 그렇게 신뢰성 있는 감정이고 그런 거 아니니까."

그가 고백까지 해가면서 날 그의 곁에 붙잡아 둘 이유라는 건 뻔했다. 오늘 술탄들과의 만남이 생각보다도 더 자마드를 불안하게 만든 모양이었다. 내가 그를 받아들이면, 나는 이대로 이 하렘에 귀속되게 된다. 지금이야 카마의 신분으로서 여기저기 나돌아 다니고, 다른 남자들도 만나고 하지만 술탄의 여자가 되면 많은 것이 지금과 달라질 것이다.

카마로서의 권한이 술탄의 여자에 대한 관습과 충돌하고 조정될 것이다.

하렘에 복속된 삶. 생각만 해도 끔찍했다.

내 입장에 대한 정치적인 무언가가 필요하다면, 굳이 이러지 않아도 되었다.

나도 자마드에게 받은 게 있는 만큼, 그리고 자마드가 가엽고 불쌍한 만큼 그가 바라는 대로 해줄 터였다. 물론, 내 자유를 침범하지 않는 선에서.

그리 말한 나는 더 할 말이 없었다. 자마드를 흘끗 보고는, 휙 뒤돌아서서 내 방으로 향했다. 물러서 있던 모카가 당황하며 내 뒤를 따랐다. 그러든가 말든가, 성큼 걷는 내 발걸음은 성이 나 쾅쾅거렸다.

자마드는 못이 박힌 듯, 허망한 표정으로 그 자리에 계속해서 서 있었다.

내가 방으로 들어서고, 창틈으로 보고 있을 때까지도 그는 미동조차 없었다. 자마드는 무언가를 곱씹듯 한참을 그러고 있었다. 그의 검은 머리칼 위로 드리운 달빛이 유독 스산했다. 나는 애써 모르는 척, 뒤돌아서 침대로 향했다.

잊고 편해지고 싶었다.

ꙮ♥ꙮ

　이전 세계에서는 인기 없이 살던 내게, 손만 뻗으면 미남미녀들을 취할 수 있는 상황이라는 건 어찌 보면 즐겁게 느껴질 수도 있었다. 내가 건드리기만 해도 그들은 온몸과 마음을 바쳐 나에게 빠져들 테니까. 하지만 막상 그 입장이 되니 세상 모든 사람을 의심스레 볼 수밖에 없었다. 그들의 마음이 진심이 아닐 거라 애초에 확정 짓게 된다는 건 생각보다 끔찍한 일이었다. 지금까지는 사랑에 대해서 별생각 없었고 권능이 주는 불편함에만 투덜거렸는데, 앞으로도 있을 모든 사랑 타령에 대해 냉소적으로 흰 눈 뜨고 볼 걸 생각하니 턱 하니 숨이 막혔다. 육체적으로든 정신적으로든 정서적으로든, 평범한 사랑이 불가능하다는 것을 깨달은 게 무척이나 충격적이었다.

　당연히 그 사실을 깨닫게 해준 자마드에게 좋은 감정이 들리가 없었다. 나는 미간을 찌푸리며 자마드의 불쌍함에 대해 나 자신을 설득하기 위해 애썼다.

개는 사랑을 모르는 불쌍한 애야.

나라고 사랑에 대해 제대로 아나? 개는 미래라도 창창하고 마누라도 많지, 나는 인간불신증에 남친 하나 제대로 못 사귈 운명인데.

개 아그니 술탄이라고 주변 사람들 눈치 보느라 힘든 애야. 주변에서 다들 인정을 안 해주는 모양인데.

나는 뭐 카마랍시고 인정해주나. 그냥 밥 얻어먹는 군식구 취급이지. 그래, 그 카마. 허울 좋은 카마. 그 덕분에 이게 뭐야. 나는 뭐 눈치 안 보고 살아? 주변 사람들하고 접촉 못 하는 것 때문에 아주 고생길이 굽이굽이 구만리야.

개가 그래도 밥도 주고 잠잘 곳도 주잖아.

이번에 인드라와 바르나 술탄 배웅하면서, 개네 하는 말 못 들었어? 언제든지 자기네 나라로 와달라잖아. 나 오라는 데 많아.

나와 내가 붙었을 때, 나에게 불리한 쪽의 입장에서 나를 설득하는 것은 쉬운 일이 아니었다. 언제나 그랬듯이 이기적이고 자기중심적인 내가 이겼다. 그래도 오늘은 자마드를 변명하는 레퍼토리가 세 개나 되었다. 처음에는 「밥도 주고 잘 곳도 주는」 것 단 하나뿐이었던 걸 생각하면, 자마드에 대한 화가 그래도 많이 누그러진 모양이었다.

주신제 이후, 사흘 뒤 손님들은 각자의 나라로 돌아갔다. 자마드의 말에 하도 어처구니가 없었던 나는 그동안 방에 콕 박혀 두문불출하다가, 그들이 간다는 말에 그제야 배웅하러 자리에서 일어섰다. 자마드는 그조차도 불만인 모양이었다. 시종일관 방에 있던 내가 그들을 보러 밖으로 나왔다는 것 자체가 마음에 들지 않는 것 같았다. 인드라와 바르나의 술탄들이 떠나면서 꼭 저희 나라로 찾아오라 당부할 때는 그들의 입을 틀어막고 싶은 사람처럼 파르르거렸다.

그래도 불쾌한 티를 나에게 내지는 않았다. 그 정도 눈치는 있어서 그나마 다행이라, 나는 한숨을 쉬었다.

갑자기 내쉰 한숨에 크하트가 화들짝 놀랐다. 나는 그제야 간만에 크하트를 만나고 있었다는 사실을 깨달았다. 크하트는 주신제에서의 내 활약과 바르나, 인드라의 술탄들에 대한 이야기를 죽 늘어놓고 있었다. 자연스레 주신제 밤에 있었던 일이 떠오르면서, 생각이 그쪽으로 빠진 모양이었다. 나는 이야기에 집중하지 못했다는 미안함에 뒷목을 긁적였다.

크하트는 주신제 동안 정신없으셨을 테니 괜찮다며 호쾌히 웃었다. 소심한 것 같으면서도 대범하고, 참 종잡을 수 없는 남자였다.

"불러놓고 예의가 아닌데, 미안. 최근 잠을 좀 못 자서."

"또 그 꿈을 꾸시는 겁니까?"

크하트는 내가 이전에 말했던, 전생의 기억 같은 꿈에 관해 물었다. 한동안 자주 꾸다가 최근엔 또 잠잠했다.

최근에 잠을 못 자는 건 꿈 때문이 아니요, 애초에 그 꿈을 꿔도 잠은 잘만 잤다. 내 불면의 원인은 자마드가 한 말의 진의와 그 파급에 대해 한참 고민하던 것이기 때문에, 나는 아니라고 고개를 저으려고 했다.

그 사이에 끼어든 불청객만 없었더라면.

"그 꿈?"

때마침 자마드가 방 안에 들어섰다. 떠올리기가 무섭게 들어서는 걸 보니 호랑이가 따로 없었다. 평소의 자마드라면 이런 식으로 말을 끊는 것이 아니라 먼저 인사를 올렸을 텐데, 대뜸 말을 끊고 묻는 걸 보아하니 저 꿈에 관한 것이 정말로 궁금하거나, 아니면 내가 어지간히도 우스워 보였거나 둘 중 하나일 터였다. 그리고 나는 자마드가 후자일 거로 생각했다.

크하트는 커다란 덩치를 웅크린 채 데룩 자마드와 나의 눈치를 보았다. 이야기해도 되는지 안 되는지를 헤아려보는 것일 터였다. 딱히 숨길 만한 것도 아닌지라 나는 심드렁히 고개를 돌렸다. 크하트는 그제야 조심스레 입을 열었다.

"카마께서 자주 같은 꿈을 반복하여 꾸신다 하여……."

"왜 나는 모르고 있었지?"

마치 크하트가 고의적으로 숨겼다고 생각하는 듯 말투가 자못 날카로웠다. 크하트에게 책임을 물을 기세였다. 크하트는 어찌 대답해야 할지 모르겠는 표정이었다.

나 또한 크하트가 진즉 그 사실을 자마드에게 보고했을 거로 생각했던지라, 지금 이 상황이 당황스러웠다.

하여간 자마드보다도 훨씬 덩치가 큰 크하트가 잔뜩 어깨를 움츠러트리고 그의 눈치를 보는 것에 괜히 신경질이 났다. 크하트가 자마드에게 말을 하는 걸 까먹었을 수도 있고, 내 사적인 비밀이라 생각해서 숨긴 것일 수도 있었다. 하여간 그가 저런 취급을 받는 것은 나 때문이었다. 나는 입을 다물고 있는 크하트를 대신해서 나섰다.

"별거 아니라 내가 말하지 말라 했는데."

크하트에게 떨어지는 불똥을 치워주기 위해 입을 열자 크하트와 자마드의 시선이 나에게로 향했다. 술탄들의 모임 때도 느낀 거긴 한데, 「나」라는 핑계가 먹힌다는 것 썩 괜찮았다. 나는 입꼬리를 잡아 올리며, 가식적인 웃음을 지었다. 모든 것이 호의로 가장되었으나, 휘어지며 웃는 눈꺼풀 사이에 숨겨진 눈동자만큼은 자마드를 노려보았다. 사실 나는 지금 이 상황이 많이 불쾌했다.

"그저 꿈이야, 자마드. 꿈까지 너한테 보고할 이유는 없잖아. 아니면, 알아야 하는 이유라도 있어? 나에 대해서 좀 더 알아야 할 이유가 갑자기 생겼니?"

이래저래 지금껏 주변에 맞춰주기는 했어도 내 성질부릴 건 다 부렸다고 생각했는데, 자마드는 여전히 나를 우습게 보는 모양이었다. 그도 아니면 이처럼 멋대로 대화를 휘저어 놓을 리 없다.

어차피 그다지 궁금한 것도 아니면서, 괜히 신경질 부리기는. 자마드가 나에 대해서 세세한 것까지 다 기억하는 것은 그저 날 이용하기 위해서였다. 그전까지는 그냥 나에게 그렇게 신경 써주는 척을 해서 나에게 감정적인 빚을 지워두는 거로 생각했는데, 자마드가 자신의 카마가 되어달라느니 말라느니 했던 이후로는 그가 그리했던 것이 작업의 일종이 아니었나 하는 생각도 들었다. 그 증거로 자마드는 내가 좋아하는 것, 내 습관, 내가 부탁했던 것, 내가 했던 말 모두를 하나하나 빠짐없이 기억하고 있지만, 남자가 필요 없다는 말만큼은 귓등으로도 듣지 않았다. 남자에 대한 내 말을 거짓말이라고 생각하는 것일 수도 있고, 애초에 내가 카마답지 않게 행동하는 것을 원치 않는 것일 수도 있었다. 어느 쪽이든 달갑지 않았다.

뼈가 들어 있는 내 말에 자마드의 얼굴이 굳었다.

"······아닙니다."

그는 그리 말하며 고개를 떨구었다. 그의 땋아 내린 검은 머리카락이 축 처진 강아지 꼬리처럼 흔들렸다. 자마드는 슬쩍 내 눈치를 보았다. 보라색 눈동자 위로 드리운 눈썹은 길고 풍성하였다. 저것이 거짓으로 꾸며낸 것임을 알면서도 마음에 동정심이 들끓었다. 더러운 세상. 이래서 미인이란.

나는 가련한 자마드의 모습에 혀를 찼다.

내가 그렇게까지 화가 난 게 아니라는 걸 눈치챘는지, 자마드는 슬쩍 크하트에게 말했다.

"내 카마와 따로 할 말이 있으니, 자네는 잠시 자리를 비켜주게."

"난 할 말 없는데."

"카마시여……."

자마드의 말끝이 아련했다. 내가 매정하고 몹쓸 놈이 된 것 같았다. 나는 신경질적으로 크하트를 향해 손을 내저었다. 자마드와 나 사이의 날 선 분위기에 숨이 막혔는지, 크하트는 물러서며 안도의 숨을 뱉었다.

크하트가 나가기 무섭게 자마드가 무릎걸음으로 나에게 다가왔다. 손을 뻗어도 닿지는 않지만, 작게 중얼거리는 목소리가 들릴 정도는 되는 거리였다. 자마드는 간절한 시선으로 날 바라보며 말했다.

"카마, 다시 생각해주시지 않으시겠습니까."

"그러니까, 내 생각은 똑같다고."

단호한 내 말에 자마드의 보랏빛 눈동자가 물기로 일렁였다. 눈가에서 애절함이 뚝뚝 떨어지는 것이, 자칫했다면 정말로 자마드가 날 좋아한다고 착각했을 터였다. 자마드가 무의식까지도 완벽하게 숨겼더라면 아마 속아 넘어갔겠지.

나는 쓴웃음을 지었다.

혈혈단신으로 홀로 떨어진 세계에서 처음 만난 상대요, 내 말이라면 뭐든지 들어주는 권력자인데 무시무시한 미남이기까지 하면 거의 정해진 답이나 마찬가지가 아닌가. 물론 너무 잘 생겼기에 날 좋아한다는 말을 믿기가 어려웠던 것도 있지만, 그래도 사람 마음이 간사한지라 자마드의 본심에 대해 몰랐더라면 조금 튕기다가 쾌재라 하며 훌떡 넘어갔을 터였다.

뭐, 생각해보면 그리 쉽지만은 않았을지도 모른다. 이러저러해도 하렘의 존재가 떡하니 자리 잡고 있기 때문이었다. 결국 자마드는 유부남이요, 많은 처첩이 있었고, 그 처첩 중 본처 자리에 있는 레누카 카딘은 나 같은 애는 상대조차 않는 엄청난 미인이었다. 내가 자마드를 사랑했어도 그대로 뒷걸음질 쳐서 나올 정도로 하렘의 위력은 컸다. 시어머니도 아니고 시누이도 아니고, 같은 남자를 공유하는 여자들이 한 손에 꼽지 못할 정도로 늘어서 있다는 것은 정말 끔찍했다. 나는 고개를 내저으며, 자마드를 설득하기 위해 누그러진 말투로 말을 걸었다.

"자마드, 나한테 이러지 말고 레누카 카딘이나 챙기라고."

"지난번부터 왜 자꾸 그녀를 들먹이시는 겁니까? 그녀가 혹시 카마에게……."

자마드의 눈이 일순간 표독스레 뒤바뀌었다. 급격한 그의 변모에 나는 잠시 할 말을 잃었다.

레누카가 속으로 어떤 생각을 하고 있는지 알 수는 없었지만, 지금껏 나에게 대해온 것을 보면 착하고 좋은 사람이었다. 나는 레누카를 옹호해줄 필요를 느꼈다. 레누카도 실드 치고 크하트도 실드 치고, 심지어 이러고 있는 자마드도 다른 나라 사람들한테 실드 쳐주고. 내가 만고의 방패야, 아주. 나는 한숨을 쉬었다. 피곤했다.

"무슨 생각을 하는지 모르겠지만 그런 거 아니고, 단지 레누카처럼 예쁜 여자가 있는데 왜 나한테 이러느냐 이거지. 내가 카마라서?"

"……."

자마드는 선뜻 대답하지 못했다. 그는 여전히 혼란스러워 보였다. 나는 거듭 한숨을 쉬었다.

이곳에서는 내쉬는 한숨에 영혼이 섞여서 나온다고 믿었다. 그래서 한숨을 많이 내쉴수록 일찍 멸신의 품으로 돌아가게 된다나 뭐라나. 나는 한숨을 내쉴 수밖에 없는 상황으로 인한 스트레스 때문에 화병이 나서 일찍 죽게 되는 게 틀림없다고 생각했다. 왜냐면 내가 그러니까. 최근 들어 내뱉은 한숨만 모아도 내 방의 이산화탄소 농도가 1퍼센트로 늘어났을 게 분명했다. 나는 뒷목을 긁적였다.

"카마인 내 거취가 불안한 거라서 이러는 거 같은데……."

"도대체 왜 제 사랑은 믿지 않으십니까?"

자마드가 물었다. 그는 내가 그의 사랑을 믿지 못하는 게 어지간히도 당혹스러운 것 같았다. 하긴, 이곳 여자들은 자마드가 손만 잡아줘도 좋다고 하며 그의 사랑을 믿을 터였다. 그녀들을 폄훼하는 것이 아니었다. 나 또한 그냥 평범하게 차원이동 했다면 그랬을 테니까.

하지만 나는 반신의 이름을 짊어지고 있었고, 자마드가 이러는 것이 정치적인 이점 때문이라는 생각을 도무지 떨쳐낼 수가 없었다. 어차피 안 될 거라면 단호하게 그의 미련을 털어내 주는 것이 서로 힘들게 기 빼지 않는 방법일 터였다.

"사랑 안 하잖아. 그러니까 못 믿지."

"왜 그리 확신하시는 겁니까?"

자마드의 목소리 끝에 억울함이 가득이었다. 그의 이런 태도를 보면 마음 한구석이 흔들렸다. 나는 애써 자마드의 얼굴을 마주치지 않기 위해 노력했다. 가끔 설득력이 없는 말을 하면서도 얼굴로 주장을 밀어붙이는 이들이 있었다. 얼굴이 설득력이요, 당위성이라. 자마드가 딱 그런 외모의 소유자였다. 그의 모습만 보고 있으면 세상에 그지없는 사랑꾼이 따로 없다. 반한 상대에게 절절히 구애하지만, 이기적인 반신이 변덕스레 그의 사랑을 받아주지 않는 꼴이었다.

"제가 카마에 대해 아무것도 몰라서 저를 못 믿겠다고 하셨지요. 그러면 카마에 대해 알도록 더 노력하겠습니다. 그래도 안 되는 것입니까?"

"응. 안 돼."

나는 그리 딱 잘라 말하고는 자리에서 일어섰다. 계속해서 이 장단에 맞춰줄 의미를 느끼지 못했다. 이 사태를 지속하면 지속할수록, 나만 나쁜 년이 될 것 같은 불길한 기분이 들었다. 설마 그런 식으로 언론플레이 해두지는 않겠지. 나는 속으로 잘게 몸서리쳤다.

자마드는 믿기지 않는 표정으로 그 자리에 계속 앉아 있었다. 나는 그런 자마드를 한번 흘끔 바라본 뒤, 그를 두고 하렘으로 돌아갔다. 지난번과 똑같은 상황이었고, 똑같이 입맛이 좋지 않았다. 나는 몇 번이나 이 상황이 반복될지 생각해보았다. 끔찍했다.

꿍⋎ꍌ

자마드의 기행은 나를 잡고 뒤흔들었다. 그럴 수밖에 없는 것이, 내가 머물고 있는 이곳이 바로 자마드의 소유 아니겠는가.

나라고 해서 아주 얹혀사는 것도 아니고, 나름 이곳 아그니에 필요한 존재이기는 하지만 그래도 집주인과 사이가 껄끄러운 것은 마음을 불편하게 만들었다. 그것이 바로 티가 났는지, 락시타의 호령이 내 머리 위로 떨어져 내렸다.

"최근 들어 검 끝이 불안하십니다. 주신제를 치르시면서 너무 논 것 아니십니까."

"아니거든."

정말 놀기라도 했으면 덜 억울했을 터였다. 나는 툴툴대며 검을 움직였다. 강철로 된 단단한 검이었지만 무겁지는 않았다. 도리어 가볍기에 검 끝을 흔들림 없이 조절하는 것이 힘들었다. 수수깡을 생각대로 휘두르는 것이 어려운 것과 같은 이치였다. 나는 머릿속에서 자마드를 몰아내려고 애썼다. 그냥 아무 생각도 하지 말고, 내가 할 수 있는 것만 하고 싶었다.

하지만 내가 그렇게 정신수양이 잘되어 있을 리가 없었다. 나는 또 불현듯 자마드를 떠올렸고, 그러기가 무섭게 검 끝이 흔들렸다. 나는 짜증을 내며 검을 멈추었다.

"아, 진짜."

나는 검을 검집으로 도로 물렀다. 그러고는 모카가 들고 있는 음료를 낚아채 벌컥벌컥 마신 뒤, 화풀이라도 하듯 바닥에 털퍼덕 주저앉았다. 몸은 지치지도 않고 멀쩡한데, 짜증이 치미니 손끝이 얼얼할 정도로 저려왔다. 무릎 사이에 고개를 한참을 처박고 있던 나는, 마음을 좀 진정시킨 뒤에야 고개를 들어 락시타를 볼 수 있었다. 나는 퀭한 표정으로 중얼거렸다.

"아무래도 안 되겠어. 나 오늘 여기까지. 애써 와줬는데 미안해."

평소라면 안 되는 것에 성을 내었어도 끝까지 해내려고 노력하던 내가 오늘은 쉽게 포기하고 주저앉아 버리니 락시타도 당황한 모양이었다. 그 또한 답지 않게 넌지시 말을 건넸다.

"뭔가 심기가 불편하신 일이라도."

나는 이걸 말해야 하나 말아야 하나 잠시 고민했다. 락시타는 내 신성성에 대해 그다지 의미를 부여하지 않는 사람에 속했고, 그런 만큼 자마드가 나에게 구애했다는 사실을 어떻게 받아들일지 감이 잡히지 않았다. 솔직히 나는 반신이라는 걸 제외하면 특출한 게 없었다. 물론 반신이라는 게 특출한 걸 넘어서 이 세상 스펙이 아니었지만, 인간적인 매력을 두고 보았을 때의 이야기였다.

나는 성욕의 신이는 게 우스울 정도로 뻣뻣하고 매력이 없었으며, 외모도 멀쩡기 그지없었다. 경천동지할 무술 실력은커녕 락시타가 한숨을 내쉴 정도로 형편없었고, 머리가 막 돌아가는 것도 아니었다.

반면 자마드는 듣자하니 정치력도 훌륭한 것 같고, 그 외모는 더 말을 덧붙일 것도 없었다.

아니, 그냥 자마드는 얼굴만 뜯어먹어도 삼대가 살 것 같았다. 나도 외모로 사람을 차별하고 그러고 싶지는 않지만, 자마드 정도 되면 예외적으로 셈해지는 무언가가 있었다.

그렇게 생각하고 나니 진짜 자마드와 내가 나란히 서 있는 모습이 어떨지 대충 짐작이 갔다. 「저 성욕의 신이 자기 귀능으로 술탄을 홀렸어요!」 뭐 이런 소리가 귓가에 맴돌았다. 허탈감이 밀려왔다. 에라, 모르겠다 싶었던 나는 홧김에 입을 열었다. 뭐, 끽해야 비웃겠지.

"자마드, 그러니까 술탄이 나보고 사랑한다고 그랬거든."

"네?"

아니나 다를까, 락시타는 제가 들은 것을 믿을 수 없다는 듯이 되물었다. 나는 황급히 손을 내저었다. 설마 내가 권능을 썼다고 락시타가 착각할까 두려웠다.

"아, 그렇게 진지하게 듣지 마. 그거 다 거짓말이 틀림없어. 그냥 내가 다른 나라로 갈까 불안하니까 그러는 거지."

"하지만 확실히 술탄께서 카마께는 예외적으로 대하기는 합니다만……."

락시타가 나를 두둔하듯 말을 이었지만 이미 기차는 떠난 지 오래였다. 나는 영혼 없는 미소를 지으며 대꾸했다.

"내가 아무리 눈치가 없어도 말이야……."

그 「예외적」으로 대하는 이유 정도는 알고 있었다.

그건 눈치를 넘어서 그냥 자명한 결과였으니까. 락시타 또한 자마드가 나를 「사랑하는」 이유를 알았다. 락시타뿐만이 아니라 내 말을 들은 모든 이들이 알 터였다. 『트루먼 쇼』도 아니고 말이야. 입이 쩝쩝 달라붙었다. 괜히 입맛이 썼다.

그때 락시타가 내 옆에 슬쩍 앉았다. 그는 나를 건들 수가 없으니, 도닥여주는 대신 같이 앉아 말을 들어주는 것으로서 위로해주었다. 락시타는 나를 물끄러미 바라보더니, 괜히 내 칭찬을 했다.

"카마는 매력적인 분입니다. 아주 가능성이 없는 건 아니에요."

처음에 그리 날 선 태도를 보이던 락시타였다. 그가 날 보고 매력적이라 칭찬했다는 것에 나는 화들짝 놀라며 락시타를 바라보았다. 얘가 뭘 잘못 먹었나 싶었다. 락시타는 제가 말해놓고도 멋쩍은지 쑥스러운 표정을 지었다. 락시타의 등을 팡팡 두드려주고 싶었지만, 그럴 수 없었던 나는 근질거리는 손을 애써 참았다.

"이야, 초반에 비하면 장족의 발전이다. 내 검술 실력도 이렇게 늘었으면 소원이 없겠네."

"그러게 말입니다. 신은 변하지 않는 존재기 때문에 카마께서 이렇게 제자리걸음인 걸지도 모르죠."

락시타 또한 능청스레 대꾸했다. 하지만 그의 말이 상당히 그럴듯했던지라, 정말로 그 때문에 내 검술이 늘지 않는 것인지

나는 진지하게 고민했다.

나는 한참을 락시타와 낄낄 웃으면서 주거니 받거니 이야기를 했다. 락시타는 말주변이 그리 좋지는 않았지만, 툭툭 내뱉는 말이 편했다. 그래도 락시타와 이렇게 나란히 앉아 의미 없는 이야기를 나누다 보니, 얹혀 있던 체증이 조금은 내려가는 것 같았다.

나는 한숨 돌린 채 몸을 뒤로 젖혔다. 그때, 괜한 시선이 느껴졌던지라 휙휙 주변을 둘러보았다. 하지만 아무것도 잡히는 것은 없었다.

"뭐 이상한 점이라도 있습니까?"

"……아니. 그냥."

별거 아니라고 생각한 나는 고개를 내저었다. 무술의 실력자인 락시타가 아무것도 느끼지 못한 걸 보아하니, 괜한 신경과민인 것 같았다. 하지만 왠지 모를 찜찜함이 남아 나를 괴롭혔다. 하여간 요즘 어지간히도 자의식 과잉인 모양이야. 나는 뒷목을 신경질적으로 벅벅 긁고는 자리에서 일어섰다.

"하여간 오늘 고마웠어. 다음 시간엔 제대로 집중할게."

"카마님 실력에 집중도 못 하면 큰일입니다."

"아, 진짜."

농담처럼 대꾸하는 락시타의 말에 나도 웃음 지었다. 크하트나 자마드나, 다들 내 눈치만 보며 말을 고르는 만큼 락시타의 이런 허물없는 농담이 기꺼웠다.

락시타가 농담을 건네게 된 원인이 자마드의 고백이라는 것은 속을 꽉 틀어막는 듯한 일이었지만, 그래도 이렇게 웃게 되니 오래간만에 즐거웠다.

하지만 여전히 알 수 없는 불안감이 남아 있었다. 왠지 모르게 몸서리가 쳐지고, 머릿속에서 경보음이 삐요삐요 울리는 것만 같았다. 불안할 일이 무에 있다고. 나는 그냥 코웃음을 치고 넘겼다.

⚭⚭❤⚭⚭

락시타에게 털어놓고 이야기를 나누고 나니, 그래도 락시타와 한 걸음 가까워진 기분이 들었다. 그건 꽤 설레는 일이었다. 이 세계에 와서 그런 식으로 투닥투닥 이야기할 만한 상대가 없었으니까. 자마드 정도는 아니더라도 락시타 또한 잘생긴 사내였다. 거기다 락시타는 처음부터 나에 대한 비호감을 지니고 시작했던 만큼, 지금의 관계가 서로 시간을 보내면서 가까워진 것이라는 걸 확연히 느낄 수 있었다.

이성적인 대상으로서 좋아한다 정의 내리기에는 다소 성급했지만, 그래도 그 비슷한 관계에 다가가는 것을 느낄 수 있었다. 자마드를 거절하면서 카마인 내가 사랑 같은 걸 할 수 있을 리 없다 자조했던 것에 비하면, 퍽 빠른 태세전환이었다.

자고로 포기할 건 빨리 포기하고, 선택할 건 빨리 선택하는 게 좋았다. 많은 사람이 자기 일에 관해서는 손바닥 뒤집듯 마음을 바꾸고 이내 그 사실을 잊는데, 나라 해서 그러지 말란 법은 없었다. 락시타와의 만남을 기대하던 나는 약속된 날, 가벼운 발걸음으로 연무장으로 향했다.

하지만 아무리 기다려도 락시타는 나오지 않았다. 애초에 연무장에 락시타가 없는 것부터가 이상했다. 그는 언제나 나보다 먼저 와서 기다리는 편이었고, 내가 지각하는 걸 보고 항시 고개를 내저었기 때문이었다.

나는 이상함을 느끼며 검을 휘두르다가, 교육시간이 끝나도록 락시타가 나오지 않는다는 사실을 깨닫고 검을 내렸다. 단한 번도 이런 적이 없어 당혹스러웠다.

그때, 사람이 다가오는 기척이 났다. 나는 락시타가 늦게라도 온 줄 알고 반갑게 그쪽을 향해 돌아보았다. 하지만 그곳에 있는 것은 락시타가 아닌 자마드였다.

그 순간 나는 뒷목을 타고 서늘한 뱀이 기어 내려가는 듯한 느낌이 들었다. 왠지 모를 오한이 꼬리뼈에 고였다.

나는 침을 꿀꺽 삼켰다.

"락시타는?"

"오지 않습니다."

나는 그저 락시타가 오지 않았다는 의미에서 건넨 말이었는데, 자마드에게서 나온 확답에 어안이 벙벙해졌다. 그가 왜? 내 의식이 그대로 입 밖으로 튀쳐나간 듯, 나는 멍하니 물었다.

"왜?"

그리 물었을 때, 자마드의 보랏빛 눈동자에 어렴풋이 배신감이라는 글자가 스쳐 지나간 것 같았다. 하지만 금세 그의 표정은 덤덤하고도 매끈한, 대리석 같은 외모로 덮어 씌워졌다. 나는 이맛살을 찌푸렸다. 지금 이 흐름이 왠지 기시감이 들었다. 심장이 쿵쾅쿵쾅 뛰었다. 질문한 것은 나지만, 자마드의 대답을 들어서는 안 될 것 같았다.

하지만 내 바람이 무색하게도, 자마드는 순순히 내 질문에 답했다.

"죽었으니까요."

"뭐?"

자마드의 말은 바람처럼 나를 스치고 지나갔다. 믿을 수가 없었던 나는 눈을 끔뻑끔뻑 떴다. 락시타가 왜 갑자기 죽지? 며칠 전만 해도 멀쩡했었다고. 건강했었고, 부상도 없었다. 죽을 이유가 없었다.

죽었다는 사실이 주는 무게와 자마드의 말의 가벼움이 괴리감을 주었다. 가슴을 탁 틀어막은 듯한 느낌과 함께 분노와 무기력함이 찾아왔다. 손이 바들바들 떨렸다. 예전에 죽은 수마트인 노비가 떠올랐다. 이제 얼굴조차 기억나지 않는 그 노비의 자리에, 락시타의 모습이 겹쳐졌다. 아무리 생각해도 믿을 수가 없었다. 설마 하는 생각이 치밀어 올랐다. 아닐 거로 생각하면서도, 나는 떨리는 목소리로 물었다.

"네가, 죽인 거야?"

"그렇습니다."

자마드는 흔쾌히 인정했다. 별거 아니라는 듯이 가벼운 태도에, 나는 분노가 차오르기 이전에 뒷목이 서늘함을 느낄 수 있었다.

자마드는 나와 눈이 마주치자 그대로 눈을 휘어 접으며 웃었다. 평소 잘생겼다며 속으로 감탄을 마지않았던 미소였지만, 지금은 소름 끼치기 짝이 없었다. 자마드와 더는 말을 섞고 싶지 않았다. 그에게서 도망치라, 얼마 있지도 않은 내 본능이 그리 외쳤다.

하지만 이내 노비가 죽었을 때와는 비교도 안 되는 화가 나를 몰아쳤다. 락시타는 1년 동안 얼굴을 맞대고 지내왔을뿐더러, 이제야 막 그와의 관계가 진전되려고 하던 찰나였다. 나는 며칠 전, 아무렇지도 않게 농을 걸던 락시타의 얼굴을 떠올렸다.

"왜, 죽였어!"

버럭 외쳤다. 그에게 닿을 수만 있다면 몇 번이고 멱살을 잡아 흔들고 흠씬 패주었을 것이다. 하지만 그럴 수는 없었다. 첫 만남에서 내 권능을 참아냈을 정도로 자마드는 자제심이 좋은 남자였지만, 지금같이 자마드가 나에게 구애하는 상황에서는 굳이 자제하려 들지 않을 것이 뻔했기 때문이다. 그는 그걸 빌미 삼아 나를 하렘에 평생 묶어둘 게 분명했다. 나는 어찌할 수 없다는 사실에 주먹을 꾹 말아 쥐었다.

눈에 눈물이 고였다. 나는 손등으로 눈물을 훔쳐내고, 눈이 빠져라 자마드를 노려보았다. 내가 울기 시작하자, 자마드의 얼굴이 곤혹스레 변했다. 그게 가증스러웠다.

"그가 뭘 했다고, 왜 죽인 거야!"

"카마의 제일이 되고 싶었습니다. 그가 있어서 절 거절하신 거라면, 이제는 허락해주십시오."

도리어 자마드가 간청했다. 눈에서 간절함이 뚝뚝 떨어졌다. 나는 왜 자마드가 저렇게 피해자처럼 구는지 알 수가 없었다. 마치 상황만 보면 내가 잘못한 것 같지 않은가. 속이 타오르는 불덩이를 삼킨 것처럼 홧홧했다. 머리가 어질어질하고, 눈앞이 깜깜했다.

락시타는 알고 보면 정말 죽은 게 아닐지도 몰라. 하지만 굳이 자마드가 락시타를 죽이지 않을 이유 또한 짐작되지 않았다.

정말로 자마드가 저렇게 생각해서 락시타를 죽인 건지, 아니면 다른 의도가 있고 저건 그저 제 속셈을 감추기 위한 가장이라든지……. 생각하는 것만으로도 머리가 지끈거리며 아파졌다. 더는 자마드의 속내를 짐작하고 싶은 생각도 들지 않았다.

"도대체, 왜……. 정말 단지 그 이유로, 락시타를 죽인 거야?"

나는 허탈하게 중얼거렸다. 그저 멍하기만 했다. 락시타의 처참한 시체가 눈앞에 하나둘 쌓이기 생각했다. 락시타의 눈은 희멀거니 허공을 치켜보고 있었다. 결국 락시타 또한 내가 원인이 되어 죽은 것 아닌가. 얼굴에 벌레가 기어가는 착각이 들었던 나는, 몇 번이고 얼굴을 쓸어내렸다.

자마드는 나의 혼잣말에도 순순히 대꾸하였다.

"물론입니다, 카마시여. 그자는 술탄의 여인을 탐했으니까요."

"그는 날 탐하지도 않았고, 난 네 것도 아니야!"

말도 안 되는 소리에 나는 바락 외쳤다. 시발, 내가 원인은 개뿔. 순간 자기혐오에 빠질 뻔했던 나는 나를 이렇게까지 몰아간 자마드를 노려보았다. 하도 말도 안 되는 개소리를 해준 덕에 정신을 차렸다. 락시타가 죽은 원인은 내가 아니다. 나는 몇 번이고 나에게 중얼거렸다.

자마드는 타고난 사냥꾼이었다. 이상하게 신뢰도가 높은 말로, 사람의 죄책감을 이용하여 상대를 스스럼없이 지옥으로 걸어찬다.

본인이 그러하다는 자각이 있으면 정말 개새끼요, 자각이 없으면 사이코패스다.

자마드는 내 반론을 이해할 수 없다는 표정을 지었다. 갸웃거리며 이해할 수 없다는 듯한 그 모습이 천연덕스러울 정도로 해맑았다.

"제가 마음에 품었습니다, 카마시여. 그것으로 술탄의 여인이 된 것입니다. 그대는 카마이니 어떤 남자를 취하셔도 됩니다. 그리고 저는 술탄이니, 건방지게 제 여인을 취한 자들을 죽이는 것일 뿐입니다. 잘못된 것은 아무것도 없습니다."

"미쳤어……."

잘못된 것이 없다 말하는 자마드의 목소리는 평안했다. 그의 말에 스며들어 있는 기이한 사고에 질려버린 나는 그 말에 반박할 기력조차 찾지 못했다.

한때 나는 자마드가 사랑을 알지 못한다고 생각했다. 그게 정답이었다. 저자가 사랑을 알 수 있을 리가 없다. 왜냐면 정상적인 사고 자체를 못 하니까. 자마드가 말하는 「마음에 품다.」라는 말을 난 이해할 수가 없었다. 아무와도 친해질 수 없도록 가둬둔다는 말과 일맥상통한 말이 아닌가. 소름이 끼쳤다.

락시타와 나는 아무런 관계도 아니다. 애초에 지금껏 잘 지내게 두다가, 인제 와서 락시타를 죽인 건지 이해할 수가 없었다. 이럴 거였으면 애초에 내가 그와 친해질 여지를 두지나 말지.

자마드의 앞에서 울고 싶지 않았지만, 눈물은 기어코 뺨을 타고 흘러내렸다. 그런 나를 보며, 자마드는 안타깝다는 듯이 중얼거렸다.

"걱정 마십시오. 저런 사내의 씨가 카마의 몸을 더럽히지 않도록, 평소 드시는 음식에 조처를 해놓았으니까요."

"……너, 정말 미쳤구나."

자마드의 말을 들으면, 그가 정말로 나와 락시타가 그렇고 그런 관계라고 생각하는 것처럼 들렸다. 하지만 나와 락시타는 그럴 여지조차 없는 관계였다. 언제나 탁 트인 공터에서만 만나고, 정해진 시간 외에는 만난 적 한번 없었다. 그걸 자마드도 알고 있을 게 뻔했다. 그런데도 저렇게, 나를 음탕한 여자 취급을 하는 게 몸서리쳐졌다. 너는 성욕의 신이라고, 그 외의 너는 필요가 없다고 못 박는 것 같았다.

허탈했다. 무슨 영광을 보겠다고 이 아그니에 계속 남아 있으려고 한 것인지 모르겠다. 자마드와는 같은 공기도 마시고 싶지 않았던 나는, 당장 다른 곳으로 떠나고 싶었다. 바르나나, 인드라나. 어디라도 좋았다. 저 먼 사막 끝의 나라라고 해도 상관없었다.

그런 내 생각을 비웃듯, 자마드가 말을 이었다.

"카마께서 절 받아주실 때까지, 저는 포기하지 않을 것입니다."

자마드는 짐짓 결연한 표정을 지었다. 그의 말을 우습게 듣고 흘릴 수가 없는 것이, 그의 눈동자가 한번 문 것은 놓지 않는 개처럼 희번덕였기 때문이었다. 나는 자마드의 말에 숨이 막혔다. 자마드의 말은 락시타의 죽음이 끝이 아니라고 말하는 것 같았다. 나는 내가 가진 것을 셈해보았다. 자마드가 빼앗을 가능성이 있는 것들. 크하트. 모카. 나는 숨을 들이켰다. 자마드에게서 도망갈 필요를 느꼈다. 그것도 되도록 빨리.

나는 탁 틀어막힌 숨길에 허덕이며 물었다.

"내가, 내가 무얼 했길래 네가 이러는 거지, 자마드?"

"……카마는 자애롭고 친절하시죠."

자마드는 그리 말하며 웃었다. 그와 반대로 내 표정은 일그러졌다. 자마드의 말뜻을 읽을 수가 없었다. 내가 자애롭고 친절해서, 내 주변을 다 죽이겠다는 건가? 그래서 좋아질 게 뭐가 있다고. 내가 빡쳐서 더는 자애롭지 않고 못되게 굴기를 바라는 거라면, 굳이 사람을 죽이지 않아도 해줄 수 있었다. 은혜를 원수로 갚는 놈. 물에 빠진 걸 건져났더니 보따리 내놓으라고 하는 날강도 같은 놈. 나는 이를 악물었다.

잘생긴 날강도, 그리고 살인자는 답지 않은 해사한 웃음을 지었다. 그의 미소에서는 저지른 죄의 무게가 느껴지지 않았다. 대신 남아 있는 것은 아스라한 불안감과 나에 대한 원망, 그리고 갈망뿐이었다.

"제가 아닌 다른 이들에게도 말입니다. 전 그게 불안해서 견딜 수가 없어요."

나는 할 말을 잃었다. 잊었다 해도 틀린 말은 아니었다. 그의 말을 듣는 순간 머리가 하얗게 변했으니까. 너무 빡쳐서.

자마드의 말은 나의 사회적 교류를 말살하겠다는 것처럼 들렸다. 아마 그게 맞을 터였다. 이대로 내가 만나서 이야기를 나누는 사람을 족족 죽여버리게 되면, 내 주변에 남는 이는 결국 자마드밖에 없을 테니까. 자마드가 노리는 것이 그것일 터였다. 자마드라면 그런 일을 능히 저지를 수 있는 힘을 갖고 있었다.

그리고 제일 끔찍한 것은, 그 상황이 된다면 모든 사실을 알고 있음에도 곁에 남아 있는 유일한 이인 자마드에게 내 마음이 흔들릴 거라는 것이었다.

스톡홀름 신드롬 피해자처럼. 그렇게 되면 자마드는 그대로 나의 신성성을 잡아먹어 삼킬 테고, 나는 빈껍데기밖에 남지 않은 채 무의미한 삶을 지속하겠지.

나는 참담함에 눈을 감았다.

CHAPTER 5
새장 밖으로

나는 내 뒤를 따르는 모카를 데리고 이곳저곳 방황하며 돌아다녔지만, 갈 곳이 없었다. 전부 자마드의 소유, 자마드의 성안이었다. 결국 나는 하렘으로 돌아갈 수밖에 없었다.

처음에 락시타의 죽음이 막막했던 나는 방에서 두문불출했다. 평소에는 검술 수련이니 뭐니 하면서 꼬박꼬박 밖에 나섰었지만, 락시타가 죽고 나니 훈련할 기력조차 없었다. 하지만 하루, 이틀, 시간이 지나다 보니 슬픔과 막막함도 잊히고 지워졌다.

계속 우중충하게 방에 틀어박혀 있을 수만은 없는 일인지라 간만에 기분 전환이나 할 겸 밖에 나서려고 했는데, 그제야 나는 내가 이 붉은 궁전에 유폐당했다는 걸 깨달았다.

수마트인 내관들이 내 방 문 앞을 떡하니 가로막고 있었는데, 그들은 내가 무슨 말을 해도 묵묵부답이었다. 날 만질 수도 없고, 그렇다고 날붙이를 이용하여 위협할 수도 없으니 다들 기다란 나무 봉 하나씩을 꼬나들고 있었다. 내가 나가려고 하기가 무섭게 나무 봉이 내 앞을 가로막았다. 어쩐지, 최근 모카가 말은 못해도 난처한 표정으로 안절부절못하더니만. 나는 미처 눈치채지 못했다는 사실에 혀를 찼다.

그러고 보니 찜찜한 것이 하나둘 떠올랐다. 크하트와는 별다른 일이 없는 한 열흘에 한 번씩은 만나고 있었다. 내가 미루고 싶거나 크하트 쪽에서 일이 있으면 서로 미리 알려 시간을 조정하는 편이었다. 하지만 이번에는 아무 연락도 없었다. 혹시. 불안한 생각이 머릿속을 스쳤다.

쿠션을 쥔 손에 힘이 들어가며 쿠션이 내 품에서 일그러졌다. 그걸 깨닫기가 무섭게, 갑자기 땅바닥이 쑥 꺼지는 기분이 들었다.

순간 화가 치민 나는 그대로 마시던 찻잔을 들어 벽에 내동댕이쳤다. 청동으로 만들어진 찻잔이 부딪치며 시끄러운 소리를 내었다. 그래도 화가 풀리지 않았던 나는 씩씩대며 쿠션을 내던졌다. 보통은 이렇게 푸닥거리 한 30분 정도 하면 지칠 텐데, 반신의 육체는 쉬이 기력이 사그라지지도 않았다. 하나둘 내던지고 나니 방 안에 남아나는 것들이 없었다.

한참을 울분을 토해내었을까, 내가 소란을 피운다는 보고를 받았는지, 자마드가 들이닥쳤다. 자마드의 뒤로 수마트인 근위병들이 늘어서 있었다.

자마드가 들어서는 걸 눈치채기가 무섭게, 나는 손에 들린 마지막 남은 쿠션을 그대로 자마드의 얼굴을 향해 집어 던졌다. 자마드의 매끈한 얼굴 위로 쿠션이 그대로 부딪히고 바닥으로 떨어져 내렸다. 손에 들고 있던 것이 청동 주전자가 아닌 것이 아쉬웠다.

자마드는 낯빛 하나 변하지 않은 채 그대로 바닥에 무릎을 꿇으며 머리를 조아렸다.

"카마시여. 고정하시옵소서."

"이게 뭐야."

나는 성을 감추지 않은 채 방 안과 내 방문을 지키던 내관들을 손가락질했다. 어지간해선 사람에게 삿대질하고 싶지 않았는데, 상황이 상황이다 보니 손끝이 날카롭게 사람들의 가슴팍을 겨누었다.

"날 가둬놓기라도 할 생각이야?"

"그게 아닙니다."

"그게 아니면 이 꼴은 뭔데!"

나는 발을 굴렀다. 바닥에 깔린 카펫이 충격을 흡수했는지 소리는 그다지 크게 울리지 않았다.

그게 더 화가 났다. 전력을 다해 휘두른 것이 공기로 그득 찬 비닐 망치인 것 같은 허무감이 느껴졌다. 나는 숨을 몰아쉬며 머리를 쓸어 넘겼다.

헝클어진 채 시야를 가렸던 머리카락이 사라지니, 자마드의 모습이 더 잘 보였다. 다시 머리로 시야를 가리고 싶은 충동이 들었다.

자마드는 몇 번이나 고개를 숙이며 말했다.

"화를 푸시옵소서. 방 안에만 계시면, 원하시는 건 뭐든지 들어드리겠나이다."

"아, 다 됐고. 풀어나 줘."

어차피 지금까지도 내가 원하는 건 뭐든지 들어줘 와놓고는, 지금 와서 감금을 대가로 저런 걸 제시하면 내가 옳다구나 하겠는가. 나는 갑자기 자마드가 나를 가둔 이유를 알 수 없었다. 자마드는 풀어달라는 내 당연한 요구에 난처한 표정을 지으며 대답했다.

"그건 곤란합니다."

"뭐가 곤란한데?"

나는 대뜸 물었다. 목소리 끝이 갈라졌다.

"갑자기, 1년 내내 잘 지내다가 갑자기 이렇게 구는 이유가 뭐야. 락시타도 죽이고, 나를 감금하고. 내가 주신제에 대신 선 게 그렇게도 마음에 안 들었어?"

"그게 아닙니다."

"아니긴 뭐가 아니야! 내가 계속해서 아그니에 있겠다고 했잖아. 근데도 이런다는 건, 내가 어떻게 받아들여야 하는데?"

생각해보니 열이 뻗쳤다. 나는 자마드에게 많은 친절을 베풀었다. 물론 그에게 받은 것 또한 많기는 했지만, 하여간 나는 선의로서 그를 대했다. 그랬더니 돌아오는 것이 이런 것일 줄이야. 나는 이를 갈았다.

그러고 보니 내가 이렇게 성을 내게 된 이유가 떠올랐다. 크하트. 나는 차마 크하트가 살아 있는지 물을 수가 없었다. 그가 죽었다면 죽은 대로 충격받을 테고, 살아 있다 해도 내가 그에게 관심 두는 걸 자마드가 못마땅해하는 순간, 크하트 또한 죽을 수도 있는 일이었다.

크하트가 기혼자고 왕실박사고 하는 것들이 자마드에게 아무런 의미도 없다는 걸, 락시타의 일로 잘 알게 되었다.

내가 아무리 열을 내어도, 자마드는 아주 다른 세상에 있는 것처럼 안색이 멀쑥했다. 그게 더 속을 긁었다.

"카마께서는, 제가 그렇게 싫으십니까?"

"애초에 싫었으면 아그니에 있겠다고 안 했다니까! 지금까지 내가 말한 건 귓등으로도 안 처들었지?"

말이 험하게 나왔다.

말이 곱게 나오는 게 이상한 상황이었다.

자마드는 제가 욕을 먹었음에도 아무렇지 않은 듯, 멀뚱멀뚱 나를 바라보았다.

그와 접촉해도 상관없었다면, 내가 화를 내는 이유를 모르는 듯한 순진한 얼굴에 한 방 갈겨주고 싶었다.

"그런데 왜 저를 거부하십니까? 저는 카마께서 절 거절하시는 이유를 모르겠습니다. 카마의 주변에 있는 사내 중 제가 제일입니다. 저를 택해주시면 되는 일입니다."

"그러니까, 정치적 동반자, 그런 것 정도는 해준다고 했잖아."

나는 씹어 뱉듯이 대답했다. 차라리 입을 다물었으면. 그러면 덜 빡칠 텐데. 했던 말을 또 하고 또 하고. 몇 번이고 했던 이야기가 계속해서 반복되고 있었다.

자마드는 고개를 내저었다. 그의 얼굴에 술탄의 가면이 덧씌워졌다.

흥분해서 목소리가 으르렁대는 나와 달리, 자마드는 부드럽고도 조곤조곤한 목소리로 말을 이었다.

"카마께서는 절 싫어하지는 않지만, 좋아하시지도 않으시지요. 카마께서 다른 사내를 좋아하게 되시면, 지금의 저보다도 그 사내가 더 소중해질 것 아니겠습니까. 좋아하지 않는 저에게도 이렇게 자비로우신데, 사랑하는 사내가 생긴다면 그 사내 좋다는 대로 해주실 것 아닙니까. 카마의 순위에서 밀리다니, 생각만 해도 끔찍합니다. 이건 저로서는 어쩔 수 없는 선택입니다."

순간 숨이 막혔다.

이제야 자마드가 이러는 일을 모두 알게 되었다. 그러니까 저 시발놈은, 나를 못 믿어서, 고작 그 이유로 사람을 죽이고 감금했다는 것이었다. 내가 자마드보다 락시타를 더 좋아할지도 모르니까. 그럴 수도 있는 일이니까. 그러다 보면, 내가 자마드를 버리고 아그니를 떠날 수도 있는 일이고, 그러면 간신히 되찾은 자마드의 왕족으로서의 권위가 다시 의심받는 상황이 되니까.

"저를 좋아해주시면, 좀 더 편해지실 겁니다."

자마드는 속내를 숨긴 채 말갛게 웃었다. 조용히 미소 짓는 입 끝이 단정했으며, 내리깐 속눈썹 아래 드리운 보랏빛 눈동자는 화사하기 그지없었다. 붓꽃같이 화려한 외모의 사내는, 속에 독을 숨긴 채 나를 보았다.

나는 자마드가 호락호락 이 짓거리를 끝내지 않을 거라는 걸 눈치챘다. 그는 락시타를 죽였고, 크하트를 죽였을지도 모르는 자였다. 그가 생긴 외모와 달리 잔악하고 집요한 자라는 건 이미 충분히 겪었다.

거짓이든 뭐든 끌어와서 그를 설득할 필요가 있었다. 나는 바락 외쳤다.

"아, 지금은 네가 제일 좋아! 좋다고! 그러니까 이 개 같은 짓거리, 당장 그만둬."

"거짓말로 설득하려 하셔도 소용없습니다."

왜 저를 좋아하지 않는지 모르겠다 말해놓고서는, 내가 좋다 말하기가 무섭게 바로 거짓으로 단정한다.

자마드는 싱긋 웃으며 자리에서 일어섰다. 그가 일어서니 내 위로 그림자가 졌다. 나를 내려다보는 눈동자가 번들거리며 빛났다. 거미가 거미줄을 치는 듯, 포식자로서의 냉정함과 철두철미함이 그 두 눈에 도사리고 있었다. 확실히 그는 무릎을 꿇고 상대를 올려다보는 것보다 지배자로서 내려다보는 것이 익숙한 사람이었다.

나를 내려다보는 그의 시선과 마주하기가 무섭게, 나는 지금껏 자마드가 내 앞에서 두르고 있던 내숭의 갑옷이 얼마나 두꺼운 것이었는지를 깨달았다.

"정말로 제가 좋다는 걸, 증명해주십시오."

증명, 증명이라. 나는 자마드가 말하는 것이 무엇인지 본능적으로 깨달았다.

손끝이 움찔했다. 그는 내가 그를 취하기를 바라고 있었다. 카마의 새로운 생에서 첫 남자가 되고 싶어 하는 의도가 명확했다. 자마드에게서는 사랑하는 상대에 대한 성욕이라기보다는 욕망하는 것을 쟁취하기 위한 소유욕 같은 갈망이 느껴졌다. 짧은 시간 동안 머리가 복잡해지면서 팽팽 돌아갔다. 어떻게 대꾸해야 이 상황을 타개할 수 있을까.

하지만 머리를 굴려 봤자였다. 여기서 내가 내릴 수 있는 답은 없었다. 갇혀 있는 건 싫었지만, 그것보다도 내 첫 경험을 이렇게 강압적인 상황에서 억지로 치르고 싶지는 않았다. 아무리 상대가 자마드처럼 잘생긴 남자라고 해도 마찬가지요, 다를 바는 없었다.

결국 나는 움직이지 못했다. 입을 딱 다문 채 아무 말도 못했다.

자마드는 그럴 줄 알았다는 듯이 웃었다. 괜히 진 것 같아 기분이 불쾌했다. 자마드는 선심을 쓰듯 말했다.

"증명해주실 마음이 드시면, 언제든지 말씀해주십시오. 언제고 저는 기꺼이 카마를 뵈러 올 테니까요."

자마드는 그러고 나서 휙 돌아 궁을 나섰다. 나는 부들부들 떨리는 주먹을 움켜쥐었다.

자마드의 행동에 기가 차고 열이 뻗쳤다. 서럽기까지 했다. 주신이 진즉 내 능력을 거두었으면, 저놈 뺨이라도 한 대 갈기는 건데. 이런 능력이 뭐가 좋다는 거야. 그냥 순간이동 능력 같은 거라도 줬으면 이런 꼴은 안 당하잖아.

자마드도 이렇게 날 감금할 생각도 못 할 테고. 만약 주신이 이렇게 되는 미래를 알고도 아무 말 없이 내 능력을 그냥 두었던 거라면, 나는 패륜과 신성모독이라 할지라도 주신의 목을 졸라댈 거라 이를 갈았다.

그 뒤로 죽 이 꼴이었다.

여관들은 내 눈치를 보며 내가 먹고 싶다는 것은 전부 대령했다. 나는 감금당한 채 할 일이 없으니 여관들에게 어깃장을 놓는 것이 일상이 되었다.

여관들은 기분 나쁘지도 않은지, 순한 얼굴로 고개를 조아릴 뿐이었다.

나는 생각보다 감금된 상황에 잘 적응했다. 속에 부글부글 끓고 있는 울화가 언제 폭발할지 모르는 아슬아슬한 상태였지만, 일단 겉으로는 그래 보였다. 가끔 나를 보러 오는 자마드의 앞에서는 심드렁히 굴었다. 네가 이기나 내가 이기나 한번 해보자는 심보였다.

먼저 손을 든 것은 자마드였다.

이대로 방 한쪽에서만 지내다가 내가 미쳐버릴 것 같았는지, 감금된 지 한 달째 되는 날, 나는 붉은 궁 안에서라면 자유롭게 움직일 수 있게 되었다.

나는 절대 자마드에게 고맙다는 말을 하지는 않았다. 이건 애초에 당연한 권리였고, 그걸 재단하고 있는 게 바로 자마드였다. 하지만 오래간만에 얻은 작은 자유를 기뻐하는 것만큼은 어쩔 수 없었던 나는, 허락이 내려오기가 무섭게 복도로 뛰쳐나갔다. 하지만 한참을 돌아다녀도 사람을 만나지 못했다. 붉은 궁을 온전히 나 혼자 쓰는 것도 아니요, 오가는 사람들이 있었는데 마치 썰물 빠지듯 사라져 있었다.

내 방에 오고 가던 여관들만을 가끔 만날 뿐이었는데, 그제야 나는 내 방뿐만이 아니라 붉은 궁 자체가 고립된 상황이라는 걸 깨닫게 되었다.

모카와는 대화를 나눌 수 없는 만큼, 나는 여관들에게 정을 붙이기 시작했다. 슬쩍 이야기를 건네고 바깥 생활에 관해 물어보았는데, 그렇게 내가 말을 건 이들을 두 번 다시 만나는 일은 오지 않았다. 나는 본능적으로 자마드가 수를 썼다는 걸 눈치챘다.

그는 정말로 내 인생에서 그 자신을 제외한 모든 이들을 배제할 생각인 것 같았다.

실제로 지금 제대로 된 대화를 나눌 수 있는 이는 자마드가 유일했고, 그가 했던 짓들에도 불구하고 자마드가 내 방에 들어서기가 무섭게 그를 반기고 있는 나 자신을 깨달을 수 있었다. 이렇게 될 거라는 걸 짐작했지만, 실제로 그리되니 나 자신에게 짜증이 났다.

아주 착실하게 조련당하고 있구만. 나는 이대로 가다가는 정말로 자마드가 원하는 대로 될 거로 생각했다. 나중에는 내가 자마드에게 매달리는 꼴이 될지도 모른다. 날 사랑한다고 입을 턴 자마드는 정작 그런 날 이용해먹을 생각밖에 안 하겠지. 끔찍한 미래를 떠올리니 소름이 끼쳤다.

내 정신력에 의존해서 상황을 유예시키는 것은 절대 좋지 않다. 나는 주변 환경이 얼마나 사람을 미치게 하는지를 떠올리며, 이 상황에서 벗어날 수단을 강구할 필요를 느꼈다.

하지만 어떻게?

나는 초조한 듯 손톱을 질근질근 깨물었다. 손톱 아래 살점이 드러났다. 벌겋게 드러난 속살은, 숨기고 싶었던 기저의 기억 같았다. 나 또한 잘 알고 있었다. 다만 변하는 게 두려워 모른 척하고 있을 뿐이다. 지금 이대로 있으면 적어도 사지는 편안하니까. 마치 애완동물처럼. 거기까지 생각한 내 눈동자가 반항심으로 번들거렸다. 확실한 건 더는 이대로 살 수 없다는 것이다. 나는 이를 악물었다.

떠나자. 정말로 이 상황에 조련되기 전에.

나는 굳게 마음을 다짐했다. 자마드가 불쌍하고 뭐고, 다 때려치우라 그래.

일단 나부터가 인간답게 살고 봐야지. 쇠뿔도 단김에 빼랬다고, 정확한 날짜를 정하지 않으면 또 미적거릴지도 모른다. 이번 보름달이 지고 난 뒤, 그믐달의 바로 다음 날. 달이 뜨지 않는 제일 어두운 그날. 나는 어둠을 틈타 이 황성을 빠져나갈 것을 다짐했다.

꩜❤꩜

그날 저녁, 나는 또다시 꿈을 꾸었다. 언제나 꾸는 「그 꿈」이
었다.

사내는 여전히 피눈물을 흘리며 나를 노려보았다. 나는 몸이
갈라지는 고통과 함께 잠에서 깼다. 이상하게 요즘따라 꿈속의
느낌이 유독 생생하게 남아 있었다. 처음 그 꿈을 꾸었을 때는
그다음 날 기억조차 나지 않았던 사내의 얼굴이, 지금은 당장
에라도 그릴 수 있을 정도로 선명했다. 나는 가슴을 틀어쥔 손
을 슬그머니 풀었다. 얼마나 세게 움켜쥔 건지, 가슴팍에 주글
주글 주름이 져 있었다.

나는 식은땀을 훔쳐내었다. 머리카락이 땀으로 젖어 축축한
것이 기분 나빴다. 창틀을 타고 새어드는 것이 빛이 아닌 어둠
인 걸 보아 얼마 자지 못하고 일어난 모양이었다. 나는 바로
모카를 불렀다. 하루에 두세 시간 정도밖에 자지 않는 모카는
바로 내 앞에 나타났다.

"악몽 꿨어. 땀이 나서 찝찝하니까, 목욕이나 할래. 얼마나 걸려? 오래 기다려야 해?"

모카는 고개를 내젓고는 손가락을 네 개 들어 보였다. 하나에 오 분씩, 20분이라는 뜻이었다. 나는 알았다며 손을 내저었다. 모카는 고개를 끄덕이고는 바로 자리를 떴다.

새벽의 깊은 시간. 나를 감시하는 눈초리가 현저히 줄어드는 시간이다.

모카 또한 자리에서 치우고 나니 완벽했다. 모카에 대해 유감이 있는 건 아니었지만, 자마드가 일부러 붙여준 만큼 조심해서 나쁠 건 없었다. 모카에게나 나에게나. 크하트나 락시타 모두 자마드가 붙여준 이들이었지만, 자마드에 의해 치워진 이들이기도 했다.

모카 또한 그리될지도 몰랐다. 애초에 내 주변 인간관계 모두가 자마드에 의해 꾸려진 꼴이었다. 나는 이를 악물고 자리에서 일어섰다. 목욕 준비가 되기까지 시간이 그리 오래 걸리지 않았다.

나는 옷장을 열었다. 그러고는 내가 초기에 입고 이제 입지 않는 옷가지들에 장신구로 달린 둥근 금편들을 뜯어내고, 큼직한 보석 알들도 살살 떼어내었다. 황성을 뛰쳐나간다고 해도 맨몸으로 나갈 수는 없지 않은가. 그래도 기초자금이 어느 정도 되어야 맘 놓고 움직이지.

비록 그 기초자금의 기반이 되는 것이 자마드가 준 것이지만. 이런 자존심은 좀 없어도 되었다. 나는 안면 몰수하고 냉정하고도 빠른 손길로 금붙이들을 정리했다.

그리고 보니 가방 같은 게 없는데. 매일 시종인 모카를 데리고 황성 내에서만 움직이는 나에게 가방 같은 게 있을 리 없었다. 하지만 고민은 그리 오래되지 않았다. 나는 도티로 사용하는 긴 천을 꺼냈다. 이곳 의상에 대해 처음에는 불만이 많았지만, 지금은 제법 이점이 많은 듯 느껴졌다. 통짜 천들이 널려 있다든가, 그런 것들. 나는 네모난 길고 커다란 천을 펼쳐 그 가운데에 금붙이를 놓고는 차곡차곡 길게 접었다. 나중에 이걸 등에 대각선으로 매고 매듭지으면, 봇짐처럼 제법 단단히 고정될 것 같았다. 비록 꼴은 우습겠지만.

옷 두어 개를 정리하고 나니 시간이 꽤 지났다. 슬슬 모카가 돌아올 시간이었다.

두어 개만 털었는데도 귀중품이 한가득 생겼다. 나는 인제야 내가 얼마나 무시무시하게 귀한 옷을 입고 다녔는지 알게 되었다. 그런 옷들이 옷장에 한가득하였다. 이것만 다 털어도 정말 평생 소소하게 먹고살 수 있을 것 같았다.

물론 반신의 평생이 아닌 인간의 평생일 테지만. 나는 아직 금붙이를 정리하지 못한 옷들을 내버려 둔 채 재빨리 벌여놓은 것을 정리했다.

어차피 오늘 당장 처리하지 않아도, 예정된 날까지 시간이 많이 남아 있었다. 아직 기회는 많았다.

꾸⁘◦❤◦◦⁘

나는 최대한 평소처럼 굴려고 노력했다. 혹시나 자마드가 내 속셈을 알게 되면 큰일이었다. 자마드가 나를 감금하게 된 것은 결국 「내가 그를 떠날지도 모르는 상황」 때문이었다. 지금까지야 떠날 생각이 없다며 심드렁하게 굴고 있으니 이 정도 자유를 주는 모양인데, 실제로 내가 도망가려고 호시탐탐 노리고 있다는 걸 들키게 된다면 그날로 붉은 궁이라는 이름뿐인 새장이 아니라 정말로 새장에 갇힐지도 몰랐다.

몇 날 며칠이 지났다. 그사이에 야금야금 금붙이를 많이도 쟁여두었다.

크하트에게 들었던 기억을 조합했을 때, 이 정도 양이면 수도에 집을 하나 사고 노비도 둘 정도 둘 수 있을 것 같았다. 물론 수도에 집을 살 생각은 추호도 없었지만.

그믐달이 지나고, 달이 뜨지 않는 밤이 되었다. 나는 태연하게 잠자리에 들겠다 하여놓고는, 새벽 2시쯤 하여 말똥거리는 눈을 뜨고 자리에서 일어섰다. 나는 빠른 손길로 옷을 꿰입었다. 처음 왔을 때는 입는 법도 제대로 모르던 옷이지만, 이제는 순식간에 입을 수 있었다.

허리춤에 천을 돌돌 매단 뒤 그 위를 가죽끈으로 한 번 더 동여맨 나는 칼을 찼다. 칼을 보니 괜히 락시타가 떠올랐지만, 나는 고개를 도리질 쳤다. 감상에 빠져 있을 시간이 없다. 깊은 생각은 일단 뒤로 제쳐두고는, 조끼를 입기 전에 준비해둔 봇짐을 등에 맸다. 종아리에는 각반을 대고, 내가 가진 것 중 가장 수수한 외투를 걸쳤다. 마지막으로 머리카락을 질끈 묶어 터번 속으로 감추고 나니 준비가 완벽히 끝났다.

창은 쇠창살로 단단하게 막혀 있는지라 창으로 나갈 수는 없었고, 결국은 정면 돌파밖에 답이 없었다. 건물 안이 새까만 어둠으로 잠식되고, 경비병들의 주의력이 흐트러지는 시간, 나는 발소리를 죽이고는 방 밖으로 향했다.

원래대로라면 내가 한창 꿈나라에 있을 시간이라 그런지 다들 좀 느슨한 기색이었다. 근위병도 단둘뿐. 나는 허리춤에 맨 검을 빼 쥐고는 한 발짝, 그들을 향해 다가갔다.

근위병 하나가 움찔하며 뒤를 돌아보려는 순간, 나는 그대로 검집으로 근위병의 뒷목을 정확히 후려쳤다.

억 소리와 함께 근위병의 몸이 허물어졌다. 갑작스러운 공격에 다른 근위병이 자세를 바로잡았으나 그자가 들고 있는 것은 봉이었고, 내가 들고 있는 것은 날카롭게 벼려진 검이었다. 나는 검 끝을 근위병의 목에 겨누며 말했다.

"그 막대기, 나에게 넘겨주지 않을래?"

"……카마시여, 이러시면 안 됩니다."

"안 되는 건 내가 정하는 거야. 네 말대로, 내가 카마잖아?"

그리 말하며 빙긋 웃으니, 괜히 내가 악당이 된 것 같은 기분이 들었다. 근위병은 내 눈치를 보며 한참을 갈등했다. 그의 시선이 기절한 다른 근위병에게 닿는 것을 눈치챈 나는 칼을 그의 목에 가까이 들이밀었다.

"내가 많은 거 바라는 거 아니잖아. 그 막대기만 넘겨달라고."

시간이 없었다. 초조했던 내 손에 힘이 들어갔는지 근위병의 목 살가죽이 벗겨지고 피가 주르륵 흘렀다. 침이 꿀꺽 삼켜졌다. 정말 이러다가 사람을 죽일까 봐 겁이 났다.

결국 근위병은 봉을 나에게 건넸다. 정말 다행이라 생각하며 나는 칼을 쥐지 않은 손으로 봉을 받아낸 뒤, 그대로 봉을 휘둘러 근위병을 후려쳤다. 그렇게 나란히 근위병 둘을 기절시킨 나는 검을 도로 검집에 꽂은 채 양손으로 단단히 봉을 잡았다.

아무리 위험한 상황이라고 해도 칼을 쓰는 것은 탐탁지 않았다. 사람을 죽일 수도 있다는 불안감이 마음에 남아 있었다.

예전에 락시타가 했던 말이 떠올랐다.

—카마께서는 너무 과해요. 그러다 보니 자세도 무너지고, 힘 조절도 안 되고. 아마 카마께서 힘만으로 검을 휘두르면 어지간한 나뭇단은 쉽게 벨 수 있을 거거든요. 하지만 그게 좋은 게 아닙니다. 그냥 무지막지한 거예요. 카마께서 원하시는 무술에서 백 리나 떨어져 있는 거죠.

나는 봉을 잡고 숨을 들이쉬고, 내쉬었다. 그래. 검보다는 차라리 봉을 쓰는 게 마음 편했다. 나는 봉을 양손에서 탁탁, 넘겨 받아봤다.

손에 감기는 느낌이 나쁘지 않았다. 혹시나 해서 봉술도 배우길 잘했다. 1년 동안 얼렁뚱땅 배웠기 때문에 검술 실력만큼 엉망이었지만.

애초에 이렇게 사람을 공격할 생각으로 무술을 배운 게 아니었는데. 안도감과 회의감이 뒤섞였다. 어지러운 감정이 표면 위로 솟아오르기 전, 나는 꾹 내리누르고는 바로 자리를 떴다. 헛생각할 여유는 없었다.

1년간 하렘에서 생활했던 덕에 하렘을 빠져나가는 길은 금방이었다. 붉은 궁을 빠져나온 나는 어둠을 틈타 발걸음을 재촉했다. 지나가다가 간혹 여관을 마주칠 때가 있었는데, 어쩔 수 없이 그녀들도 명치를 치거나 목을 내리쳐 기절시키는 수밖에 없었다.

하지만 이렇게, 때아닌 시간에 생각지도 못한 장소에서 생각지도 못한 상대를 만나게 되니 몸이 굳었다.

"카마시여."

"……레누카 카딘."

하렘에서 빠져나가는 문에 아무도 없는 것 같아 쾌재라 좋아했더니 그 자리를 지키고 있는 것은 바로 레누카 카딘이었다. 어둠 속에서도 그녀는 홀로 고고히 빛났다. 그녀가 후드를 벗으니, 은빛 머리카락이 어둠 속에서도 달처럼 빛을 발하며 사락사락 흩어졌다. 그녀가 이 야심한 시간에 하렘의 문을 지키고 서 있을 줄은 꿈에도 몰랐던 나는 멀거니 그녀를 바라만 보고 있었다.

내가 도망치는 걸 알고 있는 건가. 아니면 우연의 일치인가. 봉을 잡은 손에 힘이 들어갔다. 아무리 나라 하여도 레누카에게는 선뜻 공격이 나가지 않았다. 그사이에 레누카가 소리를 질러도 열 번을 질렀을 만큼의 시간이 지났다.

레누카는 나에게 성큼 다가왔다. 나는 그 자리에 우뚝 서서 레누카의 접근을 허용했다. 그때 레누카가 불쑥, 무언가를 내밀었다.

가방으로 보이는 것이었다. 내가 멍청하게 레누카가 건넨 것을 멀뚱히 보고만 있자, 레누카가 나를 재촉하듯 빠른 속도로 말했다.

"이걸 노잣돈에 보태십시오. 금붙이는 당장 현물화하기 어려울 것입니다. 그리고 혹시 몰라 육포나 지도, 나침반 같은 것들도 챙겼습니다. 하렘을 나가시면 다른 곳보다도 엔데룬에 있는 푸른 산호 키오스크 근처의 배수관을 통해 나가는 것이 좀 더 확실할 것입니다."

"어떻게……."

나는 아까보다도 더 당황하여 말을 흐렸다. 묻고 싶은 것이 많았다. 어떻게 내가 떠나는 걸 알게 되었는지, 왜 이런 걸 챙겨주는지. 이건 명백히 나에게 있어서 천운이라 말할 수 있을 정도로 좋은 일이었다.

"술탄께서 카마를 가두었다는 이야기를 듣고는, 언젠가 이런 날이 올 거로 생각했습니다."

더 알 수가 없었다. 나는 레누카에게서 건네받은 가방과 레누카를 번갈아가며 보았다. 레누카는 그런 내 의미를 이해했는지, 덤덤히 대답했다.

"카마의 방을 정리하던 시종 중 하나가, 카마께서 옷에서 금붙이를 떼어낸 걸 보았어요. 바로 저에게 알려주러 왔지요."

"자마드는 몰라?"

"이제 알게 되겠지요."

레누카가 빙긋이 웃었다. 내가 도망치려는 것을 알면서도 자마드에게 숨겼다는 이야기였다. 나는 안도의 한숨을 뱉었다.

하지만 여전히 레누카가 나를 도와주는 이유를 알 수 없었다. 더군다나 이렇게까지 깊숙이 개입한 것을 자마드에게 들켰다가는 무슨 꼴을 당할지 알 수 없었다. 아무리 레누카가 있는 집 여식이라 해도 마찬가지였다.

혹시 내가 하렘에 있으면 안 되는 이유가 있는 것은 아닐까. 내가 사라져야지만 레누카가 이득을 보는 이유가 있어, 이렇게 위험을 무릅쓰고 도움을 주는 것이 아닐까. 그렇게 생각하게 되니 가슴 한구석이 씁쓸했다.

하지만 레누카의 표정은 마냥 나를 내쫓아서 홀가분한 것 같지는 않았다. 도리어 안타깝고도 아쉬운 무언가가 느껴졌다. 그게 무엇인지 나는 정확히 알 수 없었다.

"술탄께서 이상하다는 것은, 마르지안 이크발에게 들어 알고 있었습니다."

"마르지안?"

"카마께서 기억하실지는 모르겠지만, 붉은 머리카락이 아름다운 이크발입니다."

"기억해."

나는 고개를 끄덕였다. 안 그래도 주신제 때 보이지를 않아 이상하다고 생각했던 터였다.

그 이크발의 이름이 거론되니, 왠지 모를 불안감에 뒷목이 서늘했다.

"마르지안 이크발은 카마께 자격지심과 질투를 품고 있었어요. 매일 저에게 카마에 대해 욕을 했지요. 그녀는 카마께서 마시는 라씨가 하렘에서 만들어지는 것이 아니라 술탄 궁에서 내려오는 걸 우연히 알게 되었어요. 그녀는 카마만 특별대우 한다면서 성을 내고 그 라씨를 빼앗아 마셨지요."

"그런 일이 일어난 걸 난 몰랐어."

나는 중얼거렸다. 나를 위해 따로 라씨가 만들어지는 줄도 몰랐고, 그런 것을 갖고 마르지안 이크발이 분을 내었다는 것도 몰랐다. 내가 알고 있는 것은 그저 편안하게 조경된, 만들어진 인공적인 상황들뿐이었다.

"그런데 그 라씨의 맛이 어딘지 모르게 이상하다며, 분명 좋은 것이 그득 들어 있는 라씨일 거라고 말했답니다. 그때 저는 별다른 생각을 하지 않고 그냥 넘겼는데, 그 이후 마르지안 이크발이 사라졌어요."

괜히 심장이 쿵쿵거렸다. 갑자기 사라진 이크발. 왠지 익숙한 일 처리였다. 나는 그 이크발을 처리한 것이 자마드라는 것을 깨달았다. 이유는 뻔했다. 주신제 전까지 내 앞에서 내숭을 떨던 자마드는 그 이크발이 나에게 괜히 그 라씨에 대해 이야기하는 것을 꺼렸을 테다. 마르지안 이크발은 그 때문에 죽었을 것이다.

고작 그 이유로.

"하렘은 쉽게 들어올 수도 없고, 나갈 수도 없답니다. 갑자기 사라졌다는 것은, 사람의 손을 탄 처리라는 거예요. 그제야 수상쩍음을 느낀 저는 카마께서 드시는 라씨를 몰래 조사하게 시켰죠. 거기에는 피임약이 섞여 있었어요."

"……."

안 그래도 자마드가 음식에 조처해두었다는 이야기가 무슨 소린가 했다. 그게 바로 이 이야기였던 모양이다. 나는 왜 하필 피임약일지 떠올려 보았다.

뻔하지 뭐. 내가 애라도 들어설 일을 할 거라고 생각했던 게 분명했다.

얼굴이 무참히 일그러졌다. 정말 끝까지도 사람 말을 개만도 못하게 들어 처먹는 남자였다.

"이런 사실을 알려드리고 말씀드리기는 좀 그렇지만, 술탄을, 너무 미워하지는 말아주십시오. 그분께서는 그저 애정을 그리워하시는, 사랑을 믿지 못하는 가엾은 분이니까요."

"그건 나도 알아."

그래도 가재는 게 편이라, 레누카가 조심스레 자마드의 편을 들었다. 나는 여상히 대꾸했다. 알지만, 안다고 해서 화가 나지 않는 건 아니었다.

그 순간 내 머릿속을 스치고 지나가는 생각이 있었다.

그런데 저 피임약은, 도대체 언제부터? 혹시, 처음에 나보고 마음에 드는 남자는 아무나 취하라고 했을 때부터 수를 썼던 건 아닐까? 그때면 도대체 언제야. 내가 여기 내려오자마자였는데.

피가 차게 식었다. 신과 인간의 피는 섞인다. 그 증거가 바로 나였다.

자마드는 자신의 혈통에 대해 의심을 받아왔다. 그리고 자마드는 나에게 고백했다. 그러면서도 나보고 다른 사내를 취할 수 있다는 여지를 남겼다.

이것이 말하는 것은 명백했다. 그는 애초부터 나를 자기 여자로 만들 생각이었고, 다른 남자와 관계하는 건 상관없어도 혹여 내가 다른 남자의 애를 갖는 것만큼은 두려워했던 것이 분명하다. 그게 아니었다면 굳이 피임약을 몰래 준비할 필요는 없었을 테니까. 내가 갖는 아이는, 명실상부 논란의 여지도 없는 자마드의 아이여야만 했다. 아니, 자마드의 아이가 카마의 아이여야만 하는 게 좀 더 옳은 표현이리라. 내 자식으로 태어날 다음 대 술탄은 신의 자식으로서 정통성을 가질 테고, 그렇다면 자마드의 정통성 논란은 사그라들 게 분명했다.

만약 내가 자마드의 고백을 받아들였다면, 카마가 진정한 술탄의 여자가 되었다면 그 뒤에 피임약을 끊었겠지. 그리고 짐작건대 내가 임신할 때까지, 그리고 애를 낳을 때까지 나를 저 붉은 궁에 가두었을 것이다. 소름이 끼쳤다.

레누카는 내 눈치를 보면서 말을 이었다. 잠시간의 여유도 없었던지라, 그녀는 말을 다급히 마무리 지었다.

"그 이후로 혹시나 하여 붉은 궁에 사람을 매수하였답니다. 그래서 카마께서 나가시는 걸 알게 된 것이에요. 카마를 걱정하여 한 일이니, 카마께서는 너무 노여워하지 않으셨으면 좋겠이요."

"왜, 나에게 이렇게 잘해주는 거지? 레누카 카딘, 그대도 위험해지는 일이잖아."

나는 정말로 궁금했다. 자칫했다가는 그녀의 안위까지 흔들릴 수 있는 문제였다. 그저 레누카가 이익을 얻는다 치부하기에는, 그녀의 진실한 마음이 어둠 속에서 반짝였다. 그녀는 정말로 나를 걱정하고 있었다. 그 정도 알아채는 눈치는 있었다.

레누카가 나를 바라보았다. 어둠 속에서도 그녀의 푸른 눈동자는 흰 살결 위에서 사파이어처럼 선명했다.

"그때, 정원에서. 무술 연습을 하시던 카마를 보고 제가 감히 연심을 품었습니다."

순간 바람이 우리 둘 사이를 스쳐 지나갔다. 레누카의 은빛 머리카락이 허공에서 사르르 흩날렸다. 그녀의 외모가 주는 비현실적인 감각과 그녀의 말에 홀린 나는, 제대로 된 대답을 하지 못하고 꿀 먹은 벙어리처럼 입을 다물고만 있었다. 이럴 때 무슨 말을 해야 할지, 나는 알지 못했다.

자마드의 고백처럼 레누카의 고백은 뜬금없었지만, 자마드와는 달리 레누카의 말에서 느껴지는 진심에 입을 쉬이 뗄 수가 없었다. 나는 간신히 입을 열어, 무력한 질문만을 힘겹게 꺼냈다.

"……왜?"

"카마께서는 자신이 주변에 어떻게 보이는지 모르세요."

그리 말하며 레누카는 빙긋이 웃었다. 쉬이 이유를 알려주지 않는 그녀의 미소에, 나는 초조해진 채 그녀를 시선으로 재촉했다. 여자인 그녀가 같은 여자인 나에게 반한 이유도 그렇거니와 그녀는 이미 남편이 있었고, 그 남편은 바로 「저」 자마드였다. 비록 내가 자마드를 뻥 차버리기는 했지만, 그녀가 자마드를 두고 나에게 반했다고 하는 이유가 전혀 짐작도 가지 않았다.

"카마께서는 매력적이시랍니다. 카딘인 제가 마음을 빼앗겨버릴 정도로."

레누카는 그 말을 마지막으로 한 발짝 물러서 길을 터주었다. 나는 얼떨떨하고도 당혹스러운 심정을 감추지 못한 채 그녀의 기세에 떠밀려 앞으로 나섰다. 하지만 여전히 시선은 그녀에게 꽂힌 채였다. 그녀의 말이 진심임을 알고 있다 해도, 쉽게 믿을 수 있을 리가 없었다.

그 순간 레누카가 나에게로 다가왔다. 그녀와 나의 거리가 가까워졌다. 그녀의 얼굴이 나에게로 다가온다고 느낀 순간,

그녀의 입술이 짧게 내 입술에 닿았다. 입술과 입술이 닿을 뿐인 짧은 찰나가 영원처럼 길어졌다.

"알고 계십니까, 카마?"

뭐가 스치고 지나갔는지, 나는 제대로 인지하지 못한 채 눈만 끔벅였다. 레누카는 소리 죽여 웃으며 말을 이었다.

"카마와 입을 맞추면 사랑에 빠지죠. 하지만 이미 카마를 사랑하고 있는 사람은 상관이 없답니다. 당신에게 더욱 반할 뿐이니까요."

그러니까, 지금 나한테 반했다는 걸 증명하기 위해 입을 맞춘 거라고? 진실로 그녀가 나를 사랑하는 거라면 상관없고, 그녀가 혹여 나를 사랑하지 않는다 하여도 사랑할 수밖에 없을 테니까? 당돌하다 하여야 할지, 자기감정에 확신하고 있다 해야 할지.

레누카의 기세에 기죽은 나는 얼떨떨하게 그녀를 바라보았다. 그녀는 의미를 알 수 없는 은은한 미소를 지은 채, 마지막 작별 인사를 건넸다.

"무사히 떠나십시오, 카마시여."

"……고마워."

내가 할 수 있는 말은 그것밖에 없었다. 날 좋아해줘서 고마워. 날 도와줘서 고마워. 이런 나라도 사랑해주는 사람이 있다고 믿게 해줘서 고마워.

나는 그녀에게서 뒷걸음질 쳐 물러나다가, 이내 냅다 달리기 시작했다. 그녀 덕에 경비병을 해치울 필요가 없어 조용하고도 빨리 하렘을 빠져나올 수 있었지만, 그래도 지체해서 좋을 건 없었다. 경비병들이 교대하는 시간까지는 그래도 시간적 여유가 있었지만, 어둠 속에서 키오스크 쪽으로 향하는 길을 찾는 건 쉬운 일이 아니었다.

그녀의 시선이 그림자처럼 내 등 뒤로 길게 늘어졌다. 그녀가 혹시라도 나 때문에 잘못될지도 모른다 생각하니, 발걸음이 느려졌다. 나는 최대한 레누카가 어떻게 될지 짐작하지 않으려 애쓰며, 그녀를 돌아보지 않은 채 하렘에서 조금이라도 더 멀어지기 위해 달음박질쳤다.

∞◈♥◈∞

생각보다 어둠 속에서 길을 찾는 것은 쉬운 일이 아니었다. 반신인 육체는 눈도 좋아서, 나는 깜깜한 밤중에도 어슴푸레하게 물체를 식별해낼 수 있었다.

하지만 밤눈이 밝은 것과 길눈이 밝은 것은 또 다른 문제였다. 나는 한참을 헤맸다.

아니, 보통 이렇게 위급한 상황에서는 딱딱 길을 찾지 않나? 아까, 레누카와 감동적이고도 뭉클한 작별의 여파가 미처 빠지기도 전에 멍청하게 길을 헤매고 있는 나 자신이 한심했다.

나는 천신만고 끝에 간신히 레누카가 말한 키오스크로 가는 길을 찾아냈다. 아이러니하게도, 내가 길을 찾게 된 것은 날 찾으려고 여기저기서 타오르는 횃불 덕분이었다.

내가 길을 헤맨 지 한참 지났는지, 근위병들 교대시간이 되면서 내가 도망친 걸 알아챈 모양이었다. 여기저기서 횃불이 타오르고 근위병들이 움직이는 소리가 들렸다. 그나마 레누카의 도움으로 하렘을 빠져나올 수 있던 게 다행이었다. 만약 거기서 소란을 피웠더라면 지금보다 일찍 근위병이 몰려와 하렘 안에 갇혔을 수도 있었다. 요새처럼 꽁꽁 둘러싸여 있는 하렘 안에 갇혔다면 옴짝달싹 못 한 채 그대로 잡혔을 것이다. 나는 상상 이상으로 무능력한 내 길 찾기 능력에 혀를 내둘렀다.

"카마를 찾아라!"

근위병의 외침은 생각보다 가까이서 들렸다. 나는 어둠에 몸을 숨기고 날쌔게 움직였다. 근위병과 맞닥뜨릴 뻔한다든지, 몇 번이나 가슴 철렁할 일을 겪었다. 이미 바지의 무릎은 먼지로 엉망이었다.

그래도 푸른 산호 키오스크가 코앞이었다. 나는 건물 기둥 사이에 몸을 숨기며 키오스크를 향해 다가갔다. 푸른 산호 키오스크에는 인공적으로 만든 분수대가 놓여 있었는데, 그 크기가 어마어마했다. 물을 끌어오고 주기적으로 갈아주는지라 근처에 배수관이 있었다. 만약 레누카가 추천해주지 않았더라면, 생각지도 못했을 것이었다.

숨을 참는 건 자신 있었다. 어차피 반신의 몸.

쉽게 죽지는 않을 테니 여차하면 기절한 채 물에 쓸려 가다 보면 밖으로 빠져나가지 않겠는가. 자마드가 내 행적을 추적해서 배수관의 출로에 근위병들을 풀어두는 건 좀 문제였지만.

그나마 다행히도 키오스크의 배수관은 하수도와는 별개로 나뉘어 있었다. 하수도와 같이 있어도 내가 선택을 고를 만큼 여유 있는 상황은 아니었다. 『레 미제라블』이라도 찍어야지 뭐, 별수 없었다.

나는 그런 쓸데없는 생각을 하며 배수관의 입구를 찾아 나섰다. 키오스크 밑으로 내려가니 가파른 절벽 아래로 드리워진 으슥한 공간에 철창으로 막아둔 입구가 보였다.

하지만 그 앞에 누군가가 있었다. 어둠 속에 가려진 얼굴이 잘 보이지 않는 걸 보아 수마트인 같았다. 다행히도 한 사람뿐이었다. 기절시키고 빨리 지나갈 생각을 한 나는 단단히 봉을 꼬나들었다. 그 순간 그 수마트인이 나를 돌아보았다.

그와 동시에 내 눈이 크게 뜨였다.

모카였다. 내 궁에 있어야 할 그가 왜 여기 있는지 나는 알수가 없었다. 나는 당황하여 봉을 휘두르는 것도 잊고 그를 망연히 바라보았다. 레누카에 이어 모카까지. 전혀 짐작지도 못했던 이들이 예상치 못한 장소에 있다. 나는 연거푸 이어지는 상황에 당혹스러움을 감출 수가 없었다.

모카는 나를 보고는 까무잡잡한 피부만큼이나 까만 눈동자를 나에게로 향했다. 희게 드러나는 흰자가 그의 시선의 방향을 알려주고 있었다. 모카는 붉은 궁에 유폐당한 내가 이 야심한 시간에 엔데룬의 키오스크 근처에 있는데도 놀란 표정이 아니었다. 아니, 애초에 하렘의 노비인 그 또한 이곳에 있는 것이 이상했다.

나는 무어라 물어야 할지 입이 다물렸다. 왜 여기 있느냐. 내가 여기 오는 걸 알고 있었느냐. 혹시 레누카가 보낸 것이냐. 묻는다 해도 벙어리인 그에게서 아무 답도 듣지 못한다. 봉을 쥐고 있는 손이 축축하게 땀에 젖어들었다. 어떻게 해야 할지 알 수가 없었다.

모카는 속내를 알 수 없는 멀건 표정으로 나를 바라보더니, 이내 나를 향해 손을 흔들었다. 어서 오라는 손짓이었다. 잘 보니 배수관으로 들어서는 입구가 열려 있었다. 나는 그제야 모카의 손에 열쇠꾸러미가 들려 있다는 걸 알았다.

아무리 보아도 모카가 내가 도망치는 걸 도와주는 상황이었다.

하지만 나는 미처 치미는 의심을 종식하지 못한 채, 조심스레 발을 옮겼다. 감각이 예리하게 모카의 행동 하나하나를 포착했다. 모카는 1년 동안 나를 수발들었지만, 그와 나 사이에 그다지 많은 감정적 교류가 있지는 않았다. 말을 걸어도 대답이 돌아오지 않으며, 모카는 그 존재를 드러내지 않고 조용히 일했다.

애초에 자마드가 나에게 붙여준 노비였다. 가끔 모카가 자마드를 대신하여 나를 감시하는 것이 아닐까 하는 생각이 들 정도로, 나는 모카에 대해 아는 것이 거의 없다시피 했다. 오로지 내가 붙여준 이름인 「모카」만이 그와 나의 유일한 연결고리였고, 그것을 기반으로 하여 그를 믿기에는 그마저도 내가 밀어붙인 일방적인 고리에 불과했다.

그때, 등 뒤로 불빛이 확 치솟으며, 웅성거리는 외침이 크게 울렸다.

"카마가 저기 있다!"

나는 당황하여 뒤를 돌아보았다. 근위병들이 우르르 오는 모습이 보였다. 당황한 내가 발을 멈춘 사이, 모카가 주먹으로 철창을 탕탕 두드렸다. 그제야 나는 정신을 차리고 배수관으로 향했다.

순간 모카와 눈이 마주쳤다.

모카의 까만 눈동자는 평소처럼 아무것도 알 수 없이 담담했다. 나는 당황하여 물었다.

"모카, 너는?"

모카는 아무 말도 하지 않은 채, 철문을 닫았다. 창살이 모카와 나 사이를 갈랐다. 나는 다급하게 모카와 이쪽을 향해 달려오는 근위병을 보았다. 어딜 보아도 모카가 나의 탈주를 도와주는 모양새였다. 아니, 실제로도 그랬지만. 하여간 카마의 도주를 돕는 현장에서 바로 검거당하는 이상, 모카가 살 확률은 없었다.

방금까지만 해도 모카를 의심했었지만, 모카가 죽을 상황이 되니 그냥 둘 수가 없었다. 차라리 모카와 같이 도망치는 게 나을 것이다. 그렇게 생각한 나는 철문을 열려고 했다. 하지만 모카가 자신의 무게를 이용하여 철문을 마저 닫고는, 열쇠로 철문을 잠갔다. 철컥. 쇠가 맞부딪히며 단단히 잠기는 소리가 배수관에 쩌렁쩌렁 울렸다.

"모카!"

단호한 거절에 나는 바락 외쳤다. 모카는 나에게 손짓하며 입을 움직였다. 「가세요.」 그의 눈동자가 그리 말했다. 하지만 쉽사리 발이 떨어지지 못했다. 지금이라도 모카와 같이 도망칠 수 있을 것 같았다. 하지만 모카는 몸을 돌려 나를 등졌다. 그는 단단히 선 채 돌아보지 않았다.

"모카! 모카!"

왜 모카가 나를 위해 이러는지 알지 못했다. 나는 철장을 쥐고 흔들었다. 철컹철컹, 철창의 아귀가 맞지 않아 덜컹거리는 소리만이 공허하게 울렸다.

횃불이 주변을 밝혔다. 하나둘 모이기 시작한 불길은 대낮처럼 밝게 배수관 주변을 밝혔다. 근위병들은 어느 정도 거리를 두고 둥글게 배수관을 둘러쌌다. 활활 타오르는 불빛이 근위병들의 얼굴을 밝혔다. 그들의 얼굴에 드리운 긴장감이 여기까지 전해졌다.

근위병들이 갈라지며, 그 사이로 자마드가 모습을 드러내었다. 평소처럼 아름다운 얼굴이었지만, 오늘따라 귀기 어린 서늘함이 느껴졌다. 자마드는 입꼬리를 잡아 올려 웃었다. 그의 얼굴 위로 어른거리는 불길이 일렁이며 깊은 음영을 만들어내었다.

"카마시여. 그쪽으로 가시면 폭포가 나오나이다. 위험하니 돌아오시지요."

"돌아가지 않아. 날 가두고 네 자식을 볼 생각이잖아."

나는 씹어 뱉듯 대꾸했다. 빨리도 눈치챘군. 나는 이를 갈았다. 적대 어린 대꾸에도 자마드는 태연하게 고개를 내저었다.

"카마께서 싫어하는 짓은 하지 않습니다."

"감금은 내가 싫어하는 게 아니었고?"

"그건 어쩔 수 없는 상황이었습니다."

그의 뻔뻔스러움에 기가 막혔다. 나는 한껏 비아냥대며 자마드를 노려보았다.

"솔직히 말해. 주신의 눈치를 보고 있다고. 감금 정도는 괜찮을 거로 생각한 거잖아. 그리고 결국은, 내가 너를 싫어하지 않을 수밖에 없게 만들 생각이겠지."

"……."

자마드가 입을 다물었다. 정답인 모양이었다. 자마드는 본심을 들킨 듯, 너스레웃음을 지어 보일 뿐 가타부타 답이 없었다. 나는 코웃음 쳤다. 그러면서도 머릿속으로는 어떻게 해야 이 상황에서 벗어날 수 있을지 고민이었다. 아무리 머리를 굴려도 모카를 살릴 방법은 떠오르지 않았다. 그렇다고 그를 두고 그냥 도망치기엔, 모카를 죽음으로 떠미는 죄악감이 나를 붙들었다. 그런 내 불안한 심정을 눈치챘는지, 자마드가 들고 있던 칼끝을 모카에게로 겨누었다.

"그렇게 가시면, 이것의 목숨은 괜찮으십니까?"

시발. 시발, 시발, 시발. 나는 속으로 욕을 계속해서 뇌까렸다. 식은땀이 줄줄 흘렀다. 이번에 말문이 막힌 것은 나였다. 나는 입술만을 잘근잘근 씹었다. 자마드는 승리자의 미소를 지으며 말했다.

"돌아오시면 이것의 목숨은 붙여드리겠나이다."

"모카를 죽이지 마."

"카마께서 돌아오시면, 당연하지요."

창살을 틀어쥔 내 손에 힘이 꾹 들어갔지만, 이내 스르륵 흘러내렸다. 나는 깊은 한숨을 내쉬었다. 이번에 저 품으로 기어들어 가게 되면, 언제쯤에야 다시 나올 수 있으려나. 하지만 모카를 죽일 수는 없었다. 이미 나 때문에 죽은 이들은 많았다. 그마저도 죽일 수는 없었다.

무슨 바리공주도 아니고. 내 인생이 왜 이렇게 되었는지 의문이었다. 주신제 전만 해도, 제법 이 세계에 적응을 잘했다며 자화자찬에 희희낙락하고 있었는데. 나는 도망치는 걸 포기했다. 그리고 모카에게 문을 열어달라 말하려고 했다.

하지만 그 순간, 모카는 배수관의 문을 잠근 열쇠를 삼켰다. 길쭉하고 커다란 그것이 모카의 식도를 타고 넘어갔다. 꿀꺽. 나는 모카가 어떤 표정으로 그것을 삼켰는지 알지 못했다.

그것은 지금 이 상황에서 유일하게 배수관의 문을 열 수 있는 것이었다.

순간 근위병 하나의 얼굴에 당혹감이 서렸다. 이대로 나를 잡지 못할지도 모른다고 생각했는지, 그는 긴 창으로 모카를 찔렀다. 푸욱, 살덩이를 헤집고 들어간 날카로운 날붙이의 끝이 내 앞까지 들이밀어 졌다. 창끝을 타고 피가 뚝뚝 흘렀다. 나는 지금 상황을 이해하지 못했다.

이해할 수 없는 것투성이었다. 왜? 내가 포기하려고 했는데, 왜?

모카의 신형이 허물어졌다. 모카는 신음 하나 내뱉지 않았다. 못했으리라. 그는 고통의 비명을 속으로 삼킨 채, 조용히 죽어가고 있었다. 나는 철창에 들러붙으며 외쳤다.

"모카!"

"저것의 식도를 헤집어라! 아직 깊게 내려가지는 않았을 것이다!"

자마드가 다급하게 명했다. 모카를 이용하여 날 회유하려 했는데, 모카가 죽음으로써 그 방법을 쓸 수 없게 되었다. 날 잡을 수단이 사라지기가 무섭게, 빠른 선택이었다.

자마드의 병이 떨어지기가 무섭게 근위병들이 모카에게 달라붙었다. 근위병 하나가 단검을 들었다. 푹, 살가죽이 갈라지는 소리가 생생히 귀에 울렸다.

모카는 산 채로 해부되고 있었다. 근위병들로 뒤덮인 무덤 사이에서, 모카의 검은 손이 불쑥 튀어나왔다. 하늘로 치솟은 그 손은, 손목을 끄덕끄덕하며 힘겹게 움직였다.

「가세요.」

눈이 크게 뜨였다. 눈물이 차올라 시야가 뿌옇게 흐려졌다. 그것을 마지막으로, 나는 이 끔찍한 현장에서 벗어나기 위해 바닥을 박찼다. 자마드의 초조하고도 성급한 목소리가 근위병들을 재촉했다.

"빨리 찾아라! 카마께서 도망가신다!"

배수관에 들어서기가 무섭게 물비린내가 확 끼쳤다. 발바닥에 찰박이며 물이 튀겼다. 뺨에 눈물이 줄줄 흘렀다. 이대로 눈이 녹아내릴 것 같았다. 그 와중에도 나는 발을 멈추지 못했다. 도망쳐야 했다. 모카가 가라고 했으니까.

모카를 의심한답시고 시간을 지체한 게 후회됐다. 그냥 믿을걸. 날 도와주러 온 거냐며, 같이 떠나자고 할걸. 그랬으면 모카가 죽지 않았어도 되었을 텐데.

죄악감과 후회가 나를 잡아 흔들었다. 달리는 내 머릿속에 아그니 술탄 궁에서의 1년이 스치고 지나갔다. 가끔은 짜증 나도 즐거웠던 일상들이었다. 이렇게 끔찍하게 무너져 내리리라고는 전혀 생각조차 못 했을 정도로.

나는 쭉쭉 달려 나갔다. 내 한참 뒤에서 근위병들이 쫓는 소리가 들었다. 나는 멈추지 않았다. 물이 종아리까지 차오르고, 허리까지 차오르고, 종래에는 머리끝까지 물속으로 잠겨 들어갔다. 물에 완전히 휩쓸린 순간, 드디어 고대하던 자유를 찾았다는 것을 나는 본능적으로 깨달을 수 있었다.

그렇게 나는 술탄 궁을 빠져나왔다. 하지만 전혀 기쁘지 않았다. 몸은 자유가 되었지만, 마음은 여전히 붉은 궁에 속박된 채였다.

CHAPTER 6
저주받은 자

"켈록, 켈록."

물 밖으로 나온 나는 한참 물을 토해내었다. 여차여차 물에 휩쓸린 채 떠밀려 오다가 간신히 상체만 빼꼼 물 밖으로 내밀었다. 물의 저항감은 생각보다 엄청났다. 하반신은 여전히 거센 물길에 떠내려가고 있는 채였고, 나는 손에 쥔 잡초의 가는 뿌리에 몸을 지탱해 힘겹게 물 밖으로 빠져나왔다. 손이 내 다리를 낚아채는 것처럼 물길은 나를 쉬이 놓아주지 않았다. 나는 물장구조차 제대로 치지 못하는 무력한 발을 끄집어내기 위해 한참을 노력했다.

몇 년 동안 할 수영을 단 한 번에 해버린 느낌이었다. 당분간은 수영은 물론이거니와 목욕도 하기 싫었다. 나는 물에 푹 젖은 몸을 풀밭에 아무렇게나 누인 채 헉헉거렸다.

옷감이 살에 착 달라붙어 축 늘어졌다. 기분이 불쾌했지만, 그냥 가만히 있다는 것만으로도 살 것 같았던 나는 한참을 그대로 있었다.

한숨 돌린 나는 비척비척 몸을 일으켰다. 가만히만 있어도 옷을 타고 물이 주룩 흘렀다. 나는 축축 늘어지는 옷을 손으로 꼭 짜내었다. 물은 수도꼭지를 튼 것처럼 짜도 짜도 계속 나왔다. 결국 나는 옷을 완전히 말리는 걸 포기했다.

근위병에게서 빼앗은 봉은 물에 잠기기가 무섭게 잃어버렸지만, 허리춤의 검은 둘 다 무사했다. 내가 챙긴 귀금속들도 그대로였다. 봇짐 속에 들어찬 물을 빼낸 나는, 레누카가 준비해 준 가방을 열었다. 묵직한 돈 꾸러미로 보이는 것이 두 개, 신분증으로 보이는 동그란 금속 패가 하나, 접힌 비단 비슷한 것이 하나, 낡은 망토가 하나, 그리고 커다란 나뭇잎에 잘 싸인 무언가였다. 돈 꾸러미 한 뭉치에는 금전이 들어 있었고, 다른 한 뭉치에는 은전과 동전이 들어 있었다.

나는 우선 급한 대로 망토를 말리기 위해 넓게 펼쳐 햇볕을 받게 했다. 그러고는 비단이 무언가 하고 보았더니, 비단에 실로 자수를 떠 만든 지도였다. 그러고 보니 지도를 넣어두었다고 했지. 나는 레누카의 세심한 배려와 선견지명에 목이 멨다.

나뭇잎에 싸인 것은 비상식량이었다. 과실의 군기름을 섞어 말린 육포 몇 조각과 견과물이 섞인 질긴 빵이 들어 있었는데,

빵은 물을 머금어 눅눅했다. 냄새를 맡아보니 큼큼한 물비린내도 나는 것 같았다.

그래도 급한 대로 먹을 만은 했다. 나는 허겁지겁 배를 채웠다. 새벽 내내 시달린 나는 맛이 있고 없고를 따질 상황이 아니었다. 나는 일단 배를 채울 만한 게 있다는 것에 감사하며, 비상식량을 먹어치웠다.

어느 정도 기력을 되찾은 나는 지도를 펼치고 이곳이 어디쯤인지 가늠해보려 노력했다. 손끝이 술탄의 궁 뒤편의 폭포를 타고 내려왔다. 하지만 폭포는 갈래갈래 흩어져 이곳저곳으로 뻗어 나갔다. 내가 어느 강으로 떠밀려 왔는지 짐작도 되지 않았다. 나는 미아가 되었다는 사실에 한숨을 폭 내쉬었다.

그래도 긍정적인 것은 자마드 또한 내 위치를 파악하지 못하리라는 것이었다. 선택지가 많은 만큼 사람이 분산되어 쉽게 내 뒤를 쫓지 못할 게 분명했다. 그렇다 해도 마냥 마음을 놓을 수는 없다. 한곳에 오래 머무르지 말고, 가능하다면 되도록 빨리 아그니를 떠나야 했다.

한차례 푸닥거리를 한 나는 다시 짐을 챙겼다. 당분간 쓰지 않을 지도는 접어 허리에 칭칭 매어둔 천 사이에 끼워두고, 허리춤에 은전과 동전이 들어 있는 주머니를 검 옆에 매었다. 그러고는 아직 촉촉한 감이 남아 있는 망토를 뒤집어쓰니, 어딘지 모르게 수상한 여행객일지언정 도망쳐 나온 카마처럼 보이지 않게 되었다.

나는 후들거리는 다리를 손바닥으로 짝짝 내리친 뒤, 길을 찾아 발을 옮겼다. 강가인 만큼, 하류 쪽으로 따라 내려가다 보면 마을이 나타날 것 같았다.

강을 따라 걸어가면서 나는 최대한 달아날 생각만 했다. 마을에 들어서자마자 무엇을 할지, 혹시라도 정체가 들켜서 붙들리면 어떻게 대처할지, 머릿속이 최대한 복잡하게 이것저것 걱정이란 걱정은 모조리 끌어왔다.

그래야지만 죄책감에서 벗어날 수 있으니까. 술탄의 궁에 두고 온 이들에 대한 생각을 잊기 위해 나는 애를 썼다. 슬퍼한다 해서 지금 이 상황이 바뀐다면 얼마든지 슬퍼하리라. 하지만 바뀔 건 아무것도 없었다.

하루 내를 꼬박 걸었다. 발이 부르트고 물집이 잡혔다. 밤이 찾아오고, 시야에 어둠이 드리웠다. 어둠에 밝은 내 시력으로도 앞길을 찾기가 가물가물해졌다. 정신적인 피로도 극에 달한지라, 나는 결국 가던 걸음을 멈추었다. 산속에 야생 동물이 있다고는 들었지만, 이래 봬도 내가 카마인데 짐승에게 죽겠나 싶었다. 실제로 길을 가면서 늑대 울음소리 같은 것을 몇 번이고 들었지만, 다행히도 어느 것 하나 나에게 다가오지 않았다. 나는 그냥 망토를 침낭 삼아 나무에 기댄 채 쪽잠을 잤다. 나에게 위험한 것은 짐승이 아닌 인간이었다.

잠도 깊이 자지 못했다.

고단한 몸이 편해지기가 무섭게, 끄떡이던 모카의 검은 손이 떠올랐기 때문이었다. 몇 번이고 잠을 설친 나는 동이 터 올라 조금의 붉은 기가 풀잎에 돌기 무섭게 자리를 박찼다.

다행히도 그다음 날, 나는 마을을 찾을 수 있었다. 사람 세 명 높이만 한 흙벽이 마을을 빙 둘러싸고 있는 것이, 마을이라기보다 도시에 가까워 보였다. 도시 입구에는 사람과 짐마차가 죽 늘어서 있었다. 나는 레누카가 준비해준 신분 패를 한 손에 꾹 쥔 채 줄에 섰다. 사람과 사람 사이 간격이 그리 좁지 않아 다행이었다. 조금이라도 그들에게 닿으면 무슨 일이 일어날지 모르니까. 나는 몸을 추스른 채, 곁눈질로 앞에서 어떤 절차가 이뤄지고 있는지 계속 살펴보았다. 검문 절차에서 수상쩍어 보이면 큰일이었다.

걱정한 것이 무색하게도, 도시에 들어서는 절차는 그리 까다롭지 않았다. 신분 패를 보여줄 것도 없었고, 그저 명부에 이름과 출신을 적기만 하면 되었다. 명부의 위에는 도시 이름이 적혀져 있었다. 베르나타. 나중에 지도에서 찾아봐야겠다 생각한 나는 도시의 이름을 속으로 외었다.

카마라는 이름을 그대로 쓸 수 없었던 나는 이름 사이에 적당히 아무 글자나 집어넣어 가명을 만들었다. 아리귤라에서 온 카자마. 마치 파자마 같은 이름이었다. 나는 잠시 후회했지만, 이미 명부에 적은 뒤라 돌이킬 수 없었다.

그걸 심드렁히 지켜보던 수문병이 넌지시 말을 걸었다.

"아리굴라면 수도 아니요? 거기서 여까지 바로 온 게요?"

"물놀이하다가 강에 휩쓸려서 말입니다. 여기서 몸을 좀 추스르고 다시 떠날 생각입니다."

무심코 수도의 이름을 써버렸던 나는 당황함을 숨긴 채 천연덕스레 대꾸했다. 문지기는 어쩌다 강에 휩쓸렸느냐며, 용케도 살았다 혀를 내둘렀다. 그러고는 주신의 가호니 뭐니, 오지랖 넓게 참견해대었다. 문지기가 습관적으로 어깨를 두드리기 위해 손을 들이민 순간, 나는 우연처럼 보이도록 슬쩍 그의 손을 피했다. 심장이 쿵쾅거렸다. 그제야 나는, 불특정한 다수의 사람 사이에 내가 놓이는 것이 얼마나 불안한 일인지를 깨달았다. 정말 한시라도 마음을 놓을 수가 없었다.

나는 빠른 발걸음으로 재촉해서 수문관에게서 멀어졌다. 하지만 사람들로 복작거리는 대로에 발을 내디딜 수는 없었다. 사람들과 부딪칠까 두려웠던 나는, 인적이 드문 곳을 향해 발을 옮겼다.

왜 전대 카마가 그렇게 시종들을 끼고 가마를 타고 다녔는지 알 것 같았다. 술탄의 성에서야 다들 내가 가는 길을 피해 자리를 물려준 덕에 나는 가고 싶은 대로 가기만 하면 되었지만, 지금은 그럴 수가 없었다. 내가 피하는 수밖에.

찝찝해서 옷을 갈아입고 싶었지만, 옷가게까지 갈 자신이 없었다. 우선 숙박을 하고, 거기 있는 종업원에게 웃돈을 얹어주고 옷을 사다 달라고 하자. 그리 정한 나는 숙소를 찾아 후미지고 어둑한 골목길을 헤맸다. 발밑으로 쥐가 한 마리 쓱 지나가는 것 같은 기분도 들었다. 나는 오싹 소름이 돋았지만, 어쩔 수 없었다. 익숙해지는 수밖에. 조금만 밖으로 빠져나가면 밝은 햇볕이 내리쬐고 있는데 이런 뒷골목으로 다니는 게 억울하기도 했다. 빌어먹을 권능. 빌어먹을 반신. 빌어먹을 주신. 전부 다 거지 같았다.

그때 골목길 바로 건너, 광장에서 소란스러운 소리가 들렸다. 사람들이 몰려 있었고, 광장의 가운데 멋들어진 관복을 차려입은 한 사내가 무어라 말을 하고 있었다. 나는 최대한 그 가까이 다가가며 귀를 기울였다.

"술탄께서 사람을 찾소. 검은 머리카락을 가진 이국적인 외모의 여자요. 남복을 하고 다닐 가능성이 크므로, 사내라 하여도 의심 가는 자들은 모조리 보고하시오! 사로잡는 이에게는 금전 5000개! 보고만 하더라도 술탄께서는 후하게 대접하라 하셨소!"

젠장. 나는 혀를 찼다. 그러고는 빠른 시선으로 주변을 훑었다. 너도나도 웅성거리는 것을 보아하니, 처음 듣는 이야기인 것 같았다. 그렇다면 이 도시 내에 소문이 퍼지려면, 아직 조금의 시간이 남아 있었다. 나는 빨리 이 도시를 떠야겠다고 생각했다.

하지만 혼자서는 역시 무리가 있었다. 이 세계에 대해 크하트에게 배워 알고 있다고는 하지만 그래도 처음인 나라, 처음인 문화였다. 마을에 들어서는 것도 벌벌 떨었는데, 이대로라면 오늘은 무사히 넘어가도 분명 근시일 내로 꼬리를 잡힐 터였다. 당장 길잡이가 필요했다. 아무래도 소문이 더 퍼지기 전에 사람을 하나 고용해야겠다. 사람이 둘이라면, 혼자인 것보다 의심의 시선이 줄어들 테니까.

나는 후드를 깊게 뒤집어쓰고 급히 발걸음을 옮겼다.

꽃◈❤◈꽃

사람을 고용하려고 하니 가장 먼저 머릿속에 떠오른 곳은 바로 용병소였다.

주신제 당시 크하트에게 다른 나라에 관해 간단히 설명을 들은 적이 있었다. 인드라는 용병의 나라라고 불린다고. 「용병」에 관해 흥미를 느낀 나는 어쩌다 인드라가 용병의 나라가 된 것인지 좀 더 자세히 캐물었다.

지금은 아그니와 바르나, 인드라, 이렇게 세 나라뿐이지만 까마득한 옛날에는 또 다른 나라가 하나 더 있었다.

파르바티라는 나라였는데, 주신의 노기를 사서 하룻밤 사이에 신군에게 휩쓸려 멸망했다.

멸망한 파르바티의 난민들을 흡수한 것은 파르바티의 이웃 나라였던 인드라였다. 밀려드는 난민들로 인드라는 난항을 겪었고, 그들을 어떻게든 인드라에 융화시키려고 노력했다. 그 방법이 바로 용병제였다.

각 도시마다 용병소를 세웠고, 일자리를 원하는 이들을 용병으로서 등록하게 했다. 생각보다 용병의 일은 다양했다. 잃어버린 애완동물을 찾는 사소한 심부름부터 개인 호위, 상단 호위, 현상금 사냥, 심지어 암살까지도 용병소에서 맡았다.

훗날 용병소는 인드라뿐만이 아니라 아그니와 바르나까지도 퍼져 나갔다. 하지만 여전히 용병들을 관리하는 것은 바로 인드라의 술탄이었다. 그렇기에 인드라가 용병의 나라라 불리는 것이었다.

용병제가 처음부터 완벽했던 것은 아니었다. 여러 가지 의뢰를 받는 만큼, 서로의 의뢰가 상충하는 일도 잦았다. 누군가의 고용주가 누군가의 표적일 수도 있었고, 그래서 용병소에 의뢰하러 왔다가 죽어 나가는 일도 부기지수였다. 누군가 내세운 조건보다 일부러 더 좋은 조건을 내세워서 용병소 내에서 의뢰인들끼리 싸움이 일어나거나, 반대로 좋은 의뢰를 차지하기 위해 용병들끼리 우격다짐을 하거나 하는 일도 잦았다.

그것을 보다 못한 용병들의 왕, 인드라의 술탄이 신주와 뇌력의 권위로서 용병소에 규율을 내세웠다.

용병소 내에서는 어떠한 의뢰의 수행도 하지 않을 것. 그리고 용병소 내에서는 어떠한 적대행위도 없을 것.

규율은 용병들 사이에서 절대적인 것이 되었다. 이번 대 인드라의 술탄이 규율을 철폐하시지 않는 한, 그들은 그 규율을 계속해서 지킬 것이다.

그렇기에 만약 그들이 내가 수배당한 몸인 걸 눈치채더라도 일단 용병소 내에서는 안전할 것이다. 용병소 안은 중립지대니까. 설령 나를 수배한 것이 왕성일지라도 마찬가지였다.

문제는 내 의뢰를 받아줄 만한 사람이 있을까 하는 점인데……. 이 도시를 빠져나가기 위해서, 그리고 다음 마을에 쉽게 도착하기 위해서라도 나는 용병을 고용해야만 했다.

용병을 믿을 수 있는가 없는가까지 따지기엔 지금 내 상황이 그리 좋지 않았다. 나는 신용을 생명처럼 여기는 용병의 불문율에 기대를 걸었다. 금전 5000이라는 어마어마한 보상 앞에서 얼마나 신용을 떠올릴까가 문제였지만. 나는 혀를 찼다. 나에게는 달리 다른 선택지가 없었다.

물론 내 권능을 사용하면 고용한 용병을 확실한 내 편으로 잡아둘 수 있을 것이다.

하지만 나는 정말이지 이 권능만큼은 쓰고 싶지 않았다.

감당할 자신이 없다. 게다가 이 권능에 휩쓸리기 싫어 무시무시한 미남인 자마드도 차고 나왔는데, 여기서 우락부락한 용병과 첫날밤을 보낸다니. 생각하고 싶지도 않을 정도로 끔찍했다.

나는 손을 쥐었다 펴기를 몇 번 반복했다. 이상한 것 없는, 평범한 손이었다. 하지만 이 손이 다른 사람에게 닿는다면…….

정말 내 인생에 있어 쓸데가 없다 못해 발목을 잡는 능력이었다. 이 능력만 없었다면 하다못해 사람들을 피하지 않고 그 속에 섞여들 수라도 있었을 텐데, 이 능력 때문에 내 도주 기간이 배로 늘어날 것 같았다. 그만큼 자마드에게 들킬 위험은 천정부지로 치솟을 터였다.

아, 몰라. 여차하면 내 뛰어난…… 아니, 형편없는 무술로라도 때려눕히지 뭐. 나는 주먹을 불끈 쥐었다. 간신히 턱걸이 수준이기는 하나 예니체리인 락시타가 인정해준 무술 실력이었다. 그나마 어디 가서 맞고 다니지는 않을 거라고 했던가. 하지만 그걸 믿고 때리고 다니지도 말라고 그랬지. 큰코다치니까. 갑자기 자신감이 사그라지면서 불끈 쥔 주먹에도 힘이 풀렸다.

골목길에 있는 아이에게 동전을 하나 주고 용병소의 위치를 물었다. 아이는 순순히 대답해주었고, 덕분에 용병소를 찾는 건 그리 어렵지 않았다. 정작 어려운 것은 사람에게 부딪히지 않고 용병소에 들어가는 것이었다. 용병소에 들어서는 사람은 없었지만, 그 앞의 골목에는 사람이 수시로 지나가고 있었다.

나는 사람이 한적해지는 틈을 타서 용병소에 들어섰다. 예전이었다면 이렇게 날쌘 움직임은 불가능했을 텐데. 그래도 무술을 배운 보람이 있었다.

발을 걷고 들어선 용병소는 생각 이상으로 한산했다. 안 그래도 용병소에 들어서는 사람이 없어 혹시나 싶기는 했는데, 접수대에 있는 한 사내를 제외하고는 1층은 텅 비어 있었다. 이리저리 주변을 살펴보는 나를 사내가 불렀다.

"뭔 일로 왔나?"

추레한 차림새에 내가 별로 돈이 안 될 이로 생각했는지, 그는 바로 반말을 내뱉었다. 심드렁한 눈길에서는 깔보는 기색마저 느껴졌다. 나는 오히려 그것에 안도했다. 후드를 뒤집어쓰고 있어 수상쩍은 이라고 생각하면 어쩌나 했는데, 의심의 눈초리가 아니어서 다행이었다. 나는 속으로 가슴을 쓸어내리고는, 접수대로 다가가며 말했다.

"사람을 하나 고용하려고."

반말에는 반말. 나도 반말로 응대했다. 사실 내가 아쉽고 눈치 보는 입장이라 별다른 분쟁을 만들지 않기 위해 최대한 공손하고도 점잖게 말을 걸 생각이었지만, 반말을 듣기가 무섭게 내 입에서 반말이 튀어나왔다.

사내는 한 사오십은 돼 보이는 중늙은이로, 새파랗게 어린 내가 반말을 하는 것을 불쾌해할 수도 있었다.

그러다가 괜히 큰소리가 오가고, 소란이라도 나면 사람이 몰려들고, 그러면……. 순간 든 생각이 이어질수록 모골이 송연해졌다. 하지만 다행히도 사내는 별로 개의치 않는 듯 말을 받았다.

"사람? 뭘 하려고?"

"길잡이로 쓰려고."

"어디까지 가는데."

사내는 서류를 뒤적이며 물었다. 어디로 갈지 정하지 않았던 나는 사내의 말에 순간 말문이 막혔다. 나는 재빨리 머리를 굴려, 내가 알고 있는 최대한 먼 장소를 말했다.

"인드라."

"인드라처럼 먼 데 나갈 인력이 없어. 지금 인력이 완전 바닥이야."

사내는 혀를 차며 절레절레 고개를 저었다. 가는 날이 장날이라고, 왜 하필 내가 급한 날 인력이 바닥이라니. 내가 돈이 없어 보여서 저자가 튕기는 거라고 생각한 나는 잘그락거리는 돈주머니를 손으로 툭툭 건들며 말했다.

"돈은 얼마가 되어도 상관없어. 그냥 적당히 실력 있고, 길눈만 밝으면 돼."

초조함에 입술이 바짝 말랐다. 용병소에 처음 들어설 때만 하더라도 술탄에게서 훔쳐온 금붙이에 레누카에게 받은 돈도 있으니 용병을 고용할 돈이 부족할 리는 없을 거라 여겼는데,

막상 일이 이렇게 틀어지니 심장이 쿵쿵 뛰며 머리가 핑핑 돌았다.

혹시 내가 팁이라도 찔러줘야 하는 건가? 어떻게든 사람을 고용해야만 하는 상황인 만큼, 나는 테이블에 금전 하나를 대뜸 올렸다. 하지만 사내의 표정은 여전했다. 사내는 답답한 듯 뒷목을 벅벅 긁었다.

"아니, 그러니까 돈이 있어도 지금 사람이 없다니까? 안 그래도 바쁜 철인데, 남은 사람까지 술탄께서 득득 긁어서 고용해 갔다고."

사내는 억울하다는 듯이 목청을 높였다. 여전히 사람이 없다는 말도 충격적이었지만, 사내의 입에서 술탄이라는 단어가 튀어나오기 무섭게 내 심장이 거세게 뛰었다. 나는 최대한 목소리가 떨리지 않게 조심조심하며 물었다.

"술탄이? 왜?"

"사람을 찾는다나……."

"사람?"

"자세한 건 나도 몰라."

모른다는 사내의 말은 정말인 것 같았다. 사내는 왜 그런 걸 묻느냐는 표정으로 나를 훑어보았다. 의심이 사내의 눈에 도사리기 시작했다. 나는 입술을 질끈 깨물었다. 너무 캐물었나 싶은 걱정과 좀 더 정보를 알아내고 싶은 마음이 충돌했다. 끙,

초조한 내 마음이 접수대를 두드리는 손가락으로 나타났다.

사내는 한참을 침묵했다. 그러다가 이내, 무겁게 입을 열었다.

"……그러고 보니 사람이 전혀 없는 건 아닌데."

내가 불안해하는 것은 어디까지나 술탄 때문이었지만, 접수대에 있던 사내는 내가 기필코 용병을 고용해야만 하는 사정이 있어 이러는 것으로 안 모양이었다. 그게 그거니 그다지 틀린 생각은 아니었다. 나는 발을 동동 구르고 싶은 심정으로 다급하게 말했다.

"그러면 그 사람을 연결해줘."

"하지만, 그……."

사내는 쉬이 말을 잇지 못하며 뒷목을 긁적였다. 한참을 머뭇거리던 그는 입을 꾹 다물고는 골똘히 생각에 잠겼다. 왜 말을 꺼내놓고서는 선뜻 말하지 않는지 답답했던 나는, 그의 얼굴이 뚫릴 정도로 그의 입을 노려보았다. 누구 애태우나. 밀당해? 그래, 자기가 갑이라 이거지. 인내심이 바짝바짝 타들어가면서, 입꼬리가 바들 떨렸다. 순간이 영원처럼 길어졌다. 내 인내심도 한 발짝 한계를 돌파했다. 사내는 침을 꿀꺽, 삼키고는 결심한 듯 입을 열었다. 내 모든 신경이 그가 내뱉을 말을 주워 담기 위해 몰렸다.

하지만 사내에게서 답을 듣기 전에, 뒤에서 끼어드는 목소리가 있었다.

"저주받은 자인데, 괜찮겠나?"

나직한 목소리. 나는 반사적으로 뒤를 돌아보았다. 뒤에 있는 계단에서 한 사내가 내려오고 있었다. 저벅, 저벅. 내딛는 발끝부터 드러난 그는 신발부터 바지, 웃옷까지 모든 차림이 다 검었다. 후드에 시야가 가려 상대를 제대로 볼 수 없었던 나는 슬쩍, 손가락으로 후드를 치켜들었다. 그는 내려오다가 중간쯤 하여 멈춰 섰다. 계단 층계참에 드리운 어두운 그림자가 사내의 얼굴을 가리고 있어 이목구비를 비롯해 상대의 나이조차 제대로 파악되지 않았다. 하지만 선명히 빛나는 붉은 눈동자가 나를 또렷이 직시하고 있다는 것만큼은 알 수 있었다.

붉은 눈동자.

타오르는 루비처럼 번뜩이는 눈동자와 마주치자, 시선을 쉬이 돌릴 수가 없었다. 그렇게 사내가 계단에서 내려서서 모습을 드러내기까지 그와 눈싸움을 하는 형국이 되었다. 밝은 곳으로 발을 내디뎠지만 여전히 그는 검었다. 터번까지 온통 검은 차림새를 한 그는, 용병이라기보다는 무슨 암살자 같았다. 드러난 얼굴은 사내답게 잘생긴 편이었지만, 붉은 눈동자가 주는 강렬함에 시선이 붙들려 다른 곳을 살펴볼 만한 여유는 없었다.

"아주 얼굴 뚫어지겠네."

사내는 빈정거리듯 말했다. 그제야 나는 내가 그를 지나치게 빤히 바라보고 있다는 걸 깨달았다.

나는 후드를 들추고 있던 손가락을 슬그머니 내렸다. 시야 위로 천이 한 겹 너울거리며 떨어져 내렸다.

"특이하군. 나랑 눈이 마주치기가 무섭게 다들 눈을 피하기 바쁜데."

사내는 썩 기분이 나빠 보이지는 않았다. 「저주받은 자」를 만난 건 처음이었다. 뭔들 처음이 아니겠느냐 싶지만. 나는 곰 곰이 기억을 되짚어갔다. 저주받은 자에 대해서 분명 예전에 크 하트인지 자마드인지에게 들었던 기억이 있다. 저주받은 자. 주 신에게 버림받은 영혼. 그 증거로 붉은 눈동자를 지니고 있다고 했던가. 주신의 화를 산 대가로 주신의 가호가 일절 거두어진, 살아 있는 이들에게 꺼려지는 존재. 불행한 삶을 살 수밖에 없 으며, 불행함을 몰고 다니는 역병 같은 운명의 소유자였다.

근데 그 저주받은 자가 이렇게 흔한 것이던가? 아무 마을에 나 들어서기가 무섭게 마주할 정도로? 무언가 운명이 이끄는 것도 아니고……. 나는 이맛살을 찌푸렸다.

사내는 내 주변으로 다가섰다. 검은 옷을 입고 있어 미처 눈 치채지 못했는데, 가까이 다가서는 그는 확실히 다부진 몸이었 다. 체격만 놓고 보면 뛰어난 장군감이라 할 수 있을 정도로, 육식동물 같은 위압감과 날카로운 유연함이 느껴졌다. 그런데 이상하게 그를 보기가 무섭게 기시감이 들었다. 어디서 많이 본 것 같은 친숙함에 나는 어리둥절함을 느꼈다.

이상했다. 그와 만나는 것은 처음이요, 그는 내가 지금껏 곁에 둬온 그 누구와도 달랐다. 크하트와도, 모카와도, 자마드와도. 그나마 락시타와 비슷한 것 같지만 그건 순전히 같은 무인이기 때문이었다. 그거 말고 다른, 기억 너머의 기저에 깔린 익숙함이 그에게서 느껴졌다.

그에게서 느껴지는 이상한 친밀감에 내가 골몰히 생각에 잠긴 동안, 그는 계속 나를 바라본 모양이었다. 이상하게 느껴지는 시선에 화들짝 고개를 드니 그와 눈이 마주쳤다. 그는 심드렁하게 물었다.

"그래서, 저주받은 자인 나밖에 없는데, 어찌하겠나?"

그가 저주받은 자라서 내가 고민하고 있다고 생각했는지, 그의 말투에서 퉁명스러움이 느껴졌다. 그나저나 여기 용병 사람들은 다들 반말이 기본인가? 장사할 생각이 없구만. 투덜거림이 목 끝까지 올라왔지만, 입 밖으로 나서는 것은 그를 붙잡기 위한 황급한 긍정이었다.

"괜찮아, 괜찮아."

내 코가 석 자요, 그가 저주받은 자든 반말을 하든 뭐든, 나로서는 그를 놓칠 하등의 이유가 없었다. 우선 이 아그니를 빠져나가는 게 먼저였다. 그를 붙드는 내 간절한 목소리를 느꼈는지, 사내는 조금 당혹스러운 기색으로 답했다.

"……나라도 상관없다는 걸 보아하니 상당히 급한 모양이로군.

주신의 저주를 받을지도 모르고, 불행의 대상이 될지도 모르는데?"

애초에 주신의 저주라면 낙낙하게 받고 있었다. 주신 쪽에서는 저주라고 생각하지 않는 모양이었지만. 불행이라면 지금도 만만치 않았고. 무엇보다도, 주신이 고작 저주받은 자와 같이 있다고 나에게 해코지를 할 리가 없었다. 도리어 눈앞의 사내의 불행마저도 나와 함께인 동안은 쓱쓱 치워주지 않을까. 아무리 싫다 해도 제 자식이 필요하다는데. 원래 부모는 자식한테 약한 법이다……. 아마도.

확신하지는 못하지만 샘솟는 무한한 자신감으로 나는 사내를 재촉했다.

"응. 그래서 말인데 빨리 계약해주면 안 될까."

"나중에 물러달라 해도 소용없어."

사내의 말에 나는 고개를 여러 번 끄덕였다. 기쁨을 억누르지 못한 입꼬리가 채신머리없이 올라갔다. 사내는 얼떨떨한 표정으로 나를 바라보더니, 홱 돌아서며 위층을 손가락으로 가리켰다.

"그럼 계약서 쓰게 위로 올라가지."

나는 접수대 앞에서 몸을 일으키고는 사내의 뒤를 따랐다. 흘끔 뒤돌아 본 접수대에 있던 사내의 안색이 떨떠름했다.

계단에 올라서니, 2층의 넓은 공간에 구획이 칸별로 나뉘어 있었다. 드리워진 천 사이에는 탁자와 의자가 놓여 있었다. 이런 곳에서 계약했다가는 계약 내용이 술술 밖으로 다 새어 나갈 것 같았다. 그런 생각을 떠올리기가 무섭게, 성큼 앞서 나가던 사내가 뒤를 돌아보며 물었다.

"남의 귀를 피해야만 하는 의뢰인가?"

"음……. 가능한 한."

"비밀보장이 들어가면 의뢰 등급이 높아지는데."

"상관없어."

조금이나마 자마드의 레이더에서 벗어나기 위해서라면, 돈은 얼마든지 들어도 상관없었다. 내 말에 사내는 홀을 지나 좀 더 깊숙한 곳으로 들어섰다. 미로처럼 얽힌 복도를 몇 번 휙휙 돌자, 이번에는 여관방처럼 생긴 방들이 쪼르르 늘어서 있었다. 다들 문패에 「비어 있음」이라고 쓰여 있었다. 사내는 그중 하나의 문패를 뒤집어서 「계약 중」으로 바꾼 뒤, 문을 열어 나를 들여보냈다. 혹시라도 함정일 가능성을 배제하지 않은 나는 만약의 만약까지 긴장을 풀지 않은 채, 조심스레 방 안으로 들어섰다.

방 안은 밀실인 것을 제외하고는 아까 언뜻 보았던 곳과 구조가 똑같았다. 좀 더 은밀한 의뢰는 이쪽에서 듣는 모양이었다. 사내는 방구석에 있는 서랍장을 한참을 뒤적이더니, 이내 서류를 꺼냈다. 나는 의자에 앉아서 그가 하는 짓을 빤히 바라보았다.

도시에 들어서면서 명부에 기록할 때도 느낀 건데, 생각보다 이곳의 문맹률이 그리 높지 않은 것 같았다. 용병들의 의뢰도 다 일일이 서류로 작성해서 보관해둘 정도면, 문자 보급률이 상당히 높다고 해도 좋았다.

내가 이곳 언어를 알아서 정말 다행이다. 까딱하다가는 정말 바보 천치 꼴이 될 뻔했어. 나는 혀를 내둘렀다.

사내는 서류를 테이블 위에 늘어놓고, 인주와 도장을 옆에 놓았다. 그러고는 내 앞에 있는 의자에 앉았는데, 등받이에 몸을 푹 기대고 앉는 것이 내가 고용주가 아니라 제가 고용주인 꼴이었다. 하지만 기분이 나쁘진 않았다. 내 앞에서 이렇게 방만하게 구는 걸 보는 게 정말 간만인지라 신선하기까지 했다.

"일단 통성명부터 할까."

사내는 서류를 들춰 보며 말했다. 그가 상체를 기울이면서 자연스레 그의 얼굴이 시선 가까이 다가왔다. 처음에 붉은 눈에 홀려서 그의 얼굴 생김새를 관찰할 짬이 나지 않았는데, 이렇게 본 그의 얼굴에는 자잘한 상처가 많았다. 붉은 눈 위로 드리워진 속눈썹은 그다지 길지 않았지만 숱이 많아서, 날카롭게 빠진 눈매를 강조하는 것 같았다. 충분히 남자답게 잘생긴 얼굴이었다. 이 세계에 와서 미남이라는 미남은 전부 만나보고 가는 것 같았다. 그것도 카마의 숙명일까. 나는 진지하게 고민했다.

"나는 모크샤."

"나는 카……자마."

아직 입에 붙지 않은 가명을 몇 번 더 입 안에서 굴려보았다. 자신을 모크샤라 소개한 남자는 자신의 이름과 내 이름을 계약서

왼쪽 상단의 빈칸에 적었다. 계약서도 물론, 내가 질색하는 역순으로 쓰여 있었다.

"보아하니 목소리도 그렇고, 상당히 어린 것 같은데. 내가 존대를 써줘야 하나?"

모크샤는 그리 말하며 나를 흘끗 보았다. 그가 말하는 「어리다」는 표현이 내 실제 나이가 「어리다」는 것이 아니라는 걸 눈치챘다. 나는 그제야 모크샤고 1층의 사내고, 나를 보기가 무섭게 반말을 했던 이유를 깨달았다. 나는 지금 남복을 한 상태였다. 여자가 아닌 남자라고 치면 지금의 나는 변성기도 지나지 않은 소년에 가까워 보일 터였다. 나는 어색하게 웃었다.

"그렇게 어린 나이는 아니지만……. 그나저나, 존대 써달라고 해주면 쓸 거야?"

"계약하게 되면 고용주님이 되시고, 고용주님이 시키면 당연히."

"됐어, 그럼. 그냥 편한 대로 해."

나는 손을 내저었다. 존대라면 왕궁에서 질릴 만치 듣고 나왔다. 모크샤는 잠시 침묵했다. 그가 어떤 표정인지는 후드에 가려 보이지 않았지만, 어처구니없어하고 있지는 않을까 막연히 추론했다.

후드가 답답한 건 나뿐만이 아니었는지, 모크샤가 후드를 가리키며 말했다.

"그 후드 좀 벗지."

"음……."

나는 후드를 벗어야 할지 말아야 할지 잠시 고민했다. 딱 보기에도 내 외모는 이곳 사람들과 달랐다. 눈 두 개 코 하나 입 하나 달린 건 똑같지만, 어딘지 모르게 위화감이 드는 생김새였다. 게다가 용병소에 들어서기 전, 광장에서 들었던 말이 떠올랐다. 이국적인 외모의 남복을 한 계집. 모크샤가 술탄의 포고령을 알고 있다면, 십중팔구 술탄이 찾는 것이 나라는 걸 눈치챌 게 분명했다. 만약 술탄의 포고령을 모르고 있더라도, 그가 포고령에 대해 듣는 것도 시간문제였다. 나는 최대한 나에 대해 숨기는 걸 택했다. 나에 대해 밝히는 것은, 그에 대해 조금 더 알고 나서도 늦지 않았다.

"당분간은 좀 곤란해서. 이해해줘."

"범죄자는 아니겠지?"

"아니야."

범죄자라니, 그 무슨 망언을. 물론 술탄의 궁에서 빠져나오면서 다소의 폭력과 절도죄를 저지르기는 했지만 나 정도는 정상참작 가능한, 정당방위 이내의 행위였다. 그렇게 치면 자마드가 저지른 것이 더 범죄지. 나는 단호하게 고개를 내저었다.

하지만 여전히 모크샤는 나에 대한 의심의 눈초리를 거두지 않았다. 그는 톡톡, 펜 끝으로 계약서 한 곳을 두드렸다. 노릇한 양피지에 검은 잉크가 번졌다.

"아까 들어보니 인드라로 갈 생각인 거 같은데, 인드라 어디로 갈 생각이지?"

"인드라든 바르나든, 어디든 상관없어. 지금 사람을 좀 피해야 하거든? 일단 아그니는 안 돼. 네가 잘 아는 곳이면 어디든 상관없어."

모크샤의 얼굴이 일그러졌다. 나는 내가 한 말을 되짚어 보았다. 음, 수상쩍군. 나는 어색하게 웃으며 턱을 긁적였다. 모크샤는 다시 한 번 물었다.

"범죄자 아닌 거 맞아?"

"주신을 걸고, 맞아."

나는 경건히 대답했다. 물론 나에게 있어 주신의 무게는 더할 나위 없이 가벼웠다. 주신을 팔아먹으라면 누구보다도 잘 팔아먹을 자신이 있는 게 바로 나였지만, 아무도 내가 그런 생각을 하는지 모르는 만큼 유용한 맹세였다.

모크샤는 피식 웃었다.

"저주받은 자 앞에서 주신의 오롯한 이름을 읊다니, 주신께서 분노할 텐데."

"뭐……."

나는 아무 말 없이 어깨를 으쓱였다. 하지만 가슴이 쿵쿵 뛰었다. 생각보다 이곳의 주신에 대한 신성성은 절대적인 모양이었다. 술탄의 궁에서야 다들 내가 카마인 걸 알고 있으니 주신에게 무어라 해도 투정 어린 말로 받아준 것 같지만, 밖에서, 카마가 아닌 자로서 그런 말을 하는 건 불손죄로서 이상하게 보이는 모양이었다.

음음, 나는 목을 가다듬으며 최대한 주신에 관한 이야기를 하지 말아야겠다 다짐했다. 열심히 도망쳤는데, 신성 모독죄로 끌려가게 되기라도 하면 말짱 도루묵이었다.

모크샤는 별 신기한 놈이라는 눈길로 나를 흘끗 보았다. 그의 붉은 눈동자가 날카로운 눈썹 아래서 번뜩였다가 금세 사그라졌다.

"그러면 인드라로 그냥 가도록 하지. 인드라 국경만 넘으면 되는 건가? 아니면 수도까지?"

"수도까지."

그는 휘적휘적 빈칸에 목적지를 썼다. 역순으로 써져 있어 문맥을 잘 파악할 수는 없었지만, 대충 보아하니 호위 의뢰용 서류인 것 같았다.

"인드라에 대해 잘 알아?"

"그쪽이 고향이야."

"흐음~."

나는 별생각 없이 물어본 것이었는데, 생각 외의 대답이 돌아왔다. 인드라가 고향이라니, 왠지 그럴듯하면서도 신기했다. 인드라에 정말 신군이 있느냐며, 직접 보았느냐는 질문이 목

끝까지 차올랐다. 나는 순간 아차 하고 말을 삼켰다. 궁금한 게 있으면 바로바로 물어보던 게 습관이 된 모양이었다. 말실수는 정말 위험했다. 하나를 피했다 싶으면 다른 하나가 불쑥 튀어나오는 것이, 숨을 돌릴 틈이 없었다.

최대한 이상하지 않게, 이상하지 않게. 나는 나 자신을 타일렀다. 아무래도 새로운 장소, 새로운 환경이다 보니 긴장한 듯 자꾸 안 해도 될 말을 덧붙여서 실수했다.

"좋아. 계약서는 대충 이렇게 쓰면 될 것 같고……. 제일 중요한 금액만 정하면 되겠군. 보통 사람 한 명 호위로 인드라까지 가는 데는 보통 고용비로 금화 10개 정도, 경비는 또 따로 계산해. 혹시나 도적 떼 같은 게 나타나면 추가수당 따로 붙고."

"그러면 그렇게 해."

생각했던 것보다 훨씬 저렴한 가격에 나는 흔쾌히 고개를 끄덕였다. 모크샤는 눈을 가늘게 뜨고 날 살폈다. 왠지 옴팡 바가지를 쓴 것 같았지만, 계약을 해주는 이가 있다는 것이 기꺼운 만큼 나로서는 거절할 이유가 없었다. 하지만 누울 자리 보고 발 뻗는다고, 모크샤는 내가 쉽게 수락하자 선금을 제시했다.

"그러면 선금 금화 다섯 개 먼저 받도록 하지."

"선금을 반이나? 저기, 이 마을을 나서서 주면 안 될까?"

혹시라도 사내가 선금만 받아먹고 튀면 안 되는지라 나는 황급히 덧붙였다. 까짓 금전 다섯 개. 나한테는 별거 아니었지만,

그냥 팔아먹는 것과 돈까지 받아먹고 팔아먹는 것은 정신적으로 들어가는 데미지가 달랐다. 나는 만약의 사태에 조금이라도 덜 빡치는 길을 택했다.

"여기에 빚진 게 좀 있어서 말이야. 그걸 갚고 가야 하거든."

하지만 모크샤가 저리 말하니 돈을 안 내어줄 수는 없었다. 나는 짤랑짤랑, 주머니를 열어 금전을 꺼내 테이블 위에 슬쩍 얹어두었다.

"그러면 우선 금화 세 개를 줄게. 선금 남은 두 개는 마을을 빠져나가서. 잔금은 인드라에 도착하고. 어때?"

"좋아."

그렇게 선금까지 치르고, 서명을 하고 나니 완벽하게 계약서가 작성되었다. 모크샤는 똑같은 계약서를 두 개 더 작성한 뒤, 계약서 사이마다 커다란 도장을 쾅쾅 눌러 찍었다.

"이쪽 잘 챙겨두시고."

나는 계약서를 잘 접어 가방 안 깊숙하고 안전한 곳에 넣어두었다. 계약서 하나는 테이블에 둔 채, 다른 하나를 품에 넣은 모크샤는 나를 향해 손을 불쑥 뻗었다.

"잘 부탁하지."

나는 악수를 하기 위해 내밀어진 그의 손을 물끄러미 내려다보았다. 붙잡고 싶은 마음이 굴뚝같았지만, 잡을 수 없었다. 나는 떨떠름하게 웃으며 대답했다.

"나도 잘 부탁해. 그런데 내 사정상 악수는 힘들어서……."

"……."

모크샤의 한쪽 눈썹이 들렸다. 못마땅한 기색이 짙게 배어났다. 악수를 거절한 게 그렇게 무례한 짓인 걸까? 모크샤의 불쾌감이 심하게 나한테 뻗쳐왔다. 나는 모크샤의 눈치를 보며 조심스레 말을 이었다.

"그, 내가 주의조건을 말하는 걸 잊었는데, 나에게 손대지 마. 큰일 나."

"손을 대지 말라고? 무슨 뜻이야?"

"그…… 말 그대로."

모크샤의 말이 날카로웠다. 나는 침을 꿀꺽 삼키고 말을 이었다. 서슬 퍼런 기색이, 당장에라도 계약서를 갈기갈기 찢을 것 같았다. 물론 괜히 손대지 말라는 게 이상하게 느껴지겠다. 전염병이라도 있다고 해야 하나? 하지만 전염병이면 같이 가지 않겠다고 할 거 같은데. 나는 무어라 말해야 할지 팽팽 머리를 굴렸다.

하지만 내가 답을 내기 전에, 모크샤가 먼저 입을 열었다.

"하긴, 저주받은 자와 동행은 해도 접촉하면 무슨 저주를 옮아 갈지 모르니까 말이지."

붉은 눈동자가 음울하게 번뜩였다. 너 또한 별다를 바 없는 자라 낙인을 찍는 듯, 붉고 선명한 시선이었다. 나는 그제야 모크샤가 날카롭게 반응한 이유를 알았다.

전혀 그런 식으로 생각하지 않았던 나는 말문이 막혔고, 이내 대꾸하려 했지만, 혀가 딱딱하게 굳어 말이 잘 나오지 않았다.

"그런 의미가 아니라……."

"아니, 뭐. 어떤 의미든 상관은 없어. 난 고용되었고, 고용주가 그리 말했으니 지키도록 하지."

모크샤는 그리 말하며 테이블에 남아 있던 계약서 마지막 한 장을 낚아챘다. 언제 흥분했느냐는 듯, 차갑게 식어 있었다. 나는 내가 오늘 저지른 것 중 제일 커다란 말실수를 했다는 걸 깨달았다. 내 안전은 지켜졌지만, 대신 눈앞의 사내에게 큰 상처를 남겼다. 나는 괜스레 미안해졌다.

하지만 어쩔 수 없었다. 그런 의미에서 한 말은 아니었지만, 내가 카마라서 너와 닿을 수 없다 말할 수는 없으니까. 나는 죄책감을 속에 끌어안고 입을 다물었다.

꿍꿍♥꿍꿍

모크샤는 남은 서류 하나를 접수대 위에 올리고는 용병소를 나섰다. 보통 같은 용병단 사람이 나가면 가볍게 인사라도 할 텐데, 둘 다 서로 모르는 척하는 것이 조금 이상했다.

나는 갑작스레 밖에 나가게 되자 군중에 대한 두려움으로 몸이 빳빳이 굳었다. 사람 많은 데 불편하다는 말도 해둘걸. 하지만 아까 전의 일 때문에 나는 쉬이 그에게 말을 걸지 못했다. 내가 우물쭈물 말을 삼키고 있을 때, 모크샤가 나를 돌아보며 물었다.

"출발은 언제?"

"……오늘, 당장."

나는 불안하게 주변을 휙휙 살폈다. 갑작스레 누군가가 튀어나와 부딪히기라도 하면 큰일이었다. 당장이라는 말에 모크샤의 미간 사이에 주름이 움푹 팼다.

"지금 당장? 다음 마을까지 가려면 그래도 완전 빈손으로 갈 수는 없는데."

"오래 걸려?"

"그리 오래 걸리지는 않지만, 준비하고 나서 떠나면 숲속에서 밤을 새워야 해. 차라리 내일 동틀 시간에 출발하는 게 낫지 않겠어?"

모크샤의 말에 나는 끙, 혀를 찼다. 고민이 되었다.

"다음 마을까지는 며칠이나 걸리는데?"

"걸어서 간다면 빨라야 사흘. 말을 살 거면 하루면 충분하지만."

나는 곤혹스레 미간을 찌푸렸다. 단단히 준비해서 마을을 떠날 것인지, 아니면 급하게 허겁지겁하더라도 마을을 빠져나가야 할지 고민되었다. 그리고 말을 사는 것도 문제였다.

이 세계에서 와서 알게 된 사실인데, 동물들은 그다지 나를 좋아하지 않았다. 동물로라도 온기를 충족하려 했지만, 애완동물로 쓸 법한 동물들은 전부 내 손을 피해 달음질쳤다. 과연 말이 날 보고 도망치지 않을지, 나는 자신이 없었다.

그래도 도전은 해보는 게 좋았다. 우선 여장을 꾸릴 필요는 있었다. 어차피 다음 마을에 가도 똑같을 터였다. 그렇다면 모크샤가 계약을 파기하기 전에, 최대한의 준비를 해두는 게 좋았다. 나는 고개를 끄덕였다.

당분간은 모크샤를 믿을 수 있었다. 그가 나와 계약한 이상 나를 인드라에 데려다줘야만 했고, 그것이 용병의 규율이었다. 의뢰인을 팔아먹는다면, 그 용병은 두 번 다시 용병으로서 살 수 없다. 물론 금전 5000은 두 번 다시 용병으로 살지 않아도 되는 금액 같아 보이긴 했지만……. 나는 모크샤의 용병으로서의 자존심과 자부심을 믿어보기로 했다. 사실 그것밖에 믿을 만한 게 없긴 했다. 이왕이면 나에 대해 눈치채지 못하는 게 최고였지만.

마음을 굳힌 나는 모크샤에게 최대한 불쌍하게 들리는 목소리로 부탁했다.

"내가 사실 대인기피증이 있어서. 저기, 내가 돈을 줄 테니 말이랑 여장 같은 거, 대신 준비해줄 수 있어? 아, 옷 한 벌도."

"그거야 그렇게까지 어려운 부탁은 아니지만. 대인기피증으로 보이지는 않는데."

모크샤는 가지가지 한다는 시선으로 바라보았다. 표정이 못마땅한 것이, 거짓말 말라 말하고 있었다. 나 같아도 첫 만남에 대놓고 반말을 내뱉는 어린놈을 대인기피증이라고 생각하지는 않을 것 같았다. 나는 더듬더듬 핑계를 댔다. 아까, 모크샤에게 말실수하고 나서 최선을 다해 떠올린 것이었다.

"사실 나, 다른 사람하고 부딪히면 두드러기가 나거든. 그래서 아까 악수도 못 한 거야."

"전염성은 아니고?"

"아니야, 아니야."

역시나 바로 전염성이냐 물어보는 말에 나는 손을 내저었다. 하지만 표정이 여전한 것이 그다지 믿는 반응은 아니었다. 그는 떨떠름함을 감추지 않은 채 골목 어귀를 향해 손가락질했다.

"그러면 저쪽 골목 꺾어서 있는 「풀잎의 휘파람」이라는 여관에 가 있어. 내가 일을 끝내고 가도록 하지."

그리 말한 모크샤는 손바닥을 내밀었다. 나는 그의 손바닥에 내 손가락이 닿지 않도록 조심하며 돈을 하나씩 건넸다.

돈을 받은 모크샤는 자리를 떴다.

사라지는 속도가 바람과 같았다. 그의 뒷모습을 멍하니 보고 있던 내 눈에 무언가 이상한 광경이 잡혔다. 모크샤가 걷기가 무섭게 사람들이 홍해처럼 갈라지는 모습이었다. 사람들은 명백히 모크샤를 피하고 있었다. 그들의 시선에 경멸과 혐오, 두려움이 비쳤다. 아까 용병소에서 접수대에 있던 사내와 모크샤 사이의 묘한 기류를 이제야 이해할 수 있었다. 빨리 자리를 비워야 하는 상황에서도, 나는 한참을 그 자리에 못 박힌 것처럼 서 있었다.

주변의 모든 이들이 모크샤를 피했고, 모크샤는 그들을 무시했다.

이렇게 생각하니 모크샤와 내 엮임이 묘하게 운명적이었다. 사람을 피하는 이와 사람이 피하는 이. 신의 사랑을 받는 자와 저주를 받은 자. 이것이 안배된 것인지, 아니면 정말로 우연인지. 내 눈이 가늘어졌다.

운명이랍시고 신이 안배해준 길이 그다지 나에게 좋지 않다는 건 자마드의 경우로서 충분히 증명되었다. 운명이고 자시고, 그를 믿을 수 있다면 고(Go). 믿을 수 없다면 스톱(Stop). 단지 그뿐이었다. 누군가에게 기대지 않고 나 자신의 본능으로 기민하게 파악해야 하는 일인 만큼, 괜한 기대를 끼워 넣어 좋을 것이 없었다. 나는 혀를 차며 뒤돌아섰다.

꿍꩜♥ꩰꪜ

　성문이 열리기 시작하는 시간에 맞춰 숙소를 나서기로 약속했던 나는 새벽 이른 시간, 동이 터오기 전부터 부산을 떨었다. 왕궁에서 뛰쳐나올 때 입었던 옷은 버리고, 어제 모크샤가 사다 준 옷을 걸쳤다. 처음 입어보는 단조롭고 뻣뻣한 질감의 옷이 어색했다. 비단으로 된 옷은 너무 매끈매끈하더니, 보통 사람들이 입는 평복은 너무 꺼끌꺼끌했다. 고작 그사이였음에도 편한 것에 몸이 길든 모양이었다.

　나는 차려입은 옷 위에 귀중품이 든 가방을 메고, 레누카가 준비해주었던 후드를 뒤집어썼다. 레누카가 준비해준 거라 그런지 눈에 띄지 않으면서도 제법 질이 좋았다. 준비를 마친 나는 1층으로 내려갔다. 1층에는 나보다 먼저 준비를 마친 모크샤가 기다리고 있었다.

　모크샤는 어제의 가벼운 복장과 달리 제대로 무장한 차림새였다. 어깨서부터 시작해 온몸을 칭칭 감은 두꺼운 가죽띠에는 단검을 비롯한 무기들이 수납되어 있었고, 그 위로 길이가 짧고 품이 넉넉한 망토를 걸쳤다. 바지인 도티 밑부분은 각반으로 꽉 싸매었고, 그 위로 가죽 신발을 덧대어 신었다. 그가 걸친 모든 것이 검었다.

내가 내려오는 걸 확인한 모크샤는 마구간에서 말을 이끌고 왔다. 암갈색의 잘생긴 준마들이었다. 말의 뒤에는 모포와 침낭이 수북이 매달려 있었다. 말은 이게 좋구나. 나는 감탄 어린 탄성을 질렀다.

천만다행으로 말은 날 보고도 멀쩡했다. 말이 도망치지 않았다는 사실에 나는 안도의 한숨을 내쉬었다. 나는 말을 쓰다듬어보려고 손을 뻗었는데, 손이 닿기도 전에 말이 푸르르 고개를 흔들며 싫다는 뜻을 내비쳤다. 그래도 달아나지 않은 게 어디냐며, 나는 만족했다.

하지만 눈앞에 말의 너른 등이 들이닥치고 나니, 현실적인 문제에 봉착했다. 나는 망연한 표정으로 말을 바라보며 중얼거렸다.

"나, 말 한 번도 타본 적 없는데."

"……그럼 도대체 왜 말을 사 오라고 한 거야?"

이번에는 정말로 어처구니가 없었던지, 모크샤는 손에 얼굴을 묻었다. 나 같아도 말을 사 오라 했으니 당연히 말을 탈 줄 안다고 생각했을 것이었다. 정말 입이 열 개라도 할 말이 없었던 나는 머쓱하게 중얼거렸다.

"그편이 빨리 갈 거 같아서……. 이 기회에 배우지, 뭐."

"어제부터 하고 싶은 말이 있는데. 난 호위 겸 길잡이지, 보모나 심부름꾼이 아니야."

나는 입을 딱 다물고는 조용히 모크샤의 눈치를 보았다. 모크샤는 나를 빤히 내려다보더니, 눈앞에서 들릴 만큼 크게 한숨을 쉬고는 말의 고삐를 몰고 앞장섰다. 속으로 진상 의뢰인한테 잘못 걸렸다고 투덜대고 있어도 할 말이 없었다.

그래도 다른 사람 눈치 보는 게 마냥 나쁜 기분은 아니었다. 지금껏 나 하고 싶은 대로 하는 방만한 1년을 보낸 만큼, 요 며칠 새 모크샤와 얽히며 재활치료를 열심히 받고 있는 느낌이었다. 나는 앞서 나가는 모크샤의 뒤를 총총 따랐다.

어느덧 성벽 앞에 도착했다. 새벽안개가 가시지 않았을 정도로 이른 시간이었는데도 불구하고 선객이 있었다. 처음에는 일찍 떠나는 장사꾼이겠지 싶었지만, 가까이 다가가면 다가갈수록 그게 아니라는 걸 깨달았다. 금실로 자수를 놓은 비단옷이 넉넉하고 화려했으며, 터번의 무늬와 장식 또한 다채로웠다.

상인처럼은 보이지 않는 상대의 모습에 내 얼굴이 딱딱하게 굳었다.

성벽에 도착하여, 선객이 누군지 확실히 알게 된 내 입가가 딱딱하게 굳었다. 어제 자마드의 포고령을 읊던 관료였다.

그냥 유턴해서 돌아간 뒤에 나중에 다시 올까 싶었지만, 저쪽에서도 우리를 발견한 뒤였다. 늦었다. 발견하기 전이라면 몰라도 지금 돌아간다면 누가 봐도 수상해 보일 것이다. 나는 땀을 뻘뻘 흘렸다.

제발 걸리지 마라, 제발 무사통과 요망. 나는 간절히 바라며 성문으로 향했다.

"여기에 이름과 목적지를 쓰시게."

수문병의 말에 모크샤가 먼저 펜을 잡았다. 모크샤를 발견한 이들의 표정이 대놓고 일그러졌다. 저주받은 자라며, 아침부터 재수가 옴 붙었다 수군덕대는 소리가 내 귀에까지 들렸다. 내 귀가 밝기는 했지만, 그게 아니더라도 들렸을 정도로 저들은 크게 말했다. 모크샤 또한 들었을 게 분명했다. 하지만 모크샤는 아무렇지도 않게 명부를 작성한 뒤, 나에게 펜을 넘겼다. 도리어 내가 들킬까 하는 긴장감으로 손이 덜덜 떨렸다. 나는 최대한 평정을 유지하려 애쓰며, 위에 모크샤가 쓴 목적지를 그대로 따라 썼다.

그때까지만 해도 무사히 도시를 빠져나갈 수 있을 것처럼 보였다.

"잠깐."

하지만 내가 명부를 기록하고 허리를 들기 무섭게, 관료가 나를 불러 세웠다.

"거기, 자네. 그 후드를 들춰 보게나."

"……."

젠장. 나는 속으로 이루 말할 수 없는 욕을 수도 없이 줄줄 뱉어냈다. 주신이라는 자가 내 부모라는데, 인생사 내 뜻대로 되는 게 하나 없었다. 나는 어떻게 해야 이 상황을 빠져나갈 수 있을지 머리를 굴렸다. 하지만 모크샤가 듣고도 비웃은 변명을 눈앞의 관료가 믿어줄 리 없었다.

관료 옆에 있던 측근으로 보이는 자들 중 하나가 관료의 귀에 대고 소곤거렸다. 이번에 한 말은, 확실히 우리에게 들려주고 싶어 하지 않는 정도의 목소리 크기였다.

"그분께서 저런 자와 함께 계실 리가 있겠습니까?"

"그건 그렇지만, 수상쩍지 않은가."

관료는 단호하게 고개를 내저었다. 업무에 철두철미한 거, 참 좋지. 참 좋은데……. 지금 이 상황에선 절대 달갑지 않은 성실함이었다. 관료는 엄중한 표정으로 나를 바라보며 말을 이었다.

"우리는 아그니 술탄 명으로 한 사람을 찾고 있다. 자네가 그자가 아니라는 것을 우리에게 확인시켜주기만 하면 되네."

유한 말투였지만 절대 뜻을 굽히지 않겠다는 강경함이 느껴졌다. 입이 바싹바싹 말랐다. 손에 들어찬 땀을 몇 번이고 바지에 닦아내었다. 어떻게 해야 하지? 그냥 강행돌파 해야 하나? 모크샤에게는 뭐라고 말하고?

관료 뒤에 서 있는 병사 수도 수거니와, 수문병이 주둔하고 있는 병사들에게 신호라도 내리면 큰일이었다. 아니면 먹힐 때까지 거짓말을 해봐? 머리가 핑핑 돌았다. 왜 하필 떠나려는 마당에 이런 일이. 정말 재수가 없었다. 나는 이를 악물었다.

그때, 나 대신 끼어든 목소리가 있었다.

"높으신 나리께서 제 동생에게 무슨 볼일이 있으십니까?"

그리 말하며 모크샤가 한 발 앞으로 나섰다. 모크샤는 나를 보호하듯 내 앞에 섰다. 눈앞에 드리운 검은 등짝에 나는 눈만 끔뻑끔뻑 떴다. 이 상황에서 모크샤가 끼어들 거라고는 전혀 생각도 못 했던지라 얼떨떨했다.

"동생이라?"

"그러합니다."

의심 어린 관료의 질문에도 모크샤는 천연덕스러웠다. 나는 감격 어린 눈으로 모크샤를 바라보았다. 생각보다 세상은 살 만했다. 그래. 인생에 시련이 나타나면 구원자도 함께 나타나는 법이지. 그가 날 위해 이렇게까지 해주다니, 모크샤가 나를 팔아먹을지도 모른다 의심하고 거리를 두었던 것이 미안해질 정도였다.

"정말 동생이 맞는가? 무엇보다도 저주받은 자의 혈육이 오래 살았다는 이야기를 들어본 적은 없는데."

관료의 낯에 혐오와 꺼림이 뒤덮였다. 옆에서 보는 이마저

질리게 만드는 경멸에 나는 이맛살을 찌푸렸다. 하지만 모크샤는 익숙한 일인 듯 덤덤히 대꾸했다.

"······맞습니다. 부모님께서는 일찍 돌아가셨고, 동생 하나만이 남았습니다. 동생 또한 저주에서 벗어나지 못해 큰 병을 얻어 얼굴이 흉측합니다. 그래서 얼굴을 보여드리기 힘들어하는 것이니, 부디 자비로 이해해주시기를."

모크샤는 허리를 숙였다. 모크샤의 뒤에 숨어 있던 나도 모크샤의 옆에 서서 고개를 숙였다. 제발 이렇게 해서 넘어갈 수 있었으면 좋겠다. 나는 간절했지만 관료는 호락호락한 이가 아니었다. 관료는 우리의 사정 따위는 알 바가 아니라는 듯, 단호하게 고개를 내저었다.

"그렇다면 그 얼굴을 보여주기만 하면 되는 일 아닌가."

"······."

이런 철면피에 옹고집쟁이 같으니. 아주 고지식하기 짝이 없다. 나는 주먹을 꽉 말아 쥐었다. 관료는 손을 들었다. 그러기가 무섭게 관료의 옆에 있던 병사들이 나와 모크샤를 향해 창끝을 겨누었다. 차자작. 날카로운 날붙이 끝이 사방에서 우리를 압박했다. 나는 입술을 질끈 깨물었다. 관료가 흘끗 곁눈질로 눈치를 주자, 정면에 있던 근위병이 한 발짝 다가서며 창끝을 내 후드에 걸쳤다. 그대로 창이 들리니, 내 후드가 들춰지기 일보 직전이었다.

그때, 휙 하고 강하게 나를 끌어당기는 힘이 있었다. 그것은 휘몰아치는 바람 같기도 했고, 날 붙들고 놓아주지 않던 거센 물결 같기도 했다. 갑작스럽게 몸이 휘둘리더니, 뒤통수가 무언가 단단한 것에 딱 하고 부딪혔다. 순간적인 반동으로 머리가 흔들렸다. 그러기가 무섭게 내 어깨를 강하게 휘감는 압박감이 이어졌다. 꼼짝달싹할 수 없는 상황에서, 나는 헉 소리도 내지 못한 채 상황을 깨닫기 위해 노력했다.

눈앞에 드리워진 단단한 팔뚝. 나는 그제야, 내가 모크샤에게 끌어안겼다는 사실을 깨달았다.

최악의 상황이다. 턱을 타고 식은땀이 주룩 흘렀다.

모크샤가 여기서 발정이라도 하면, 그대로 덮쳐지는 데다가 내 정체가 카마라는 것까지 아우팅당하게 된다. 내가 카마라는 게 확실시되면 모크샤의 목숨도 간당간당, 자칫하면 현장에서 그대로 사살될지도 몰랐다. 몸이 덜덜 떨렸다. 나는 모크샤가 자제력이 강하기만을 빌고, 또 빌었다.

"제 동생은 얼굴을 드러내는 것을 꺼려, 남에게 얼굴이 보이면 발작을 합니다. 나리, 제발 선처를 해주시면 아니 되겠습니까?"

모크샤는 나를 끌어안은 채, 관료에게 다시 한 번 고개를 숙였다. 모크샤의 말에 나는 순간 다리에 힘이 풀릴 뻔했다. 다행이다. 모크샤는 자제심이 어지간히도 강한 게 틀림없었다. 자마드처럼 손을 잡은 것도 아니요, 이렇게 가까이서 나를 끌어안았는데도 목소리 높이 하나 변한 게 없었다.

"……두드러기 정도는 참아."

모크샤는 내 귀에 대고 속삭였다. 그제야 나는 내가 모크샤에게 두드러기라고 핑계를 대었던 걸 떠올렸다. 나를 끌어안지 않은 모크샤의 다른 쪽 팔이 슬금슬금 허리춤에 매인 검으로 향했다. 여차하면 그대로 무력 돌파를 할 생각인 것 같았다. 그는 마치 평범한 사람 같았다. 지나치게 이성적이고, 냉정하며, 분석적으로 상황을 파악하고 있었다.

성적으로 불능이라 할지라도 카마의 능력은 강력하다. 완전히 거세되어 세울 수 없는 이를 제외하고는, 고자든 석녀든 성욕을 불러일으키는 것이 바로 카마였다. 그렇게 들었다. 그렇기에 자마드가 내 전용 시종으로 모카를 붙여줬던 것이었다.

나는 무언가 이상한 걸 깨달았다.

모크샤는 지나치게 멀쩡했다.

자마드와도 잠시간의 손을 잡은 처음의 접촉, 그걸 끝으로 닿아본 적이 없었다.

자마드는 언제나 나에게 다가서며 계산을 했다. 혹여라도 내 능력에 휩쓸릴까 봐. 나를 사랑하게 되어버릴까 봐. 그는 카마인 나를 이용해야 하는 만큼, 그리고 사랑에 대해 알지 못하는 만큼, 나를 사랑하는 것을 두려워했다. 그렇기에 자마드는 이 세계에서 나와 접촉하고도 유일하게 멀쩡할 정도로 정신력이 뛰어난 이였지만, 그와 다시 닿는 일은 없었다.

그렇기에 이렇게 타인의 품에서 있어본 적은 무척이나 오래간만이었다. 이 세계로 넘어오고 처음이라 해도 좋았다. 심장이 저리듯이 아파졌다. 혹시, 하는 기대에 숨이 들이켜졌다. 믿어지지가 않았다. 하지만 내 어깨를 단단히 틀어쥔 손은, 이것이 현실이라 외치고 있었다.

분명 모크샤는, 나를 만지고도 아무렇지도 않은 이임이 틀림없었다.

나는 덜덜 떨리는 손을 들어, 내 어깨를 틀어잡고 있는 모크샤의 손에 조심스레 가져다 대었다. 모크샤는 미동 하나 없었다. 나는 그제야 와락, 모크샤의 팔에 매달렸다. 모크샤는 여전히 아무렇지도 않았다. 나는 틀어쥔 손에 힘을 주었다. 딱딱한 가죽 각반 너머로, 생생히 뛰는 혈관의 움직임이, 뜨끈한 체온의 열기가 느껴졌다.

괜스레 눈물이 핑 돌았다. 얼마 만에 느끼는 사람의 온기인지. 갖고 있던 것을 빼앗겼을 때, 처음엔 별거 아니라고 생각했기에 미처 몰랐고, 다음에는 미치지 않기 위해 애써 모르는 척했다. 이렇게 되찾고 나니 내가 잃었던 것이 얼마나 큰 것이었는지 깨닫게 되었다.

사고로 시력을 잃은 이가 다시 세상을 볼 수 있게 된 것처럼, 나는 차오르는 환희에 몸부림쳤다.

그런 나와 모크샤의 모습을 보던 관료의 측근들이 이상하다는 듯 저들끼리 수군수군하더니, 관료에게 조심스레 말했다.

"무언가 이상합니다. 저자가 그분이시라면, 저런 상태에서 저렇게 멀쩡할 리가 있겠습니까? 무슨 일이 나도 단단히 났을 것입니다."

"······그러고 보니 그것도 그러하군."

"아무래도 아닌 것 같습니다. 게다가 그분이라면 주신의 유일한 혈육 아니십니까. 주신을 생각하셔서라도 주신의 저주받은 자와 어울려 다니시지는 않을 것입니다."

측근은 저주받은 자에 대해 강한 혐오감을 드러냈다. 하지만 측근의 말에도 일리는 있었다. 관료는 천천히 고개를 끄덕였다.

하지만 나는 그들이 무슨 말을 하든, 제대로 상황을 파악할 수 있는 상태가 아니었다. 그들이 나에 대한 의심을 계속해서 품든, 접든. 그저 내 온몸을 감싸고 있는 사내의 품이 주는 안정감에 그대로 울고 싶을 뿐이었다.

관료가 다시 손짓하기가 무섭게, 우리를 감싸고 있던 근위병들이 우르르 빠져나가 관료의 뒤에 정렬했다. 관료는 한 발짝 앞으로 나서며 근엄하게 말했다.

"내 무언가 착각을 한 모양일세. 위협해서 미안하네. 술탄께서 엄중히 내리신 명령인지라, 강제할 수밖에 없었네."

"아닙니다. 자비를 베풀어주셔서 감사합니다."

모크샤는 거듭 고개를 숙였다. 어떻게 보면 과할 정도로 비굴한 태도였다. 관료는 고개를 끄덕이고는 말에 올라탔다.

관료의 측근 중 하나가 「하필이면 출발하는 날 재수 없는 것을 봤다.」며 투덜거리는 목소리가 귓가에 생생히 들렸다. 하지만 모크샤는 관료와 그 일행이 떠날 때까지 그저 묵묵히 나를 끌어안은 채 계속 고개를 숙이고 있을 뿐이었다.

새벽녘 잠깐의 시간 동안, 많은 일이 스치고 지나갔다. 갑작스레 몰아친 사건의 흐름에 10년은 늙은 것 같았다. 그럼에도 의심에서 벗어났다는 안도감과 처음으로 느끼는 사람의 온기가 주는 기쁨에, 나는 이 순간이 영원토록 길었으면, 하고 바랐다.

∞⋒❦⋒∞

말을 처음 타는 나는 말에 매달리다시피 하여 허겁지겁 마을을 빠져나왔다. 말을 모는 내내 모크샤와 나, 둘 다 말없이 묵묵히 달리기만 할 뿐이었다. 얼마나 가슴을 졸였는지, 어떻게 마을을 빠져나왔는지 기억이 안 날 정도였다.

마을에서 한참 떨어지고 나서야 숨을 돌릴 여유가 났다. 우리는 숲속 개울가에 도착하기가 무섭게 말에서 내렸다.

훌쩍 말에서 뛰어내린 모크샤와는 달리, 나는 기진맥진해진 채 말의 등에 딱 달라붙어 있었다. 내려가려고 해도 좀체 쉽지가 않았다. 나는 거의 기어서 내려왔다. 내가 땅에 발을 내딛기가 무섭게, 모크샤가 내 어깨를 잡아 돌려세웠다. 접촉하지 말라고 말한 건 이미 머릿속에서 증발된 모양이었다. 하지만 그걸 지적하기엔 나조차도 어안이 벙벙하여, 내 어깨를 틀어쥔 모크샤의 손아귀와 멀쩡하다 못해 분기탱천해 있는 모크샤의 얼굴만을 번갈아 바라볼 뿐이었다. 모크샤는 버럭 외쳤다.

"범죄자 아니라고 했잖아!"

"……범죄자는 아니야. 일개 수배자지만."

나는 우물쭈물 답했다. 모크샤는 터번 위로 머리를 신경질적으로 벅벅 긁었다.

내 시선이 그의 손을 따라 움직였다. 저 손이, 나에게 닿았다. 장난감 쥐의 움직임을 좇는 고양이처럼, 모크샤의 손에 내 시선이 왔다 갔다 했다. 아직도 믿기지가 않았던 나는 멍하니 중얼거렸다.

"그런데 정말 아, 아무런 느낌도 없어?"

"……? 무슨 느낌이 있어야 하나? 뭐, 손을 마주 잡으면 번개라도 내리쳐야 하는 거야?"

뜬금없는 내 질문에 모크샤는 퉁명스레 대꾸했다. 정말로 아무렇지도 않은 모양이다. 내 입가에 미소가 번졌다. 나는 그대로 덥석 모크샤의 손을 잡았다. 모크샤는 당황한 듯 손을 뿌리치려 했지만, 딱히 성욕이 치민다거나 그렇지는 않아 보였다.

나는 몇 번이고 모크샤의 손을 조물조물 만지작거렸다가, 이내 그를 와락 끌어안기까지 했다. 모크샤는 나를 떨쳐내기 위해 어깨를 잡아 밀었지만, 그의 허리춤을 단단히 끌어안은 내 손은 요지부동이었다.

"왜, 왜 이래! 두드러기 난다며!"

왜 모크샤만 내 권능이 통하지 않는 것인지는 잘 모르겠지만, 아무래도 저주받은 자와 관련이 있는 것 같았다. 그렇게 생각하니 아귀가 딱딱 맞아떨어졌다. 내 권능은 주신이 내려준 능력이다. 하지만 저주받은 자는 주신의 가호에서 벗어나며, 인간이라면 응당 받고 태어나는 최소한의 주신의 축복도 거두어진 존재였다. 그는 주신의 자식이 아니니 당연히 주신의 영향을 받는 내 능력, 그러니까 주신은 축복이라 말하는 이 쓸데없는 능력이 통하지 않는 것인 게 분명했다. 내 입가에 미소가 번졌다. 나는 귓가에 울리는 모크샤의 심장박동 소리를 들으며, 절대 이자를 놓치면 안 되겠다는 생각이 들었다.

모크샤의 미간 사이에 주름이 졌다. 그는 날 떨어트리는 걸 포기한 듯 깊은 한숨을 내쉰 뒤, 착 달라붙어 있는 내 정수리 위로 말을 이었다.

"보아하니 두드러기는 거짓말인 것 같고⋯⋯."

"⋯⋯."

"듣자하니 술탄께서 찾을 정도로 높으신 도련님께서 가출하신 모양인 것 같은데. 그냥 돌아가는 게 낫지 않겠어?"

"그건 안 돼. 절대 못 돌아가."

돌아가라니, 그건 안 될 말이다. 나는 단호하게 잘라냈다. 도련님이라고 하는 걸 보아하니, 모크샤는 자마드가 내린 포고령에 대해 듣지 못한 모양이었다. 거기에는 「남복을 입은 여자」라는 구절이 있었으니까. 지금 대하는 태도도 어디까지나 남자애를 대하는 것이었다. 모크샤는 나를 빤히 바라보다 물었다.

"너, 정체가 뭐야?"

"그게 말이지⋯⋯."

모크샤에게서 들러붙었던 팔을 떼어내고, 한두 발짝 뒤로 물러섰다. 처음에는 모크샤와 헤어질 생각으로, 그에게 내 정체에 대해서는 최대한 나중에 알려줄 생각이었다. 하지만 이제 그럴 수 없게 되었다. 모크샤는 내가 만난 「만져도 되는 유일한 상대」였다. 그런 그를 쉬이 놓아줄 수는 없었다.

나는 후드를 벗었다. 이곳의 생김새와 사뭇 다른 얼굴이 이상해 보일까 봐 부끄러웠다. 드러난 내 얼굴은 절대 다르마인 같지 않았다.

모크샤의 이맛살이 찌푸려졌다. 내 출신을 짐작하려는 것 같았다.

"그, 카마라고……."

성욕의 신인데, 알려나 몰라. 목소리가 기어들어 갔다.

본인의 입으로 성욕의 신이니 뭐니 해대는 것은 꽤 부끄러운 일이었다. 한동안 주변에서 알아서 설명해준 덕에, 이런 낯 뜨거움은 맨 처음 아그니에 발을 내디뎠을 때 이후로 처음이었다.

모크샤는 믿지 못하는 듯 눈을 끔뻑끔뻑 뜨더니, 이내 얼굴을 와락 일그러트렸다. 그는 큰소리로 버럭 외쳤다.

"네가 카마라고? 그 아그니 궁전에 있는? 카마께서 왜 여기에……."

이내 목소리를 너무 키웠다는 걸 깨달은 모크샤가 말끝을 흐렸다. 카마라는 말에 그의 반말이 은근슬쩍 존대로 올라갔다.

하지만 그의 붉은 눈동자에 불신의 기색이 가득했다. 당연히 술탄 궁에서 잘 지내리라 생각한 카마가 난데없이 도망쳤다고 하니 어처구니없게 들리기도 하겠지. 아그니 술탄 궁 밖의 사람들은 내가 술탄 궁 내에서 어떤 일을 겪었는지 전혀 모를 테니까. 주신의 자식으로, 고귀한 카마가 술탄에게 강제로 구혼당하면서 감금되어 있을 거라고는 생각도 못 하겠지. 나도 생각도 못 했는데, 하하. 왕궁에서의 일이 생각난 나는 한쪽 입꼬리만 잡아 올려 웃었다.

"당연히 도망쳤으니까."

내 대답에 모크샤는 곰곰이 생각했다. 한참 끝에 되묻는 목소리에는 현실을 부정하고 싶은 마음이 잔뜩 묻어 있었다.

"정말 카마십니까?"

"……응."

"젠장."

모크샤는 거칠게 머리를 부여잡았다. 그는 바닥에 쪼그려 앉았다가, 일어서서 근처를 몇 바퀴나 빙글빙글 돌다가를 반복했다. 하하, 원래 현실이라는 게 이런 법이란다. 하하. 모크샤가 현실도피를 하게 한 원흉인 나는 그가 진정할 때를 기다리며 조용히 입 다물고 있었다. 모크샤는 연거푸 나오는 한숨을 속으로 삼킨 채 중얼거렸다.

"웬일로 쉬운 일이 떨어졌나 했더니, 텄구먼."

"저기, 계약 파기 안 할 거지? 응?"

나는 한껏 비굴하게 물었다. 지금 이 상황에서 모크샤가 못하겠다 하면 큰일이었다. 다른 용병을 찾을 엄두도 없거니와, 내 권능에도 아무렇지도 않은 사람을 만나는 건 하늘의 별 따기였다. 나는 무슨 수를 써서라도 모크샤를 잡아둬야만 했다.

모크샤는 어처구니가 없다는 듯 물었다.

"계약 파기보다도 내가 술탄에게 넘기는 걸 걱정해야 하는 것 아닙니까?"

"그건 곤란한데. 수배금이 탐나는 거면, 내가 나중에 줄게. 응? 나랑 같이 가줘라."

까짓 금전 5000, 인드라 술탄이나 바르나 술탄에게 보태달라 하면 되지 않을까. 나, 그래도 주신의 자식인데……

확신은 없었지만, 혹여라도 내 불안한 기색을 읽은 모크샤가 못 가겠다 드러눕기라도 하면 큰일이었으므로, 나는 잔뜩 뻔뻔스레 대꾸했다.

"……카마라면, 반신 아닙니까. 왜 그렇게 굽실거려요?"

"그냥 반말 써도 돼. 그나저나 네가 계약 파기하면, 난 까딱하다가 자마드에게 도로 잡혀갈 테니까. 우리 아그니 벗어날 때까지만이라도 같이 있자, 응?"

존대를 쓰고 버리고 가느니 그냥 반말 쓰고 같이 가자. 제발. 마음만 같아서는 손을 싹싹 비비고 싶었다. 나는 간절함이 잔뜩 드러난 눈동자로 모크샤를 빤히 바라보았다.

"자마드?"

"아, 술탄."

습관적으로 자마드의 이름을 불러버렸다. 모크샤는 침묵한 채 무언가를 곰곰이 생각했다. 나는 그에게서 최대한 긍정적인 답이 나오기를 기대하며 조용히 기다렸다. 모크샤의 붉은 눈동자가 흘끗 나를 바라보았다.

내 명줄이 모크샤의 손에 달린 만큼, 그의 대답을 기다리는 내 심장이 쿵쿵 뛰었다. 모크샤는 어쩔 수 없다는 듯 고개를 내저었다.

"……어차피 이번 분기 계약은 텄어. 당신 계약을 파기하면 안 그래도 없는 신용, 더 떨어질 테니 어쩔 수 없지."

"그러면……!"

"까짓, 인드라까지 데려다주겠다고."

모크샤는 그새 반말로 돌아왔다. 모크샤가 승낙하자 내 얼굴에 환히 미소가 번졌다. 머릿속에 온갖 망상이 떠올랐다. 이제는 넘어지면 손잡아서 일으켜질 수도 있겠지. 다른 사람에게 닿지 않기 위해 피하더라도, 모크샤와 단둘이 있을 때는 걱정하지 않아도 될 것이다. 그냥 웃기면 깔깔 웃으면서 어깨를 탁탁 칠 수도 있을 테고, 평범한 일상처럼 행동할 수 있을 것이다. 얼마만에 맞이하는 평범한 삶인지. 감격의 눈물이 핑 돌 정도였다.

하지만 그건 나만의 착각인지, 대뜸 모크샤의 말이 내 행복을 가르고 들어왔다.

"근데, 카마라면 여자 아닌가? 네가 여자라고?"

"아."

뒤늦게 깨달은 듯한 모크샤의 표정에, 나는 어색하게 웃으며 머쓱히 대답했다.

"나 여자 맞는데."

내 대답에 모크샤가 배신당했다는 표정을 지었다.

정작 카마라고 했을 때보다도 지금 더 충격받은 것 같았다. 하지만 나도 충격이었다. 내가 여자답지는 않지만, 그래도 여자라고 해서 부정당할 만큼 여자답지 않은 건 또 아닌데, 어째서? 이 세계의 여자의 기준이 본래 세계보다 매우 팍팍하다는 걸 잠시 잊은 나는 괜한 분통을 터뜨렸다.

하지만 모크샤도 충격이 만만치는 않은지, 무엄하게도 나에게 삿대질을 하며 외쳤다.

"머리가 검은 머리잖아! 옷도 남자 옷이고! 아니, 애초에 여자……!"

애초에 여자가, 뭐. 그 뒤에 무슨 말을 하고 싶은 건데. 삿대질은 용납할 수 있지만, 「애초에 여자가」라는 말은 용납할 수 없었다. 술탄에게 뒤쫓기는 나와 같이 가주기로 한 너그럽고 자애로운 모크샤 할지라도 다를 바 없었다. 애초에, 라는 말이 나오기가 무섭게 내 눈이 세모꼴로 휙 변했다.

"그러니까, 그 「애초에 여자가」 소리 듣기 싫어서 이러고 다닌다고. 머리는 원래 검은 머리고."

내 말에 자마드의 입이 다물렸다. 진짜 왜 여자만 머리카락 색이 다른 거야? 웃겨, 정말. 이 세계에 정이 붙으려고 해도 가끔 툭 불거져 나오는 불편한 것들 때문에 마음이 푸시시 식었다. 이놈의 남녀차별. 술탄에게 쫓긴다는 것보다 여자랑 여행하는 게 더 문제인 것처럼 구는 모크샤의 태도에, 나는 불퉁스레 물었다.

"아니면 뭐야. 내가 여자인 게 문제가 되기라도 해?"

"먼 길을 가는 데 체력이……."

"나 체력 좋아. 힘도 좋아."

말은 못 타지만, 발 아파서 못 간다는 소리를 할 정도로 여유로운 신체가 아니라는 건 확실했다.

실제로 여기까지 말에 매달려서이기는 해도 잘 따라오지 않았던가. 말문이 막히자 모크샤는 다른 핑계를 댔다.

"나는 저주받은 자로서 주신이……."

"주신이 싫어하든 좋아하든 알 게 뭐야. 이렇게 되는 게 싫었으면 내가 능력 회수해달라고 할 때 진작 회수해줬으면 좋았잖아."

아니면 이런 일이 없게 자마드가 날 가뒀을 때 알아서 조치하든가. 차 떠난 뒤에 붙잡으려 해봤자 아무 소용없는 법이었다. 나는 주신이 들으라는 듯 머릿속으로 시끄럽게 중얼거렸다.

조금 전에 의뢰를 맡겠다고 했으니 대놓고 거절은 못 하겠다, 이런 식으로 빙빙 돌려서 내가 저를 포기하게 하고 싶은 모양이었다.

하지만 내가 모크샤를 순순히 놓아줄 리가 없었다. 이런 헛된 저항을 해봐야 시간 낭비일 뿐이라는 걸 좀 눈치채야 할 텐데, 아직도 포기하지 않은 듯 모크샤는 또 말도 안 되는 핑계를 대었다.

"그래도 나는 사내인데, 단둘이 붙어 다니면……."

"이미 내 순결의 평판은 끝이야. 젠장, 성욕의 신이라는데 말다 했지. 아무도 내가 정숙하다고 믿지는 않을 테니 상관없어."

자마드는 대놓고 나보고 사내를 올려드리느냐, 하렘을 만들어드리느냐 물었을 정도였다. 내가 경험이 없다고 말해도 한 귀로 듣고 한 귀로 흘릴 정도로 내 순결 여부는 그들에게 가치가 없었다. 왜? 나는 카마니까.

모크샤에게 미안한 말이기는 하지만, 아마 자마드는 내가 낯선 사내와 여행을 한다는 것보다도 저주받은 자와 함께한다는 사실로 인해 내 신성성에 흠이 가는 걸 더 신경 쓸 것이다. 혹여 주신이 나를 제 자식이 아니라 내치기라도 하면, 자마드에게도 내쳐지겠지. 그렇게 생각하니 조금 우울해졌다.

물론 다른 세계까지 보내서 영혼을 세탁해 올 정도로 아끼는 자식인데 고작 저주받은 자와 함께 여행했다는 사실로 화를 낼 거 같지는 않았지만, 내 모든 가치에 도사리고 있는 주신의 존재감에 입맛이 썼다.

모크샤는 그런 나를 빤히 바라보았다.

"내가 해코지할까 두렵지는 않아?"

"해코지? 나를?"

나는 눈을 둥글게 떴다. 어떻게 해코지를 할 것인지 잠시 생각해보았다. 그러니까, 여기서 말하는 흐름을 보건대 나를 칼로 푹 찍 한다거나 그런 뜻은 아니겠지. 다른 걸로 푹 찍 한다는 뜻이려나. 나는 이어지는 말도 안 되는 생각에 이맛살을 찌푸렸다.

"그 반응은 뭐야?"

모크샤는 전혀 「그런 상황」을 개의치 않고 절레절레 고개를 내젓는 내 모습이 어처구니없는 듯 허탈하게 대꾸했다. 「여자」가 선머슴처럼 돌아다니면서 조심성도 없다고 생각하는 것 같았다.

"아니, 상식적으로. 나 그런 이름을 달고 있기는 하지만, 전혀 성적인 매력 같은 건 없잖아. 너도 나 남자로 착각했고."

"그건 그렇지만."

너무 단호하게 말하니 마음이 아팠다. 하지만 부정할 수 없는 사실이니, 빨리 인정할 건 인정하고 넘어가는 게 나았다.

모크샤는 이제야 말도 안 되는 핑계를 늘어놓는 걸 포기한 것 같았다.

"그러고 보니 카마라면 그, 권능인가 뭔가 하는 게 있지 않나? 그것 때문에 만지지 말라고 한 건가?"

"아, 그거."

내 입가에 어색한 미소가 번졌다.

"만지면 그, 해롱해롱 되는 거."

표현을 좋게 해서 해롱해롱이었지, 그냥 회까닥 눈이 뒤집힌다고 봐도 좋았다. 정말 쓸모없는 권능이었다. 나는 손을 쥐었다 펴기를 반복하며 중얼거렸다.

"너한텐 안 통하더라. 그래서 괜찮아."

자신에게 통하지 않는다는 말에 모크샤가 믿기지 않는다는 듯 나를 바라보았다. 진짜라니까. 나는 손을 뻗어 모크샤의 손을 냉큼 잡았다. 손끝에 느껴지는 손바닥의 뜨끈한 온기를 이렇게 여유롭게 느껴본 것이 언젠지 기억도 나지 않았다.

차라리 동물이라도 만질 수 있으면 좋았을 텐데, 이상하게 동물이랑은 상성이 좋지 않았다. 이것도 카마라서 그런 것인지, 아니면 다른 이유가 있는 건지. 크하트에게 물어봐도 이유를 알 수 없다 하니 내가 알 방도는 없었다.

나는 모크샤의 손등을 꼬집기도 하고, 손가락과 손가락 사이를 쫙쫙 벌려도 보고, 한참을 그러고 있었다. 모크샤의 손은 거칠고 이곳저곳 흉이 나 못생긴 편이었지만, 내 눈에는 귀엽고 앙증맞은 고양이처럼 사랑스러워 보일 뿐이었다. 처음으로 만나는, 마음껏 접촉할 수 있는 상대였다. 알게 모르게 사람의 체온에 많이 굶주려 있던 나로서는, 모크샤의 존재 자체가 볼 때마다 경이롭고 대단해 보였다.

대뜸 손을 잡고 만지작거리는 내 행동에 당황하여 손을 내어준 모크샤는, 이내 정신을 차리고 뿌리치듯 내 손에서 제 손을 가져갔다. 얼굴이 약간 붉어져 있는 것이, 화가 난 듯싶었다.

나는 그런 모크샤의 행동이 불쾌하기는커녕 아쉬울 뿐이었다. 나는 이상한 듯 중얼거렸다.

"이상하단 말이야. 왜 너한테는 권능이 안 통하지? 너한테만 안 통하나?"

"내가 저주받은 자라서 그런 것 아니겠어?"

"그런 것 같긴 한데……."

저주받은 자라서 그렇다 말하는 모크샤의 말끝이 잔뜩 날카로웠다. 나는 모크샤의 말이 맞다고 확신했지만, 차마 그렇다고 확답을 내리기에는 모크샤의 눈치가 보였다. 모크샤는 기가 찬 듯 헛웃음을 지었다.

"저주받은 자에게는, 주신의 권능조차도 받을 가치가 없다는 뜻인가 보군."

"아니야, 이런 권능은 받는 것보다 안 받는 게 훨씬 나아."

자조적으로 중얼거리는 모크샤의 말에 나는 황급히 대꾸했다. 하지만 내 목소리는 모크샤의 귓등을 스치고 지나갈 뿐이었다.

제 감정과 육신이 타인에 의해 휘둘리더라도, 차라리 그리됨으로써 주신의 가호 아래 있다는 확신을 받고 싶었으리라. 하지만 내 능력이 통하지 않는다는 것으로 주신에게 버림받았다는 것을 확인 사살당한 꼴이니, 모크샤가 망연자실하는 것도 당연했다.

그 붉은 눈에 허무함과 분노가 일순 차올랐다. 나는 입을 꾹 다문 채, 그의 내부에 여러 가지 감정이 차올랐다 꺼졌다 다시 차오르는 것을 지켜볼 뿐이었다.

만지면 성욕을 불러일으킨다니. 정말 저주 같다고 생각했을 정도로, 내 삶에 있어 암 덩어리 같은 능력이었다. 버릴 수 있으면 무슨 대가를 치러서라도 버리고 싶을 정도였다. 하지만 막상 저주받았다는 이를 눈앞에 두고 이게 저주 같다느니 뭐라느니 할 수는 없었다.

나는 저주받은 자에 대해 막연히 주신의 가호를 받지 못했다, 불행을 몰고 온다, 정도로만 알고 있을 뿐이었다.

하지만 사람들이 피하는 태도와 관료가 말했던 「혈육이 오래 살았다는 이야기를 들어본 적이 없다.」는 말로 미루어 볼 때, 내가 알고 있는 것 이상으로 모크샤의 인생에 드리워진 암운은 깊고 어두운 것 같았다.

감히 나와 비견할 수 없을 정도로.

주신에 대해 그리 대단한 믿음을 갖고 있던 건 아니지만, 그래도 신인데 고작 인간 하나에게 저주를 내리다니. 왠지 치졸하게 느껴졌다. 정의롭고 대단해 보였던 사회적 명사인 부모가 사실은 비리를 축적하고 있었다는 걸 알게 된 어린 자식의 심정이었다. 괜히 모크샤에게 미안하니 죄책감이 들었다.

나는 모크샤의 과거가 궁금해졌다. 하지만 차마 물을 자신은 없었다.

CHAPTER 7
예외와 적응

인생사 새옹지마, 비록 아침에 관료에게 걸리는 심장 떨어지는 일이 벌어졌으나 모크샤와 확실히 인드라까지 동행하게 되었으니 마냥 나쁜 것만은 아니었다. 한숨 돌리기가 무섭게 다시 출발해야 한다며 모크샤를 재촉했다. 하지만 아까 같은 급박함이 없어서 그런가, 형편없는 내 승마 실력으로 인해 속도가 잘 붙지 않았다. 훌쩍 앞서서 말을 몰고 가던 모크샤가 나를 돌아보았다. 그는 잔뜩 굳어서 말 위에 앉아 있는 내 모습에 혀를 찼다.

"거, 아까는 어떻게 타고 온 거야?"

"근성으로……?"

내 말끝이 흔들리면서, 말도 같이 흔들렸다.

몸이 들썩들썩 들리는 게 영 익숙하지 않았다. 모크샤는 잠시 말을 멈추고 나를 기다렸다. 나는 헐떡이며 말 위에서 떨어지지 않기 위해 애썼다. 그는 내 옆으로 말을 붙이면서 조언했다.

"정수리를 잡아당긴다는 느낌으로. 허리 낮추지 말고."

그의 말대로 했지만, 이거라는 느낌은 없었다. 확실히 센스가 부족하다니까. 최대한 허리를 꼿꼿이 세웠지만, 말이 돌을 피해 엉덩이를 치켜세우기가 무섭게 허리가 수그러들었다. 잘하는 모습을 보여주고 싶은데, 보여주는 것 족족 엉망이다 보니 괜히 민망했다. 나는 부끄러움을 무마하기 위해 괜히 상관없는 말을 꺼냈다.

"근데 이 말 진짜 순하다."

"지원금이 두둑한 덕에 좋은 말을 고르긴 했지."

"나를 안 피하는 동물은 얘가 처음이야."

말하고 나니 진짜 신기했다. 이 말이 특이한 걸까, 아니라면 말들의 종족 특성인 걸까. 진즉 말을 시험해봤으면 좋았을걸. 그랬으면 승마도 배워둘 수 있고, 좋았을 텐데. 나는 말의 목을 쓰다듬으며 중얼거렸다.

짧은 털이 손끝에서 미끄러지듯 스쳐 지나가며 말의 생동감 어린 혈관의 움직임이 느껴졌다. 정말 오늘은 기념일로 지정하고 싶을 정도로 내 인생에서 뜻깊은 날이었다.

"동물이 피한다고?"

"어, 내가 사람을 못 만지니까 동물로 대리만족이라도 해보려고 했는데, 고양이고 개고 여우고 사슴이고 전부 내 손이 닿기도 전에 도망가더라."

그리 말하며 어깨를 으쓱이다가 말에서 떨어질 뻔했다. 나는 황급히 말의 목을 잡았고, 그 뒤로는 좀처럼 허리를 세울 수가 없었다. 모크샤는 그런 나를 한심한 시선으로 바라보았다. 정말 이런 애가 카마가 맞는지 의심하는 것 같았다. 나는 말의 목에 매달린 채로 하하, 어색한 웃음을 지었다.

모크샤는 피식 웃으면서 농을 걸었다.

"동물은 사람의 인성을 알아본다는데……."

"내 인성이 어때서."

나는 입술을 내밀고 투덜거렸다. 모크샤는 낄낄 웃고는, 그대로 내 뒷목을 잡아서 번쩍 일으켜 세웠다. 갑자기 시야가 휙 바뀌어 당황했는지, 고삐를 쥔 손에 힘이 들어갔다. 고삐가 조이자 말은 푸르릉 거리며 투레질을 했다.

내가 말을 진정시키기 위해 말의 목을 쓰다듬는 동안, 모크샤는 하늘을 바라보았다. 아직은 햇볕이 내리쬐고 있지만, 해가 조금이라도 기울면 금방 어둠이 찾아올 것이었다. 모크샤는 고개를 내저었다.

"그나저나 오늘 노숙해야 할 것 같은데."

"하면 되지, 뭐."

말은 심드렁히 했지만, 나 때문에 노숙하게 된 꼴이라 모크샤에게 미안했다. 원래대로라면 오늘, 목표로 한 마을에 도착해서 숙박을 잡을 계획이었는데, 승마가 처음인 내 실력을 미처 고려하지 못했다. 모크샤는 그래도 혹시나 해서 침낭을 준비해뒀다는 말을 덧붙였다.

"카마라고 해서 비단 금침 아니면 못 자고, 그런 거 아니지?"

"그랬으면 술탄 궁에서 나올 생각도 안 했지."

내가 그렇게 까다로운 몸의 소유자였다면, 마음은 불편할지언정 몸은 편한 술탄의 하렘에서 평생을 박혀 있었을 것이다. 안타깝게도 까다로운 건 몸이 아니라 마음 쪽이었다.

모크샤는 노숙할 만한 곳을 찾기 위해 말에서 내렸다. 나도 뒤따라 내리려고 했지만, 쉬운 일이 아니었다. 어쩔 수 없이 모크샤가 도와주었다. 되게 손이 많이 가는 의뢰인이 된 것 같다. 나중에 모크샤에게 두둑이 챙겨줘야지. 가능하다면 아주 내 전속으로 삼고 싶은데. 아니, 되게 만드는 것이 쟁취하는 현대인의 마음가짐. 투쟁심을 가져라, 카마. 필요 때문에 상대를 잡아두는 것은 자마드나 나나 같을 테지만, 상대의 마음을 존중한다는 게 다른 점이겠지, 음음. 어떤 조건을 내걸어야 모크샤가 자발적으로 내 전속이 될까.

모크샤의 도움을 받는 건 나쁘지 않은, 되레 좋은 기분이었지만 매번 그에게 이런 쓸데없는 민폐를 끼치고 싶지는 않았다.

모크샤가 민폐 카마와는 오래 엮이고 싶지 않다고 생각이라도 하게 되면 큰일이니까. 적어도 말을 타고 내리는 것만큼은 나 혼자서 할 수 있도록 최대한 노력해봐야겠다. 모크샤의 어깨를 손으로 짚고 내리는 짧은 찰나, 나는 그런 쓸데없는 생각을 했다.

모크샤는 말고삐를 잡고 두리번거리며 앞서 나갔다. 나는 쭐레쭐레 그의 뒤를 따랐다. 곧 괜찮은 자리를 찾았는지, 모크샤가 말고삐를 나무 밑동에 묶었다.

"오늘은 여기서 자지."

그리 말하며 모크샤는 부산스레 움직였다. 아무것도 할 줄 아는 게 없었던 나는, 모크샤에게 방해가 되지 않기 위해 한 발짝 떨어져 그가 하는 것을 보고만 있었다. 모크샤는 어느새 후닥닥 모닥불을 피우고, 침낭을 깔았다. 하지만 바닥에 깔린 침낭은 하나뿐이었다. 나는 모크샤가 이따가 하나 더 깔려나 싶어서 가만히 보고 있었다.

모크샤는 우리가 있는 곳 너머로 방울 달린 실을 설치하기 시작했다. 트랩인 모양이었다. 방울도 무척 작아서, 어둠 속에서 거의 눈에 띄지 않았다. 설치를 다 끝낸 모크샤는 말의 등에서 여행 식량을 꺼내 나에게 하나 던졌다. 엉겁결이었지만 무사히 받아내었다. 모크샤는 픽 웃으며 자기 식량을 들고 모닥불 근처로 왔다. 그렇게 일단락 정리를 하고 난 뒤, 모크샤와 나는 모닥불에 둘러앉아 넓게 퍼진 빵을 잘게 뜯어 먹었다.

해가 떨어지고 나니, 숲에 어둠이 찾아오는 건 금방이었다. 이제 슬슬 잠이 들 시간이었다. 하지만 여전히 침낭은 하나뿐이었다. 모크샤가 나를 재촉했다.

"내일도 일찍 출발할 거니까, 어서 자."

"침낭에서?"

"그래도 카마나 되는 분인데, 비단 금침은 아니어도 침낭에서는 재워야지."

"네 거는?"

내 말에 모크샤는 입을 다물었다. 물어볼 줄 몰랐다는 듯, 그는 머쓱하게 뒷목을 긁적였다.

"숲속이고, 짐승이 떼로 몰려오기라도 하면 큰일이니까. 줄을 쳐두기는 했지만, 위급할 때 바로 대처하려면 앉아서 자는 게 편해. 내 건 필요 없어서 안 샀어."

왜 줄을 치나 했다. 저런 이유일 줄이야. 지난밤 혼자 노숙하였을 때도 멀쩡하였던지라 야생 동물이 이리 경계해야 할 정도로 위험할 거라고는 생각도 못 했다. 나는 망연히 중얼거렸다.

"지금까지는 한 마리도 못 봐서 생각도 못 했어."

"운이 좋았구만."

모크샤는 나무 기둥에 등을 기대고 앉으며 말했다. 그대로 잘 생각인 모양이었다.

"너만 불침번 서려고? 피곤하잖아. 번갈아가면서 해."

"아이고. 카마를 불침번 세웠다가 벼락이라도 맞으면 큰일이지."

"그렇게 치면 카마가 있는데 야생 동물이 덮쳐오는 게 더 이상한 거 아니야?"

말로 내뱉고 나니, 기묘한 확신이 들었다. 그래. 내가 카마인데 짐승이 덤비는 게 말이 돼? 생각해보면 고양이나 개나, 모두 나를 피해 도망치긴 했지만 발톱을 드러내거나 이빨을 보인 적은 한 번도 없었다. 내가 카마라서 그런 것인지, 그게 아니면 나에게 남아 있는 이세계의 이질감 때문인지 알지는 못했지만 지금 이 상황에서 긍정적이라는 건 분명했다.

괜히 자신감이 치솟은 나는 턱 끝을 치켜들며 말했다.

"말했잖아. 동물이 날 피한다니까."

확신할 수는 없었지만, 믿는 구석이 아주 없는 것은 아니었다. 오늘 하루 시험해보면 좀 더 확실히 알 수 있겠지. 모크샤도 무턱대고 믿을 수는 없을 테니까.

내 예상대로 모크샤는 느릿하게 고개를 내저었다.

"그래도 불침번은 서야 해."

모크샤가 그리 말하기가 무섭게, 내 머릿속에 혹시 하는 생각이 떠올랐다. 말할까, 말까. 나는 눈치를 보며 눈을 데룩 굴렸다.

"그러면 나, 네 곁에서 잘래."

"……뭐?"

모크샤는 자신이 제대로 들은 것이 맞는지 확신하지 못한 채 되물었다. 민망함을 해맑은 웃음으로 얼버무리며, 나는 뻔뻔함을 가장하고 다시 한 번 반복했다.

"나만 침낭 속에서 자는 거, 양심에 콕콕 찔린다고. 너처럼 앉아서 잘 거야. 침낭 펼쳐서 모포처럼 덮고 자면 되지."

나는 침낭을 끌어안고 모크샤의 옆으로 갔다. 털썩 주저앉은 내가 모크샤의 옆에 엉덩이를 붙이기가 무섭게 모크샤는 나에게서 최대한 멀리 몸을 쭉 떨어트리며 버럭 외쳤다.

"이, 이 여자가 부끄러운 것도 모르고!"

어둠 속에서도 그의 얼굴이 화르르 타오르는 게 보일 정도였다. 무슨 불순한 생각을 하는지는 모르겠지만, 나로서는 전혀 그럴 의도가 아니었다. 새벽에 밤공기도 쌀쌀한데, 아무리 망토가 두툼하다 하여도 침낭의 보온력이 훨씬 나을 것이다. 옆에 사람이라도 끼고 있으면 더 따뜻할 테고. 좀 따뜻하게 밤을 보내면 모크샤도 내일 하루 일정이 편할 테고, 나도 간만에 사람 온기 느끼니까 좋고. 누이 좋고, 매부 좋고, 일석이조. 완벽한 생각…….

물론 나도 이게 억지에 경우 없는 짓이라는 걸 알았다. 이렇게 눈에 띄게 들이대다니, 과거의 나였다면 죽어도 하지 않았을 제안이었다. 하지만 이렇게 한번 쪽팔려서라도 사람의 온기를 느낄 수 있다면 얼마든지 쪽팔릴 용의가 있었다.

카마로서의 1년 남짓한 생활은 사람의 염치와 체면을 날려버릴 정도였다. 이 정도로 뻔뻔하지 못했다면 애초에 자마드의 돈을 갖고 뛰쳐나올 생각도 하지 못했을 테고, 여기 있지도 않았을 것이다.

"안 덮칠게, 괜찮아, 괜찮아. 나 진짜 진짜 사람하고 접촉하는 거 오래간만이라서. 그냥 여자라고 생각하지 말고, 애새끼 하나 데리고 잔다고 생각해."

나는 모크샤가 자리에서 일어나 나를 피하기 전에 냉큼 그의 팔에 팔짱을 꼈다. 내 팔에 닿은 그의 두툼한 팔뚝은 무슨 나무토막 같았지만, 내가 바라는 온기가 있었다. 모크샤의 얼굴이 찡그려졌다. 그의 붉은 눈동자가 경련이 일 정도로 올라가 있는 내 입가에 닿았다. 뻔뻔스레 웃으며 말했지만, 모크샤가 거절하는 것도 당연하다는 것을 나도 알고 있었다.

다행히도, 모크샤는 내 뜻에 따라주었다. 모크샤는 어쩔 수 없다는 듯 고개를 내저었다. 어쩌면, 사람과 닿지 못하는 데다 동물도 나를 피한다는 말에 나를 가엾이 여기는 걸지도 몰랐다. 하지만 동정심으로라도 온기를 살 수 있다면, 나는 얼마든지 동정받아도 상관없었다. 동정 어린 온기라도 나는 필요했고, 온기를 느껴도 느껴도 부족한 것처럼 갈구했다. 밑 빠진 독에 물을 붓는 것처럼. 나는 허기져 있었다.

모크샤의 몸은 푸근하지는 않았지만 뜨끈뜨끈했다. 모크샤는 석고상처럼 꿈쩍도 하지 않고 앉아 있었고, 나는 그 옆에서 그의 팔을 꽉 끌어안은 채 그의 어깨에 고개를 기댔다. 모크샤는 주변을 경계하는지 몸의 긴장을 풀지 않았으나 나는 쿨쿨, 언제 잠이 들었는지도 모를 정도로 금세 숙면에 빠져들었다.

그날 저녁, 오래간만에 꿈을 꾸었다. 하지만 평소 꾸던 꿈이 아니었다. 갑자기 어둠 속으로 내동댕이쳐지더니, 허우적대며 몸을 일으키려 하기가 무섭게 머리 위로 매서운 목소리가 날아왔다.

—카마!

나는 황급히 고개를 들었다. 그 목소리를 어찌 잊을 수 있으쏘냐. 나는 어둠에 가려 보이지 않는 상대를 부르짖었다.

"락시타!"

자리에서 허겁지겁 일어나, 한 치 앞도 보이지 않는 어둠 속을 헤맸다. 손에 잡히는 것이라고는 하나 없는 공허한 손짓이었다.

고개를 휙휙 돌렸지만, 눈에 잡히는 것이 없었다. 나는 앞으로 고꾸라질 정도로 급하게 근처를 더듬으며 다시 한 번 외쳤다.

"락시타!"

목이 타듯 아팠다. 목이 터져 나가도록 락시타를 부르고 나서야, 저 멀리 희끗한 것이 보였다. 나는 그곳으로 성급히 발을 옮겼다.

가까이 가면 갈수록, 나는 그 허연 것이 무엇인지 알 수 있었다. 어둠 속에서도 환히 빛나는 것은, 새하얗고 뽀얀 레누카의 머리통이었다. 눈을 곱게 감은 그것은 몸은 어디에 두었는지, 혼자서 덩그러니 빛을 발하며 놓여 있었다. 발끝에 엉기는 레누카의 은백색 머리카락 감촉에 소름이 끼쳤다. 나는 뒷걸음질 치다가, 그녀의 머리카락을 밟고 미끄러져 그대로 바닥에 엉덩방아를 찧었다.

가만히 놓여 있던 레누카의 얼굴이, 돌연 눈을 떴다. 퍼런 눈빛이 나와 마주쳤다. 그저 그려놓은 듯 존재하던 입술이 미약히 벌어지며, 입꼬리가 자연스레 호선을 그리며 올라갔다. 레누카의 얼굴은 웃고 있었다.

—카마.

그때, 레누카의 머리가 허공에 불쑥 떠올랐다. 어둠 속에서 서서히 위로 올라가는 것을 멍하니 바라보던 나는, 그제야 레누카를 들고 있는 다른 이의 존재를 눈치챘다.

상대는 어둠 속에서도 쉬이 모습을 분간할 수 없을 정도로 검었다. 수마트인인 그는, 목에서부터 배 끝까지 훤히 뼈와 장기를 드러낸 채 레누카의 머리를 들고 있었다. 모카였다. 나는 입을 틀어막았다. 비명과 함께 구역질이 날 것 같았다. 몇 번이나 욱욱 이는 울음을 삼켜낸 나는, 눈물로 벌겋게 짓눌린 눈가를 다시 한 번 훔쳐내고는 눈꺼풀을 들어 레누카와 모카를 바라보았다.

목만 남아 모카의 손에 얼굴이 고이 얹어진 채로, 레누카는 환한 웃음과 함께 나를 보며 말했다.

—사랑합니다.

"레누카……. 모카……."

바닥에 주저앉은 채 망연히 레누카와 모카를 올려다보고 있던 와중, 모카의 뒤로 무언가 두 인영이 한 걸음, 한 걸음 다가오는 것이 느껴졌다. 느릿한 그것들의 움직임에, 나는 주춤주춤 뒤로 물러서려 했지만, 몸이 딱딱하게 굳었는지 움직일 수가 없었다.

두 인영이 모카의 좌우에 섰다. 벌건 핏물을 뒤집어쓴 그들의 얼굴은 선명히도 내 뇌리에 박혔다. 나는 입을 벌린 채 그들을 바라보았다. 락시타, 레누카, 크하트, 모카……. 모두가 나를 불러대었다.

—카마, 카마, 카마…….

귀를 틀어막고 싶었지만, 그럴 수가 없었다. 감히 저들을 외면해서는 안 된다는 생각이 끔찍한 와중에도 나를 잠식했다. 저들은 아무 잘못도 없던 이들이다. 나 때문에 희생당한, 가엾은 이들의 외침을 무시할 정도로 나는 뻔뻔하지 못했다.

하지만 내 잘못도 아니었어. 나라고 저들을 죽이고 싶었겠어? 나는 저들을 살리고 싶었어. 저것은 그저 내 죄악감 덩어리일 뿐이야. 망자가 아니야. 크하트가 죽었을 리 없어. 레누카도. 내가 괜히 헛생각하는 거야. 재수 없게.

그때, 내 목 뒤에 인기척이 느껴졌다. 그리고 난 다음 바로 귀 옆에서, 나직한 목소리가 스산히 귀에 스며들었다.

—카마시여.

몸이 뻣뻣이 굳었다. 도망치고 싶은데, 달아나고 싶은데. 용암에 굳어버린 돌덩이처럼 손끝 하나 움직일 수가 없었다. 상대의 목소리 밑에 깔린 조롱기 어린 웃음에 눈물이 주룩주룩 났다.

—그러기에 왜 도망가셨나이까. 도망치시면 남은 이들이 어찌 되실지 진정 모르셨단 말입니까?

굳어버린 내 몸은 고개조차 돌릴 수 없었기에, 그가 무슨 표정으로 그리 말하는지 알 수 없었다. 주박에 걸린 사람처럼, 내 시선은 오로지 앞에 서 있는 이들에게만 향해 있었다. 눈물이 주룩주룩 흘렀다.

"그래도, 도망치고 싶었으니까."

무슨 희생을 치르더라도 도망치고 싶었다. 도망치고 나서는 잊었다. 그들을 떠올리면 한 발짝도 제대로 내딛지 못할 것 같았기 때문이다. 나는 나 때문에 희생할 그들을 잊을 정도로 뻔뻔하지 못했지만, 내가 살기 위해 그들을 버릴 정도로는 뻔뻔했다. 차라리 뻔뻔하려면 제대로 뻔뻔하기라도 하든가. 나는 눈을 질끈 감았다. 꿈에서 깨고 싶었다.

얼마나 눈을 감고 있었을까. 슬그머니 눈을 뜨니, 어둠이 걷히고 노을빛이 눈에 스며들었다. 주황빛과 군청빛의 경계 아래, 한 사내가 내 눈앞에 서 있었다. 몇 번이고 꿈속에서 나를 죽인, 내 악몽의 주인이었다. 차라리 그 사내가 반가울 정도였다. 얼른 나를 검으로 벴으면 좋겠다. 이 꿈에서 깨어나게. 나는 비척비척 일어나 그 사내 앞에 섰다. 그러고는 사내가 더욱 쉽게 나를 죽일 수 있도록, 평소처럼 가슴을 활짝 연 채 팔을 뻗었다.

나는 사내가 검을 뽑아 들기만을 기다렸다. 하지만 사내는 나를 노려보기만 할 뿐이었다. 나는 당황하여 사내를 보았다. 그러고 보니 이상했다. 평소 피눈물로 범벅된 얼굴은, 찡그렸을지언정 멀끔한 상태였다. 그제야 나는 사내의 민낯을 볼 수 있었다. 어딘지 모르게 기시감이 느껴졌다.

그 순간, 사내가 피눈물을 흘리고. 일순 치솟은 나의 기시감은 악몽에서 만나보는 사내에 대한 익숙함으로 변질하였다.

사내가 입을 열었다.

―왜 죽인 거냐. 도대체 왜!

지금껏 단 한마디도 말한 적 없던 그가 말을 했다는 것도 놀랄 노 자일뿐더러, 사내의 말이 지금 내 상황과 기막힐 정도로 잘 맞아떨어지는 것에 심장이 덜컹 떨어졌다. 사내가 말하는 상대는 전대 카마라는 걸 알고 있었음에도 불구하고, 순간 그가 나를 힐난하는 기분이 들었다. 그의 말이 내 죄악감을 후벼 팠다.

「나」인 존재는 그에 대해 무어라 답했다. 분명 입술이 옴짝달싹하는 것이 느껴졌는데도 불구하고, 나는 내가 뭐라 말했는지 알지 못했다. 사내의 얼굴이 일그러졌다.

―모두 너 때문이다. 너만 없었어도……!

그리 말하며 사내는 검을 뽑았다. 무어라 더 말했는데, 그 순간 몰아친 바람과도 같은 돌풍에 귀가 먹먹해져 그의 목소리를 잘 들을 수가 없었다. 그리고 그의 검이 나에게로 떨어졌다.

"헉!"

그 순간 나는 잠에서 깼다. 몸이 휘청이며 정신을 차리기가 무섭게 가슴을 움켜쥐었다. 꿈에 두고 오는 고통이 현실에도 딸려 온 것 같았다. 오늘따라 유난히 가슴을 내리치고 가르는 검의 촉감이 생생하게 느껴졌다. 타는 듯이 고통스럽고 찢어질 듯 날카로웠으며, 심장이 뭉개지는 것처럼 심하게 울렁였다.

정말로 검에 베인 것처럼 가슴이 홧홧했다. 식은땀이 비 오
듯이 주룩주룩 났다. 나는 헉헉대며 한참을 고통스러워했다.

"괜찮나?"

나는 그제야 나를 걱정스럽게 바라보고 있는 모크샤를 눈치
챌 수 있었다. 내가 얼마나 몸부림을 쳤는지, 그의 손이 단단하
게 내 어깨를 잡고 있었다. 내가 내팽개쳤는지, 모포는 저 멀찍
이 나동그라져 있었다.

나는 숨을 고르며, 가슴을 쥐어 잡고 있던 손에서 서서히 힘
을 뺐다. 여전히 심장이 욱신거렸고, 무시무시한 속도로 뛰고
있었다. 나는 간신히 입꼬리를 잡아 올려 웃으며, 애써 멀쩡한
척을 했다.

"아, 미안. 나 때문에 깬 거야?"

"슬슬 일어날 시간이라 깨우려고 한 차였어."

내가 진정된 것을 확인한 모크샤는 아무렇지도 않게 대꾸하
며 자리에서 일어서려 했다. 악몽에 관해 묻지 않는 배려가 느
껴졌다. 떠나가는 온기에 나는 그대로 와락, 모크샤의 허리춤
을 껴안았다. 갑자기 허리춤에 대롱 매달린 무게에 모크샤는
일어서지 못하고 엉거주춤한 자세로 멈출 수밖에 없었다.

"……."

"……잠시만, 우리 잠시만 이러고 있자."

나는 그리 말하며 그의 허리를 안은 손에 힘을 더 주었다.

모크샤는 쯧, 혀를 찼다. 모크샤와 만난 지 고작 이틀 남짓이었지만, 나는 그가 나를 버려두지 않으리란 걸 알았다. 그는 은근히 동정심이 많았고, 나는 그것을 이용했다. 약삭빠르다 해도 좋았다. 나는 더 불쌍한 척하며 어깨를 떨었다. 결국 포기한 모크샤가 털썩, 자리에 주저앉으며 말했다.

"100까지 센다."

"응."

내 입가에 미소가 번졌다. 나는 모크샤를 끌어안은 채, 한참을 숨을 골랐다. 나 때문에 죽은 이들, 현실까지 딸려 온 고통, 꿈속의 말들, 죄악감과 죄책감, 그 모든 것을 깊숙한 곳에 꾹꾹 눌러 담았다. 그래야지만 좀 더 뻔뻔해질 수 있었고, 좀 더 뻔뻔해져야지만 내가 나로서 살 수가 있었다.

나도 모르는 새 눈물이 흘러나왔는지, 모크샤의 옷자락이 축축해져 있었다. 모크샤가 투덜거렸다.

"내 옷에 코 풀지 마."

"……안 풀었거든."

나는 가볍게 대꾸하며 그의 옷자락에 눈을 비볐다. 모크샤가 끙, 앓는 소리를 했다. 나는 낄낄대며 모크샤를 놓아주었다. 이로써 오늘도 버틸 수 있다. 그것으로 되었다. 나는 그렇게 나 자신을 타일렀다.

아무 문제없을 거라, 세뇌에 가까운 다짐이었다.

ﾟﾟﾟﾟ♥ﾟﾟﾟﾟ

첫 도시 베르나타를 출발하고 다음 날 점심쯤, 예정된 날짜보다 반나절 늦게 우리는 목적지, 나마롯에 들어설 수 있었다. 그래도 말을 처음 타는 초보자치고는 나쁘지 않다며, 나는 홀로 자화자찬했다. 솔직히 관료들에게 달아나기 위해 무아지경으로 말을 몰았던 효과가 크긴 컸다. 그게 아니었더라면 이틀이 무엇이냐, 사흘 내내 걸려서야 간신히 도착했을지도 모르는 일이었다.

모크샤가 있어서 그런지, 베르나타 때보다 좀 더 마음 편하게 검문 절차를 완료했다.

사람들에게 휩쓸릴까 두려웠던 나는 모크샤의 등에 딱 달라붙어 있었다. 모크샤에게 달라붙어 있으면 아무와도 부딪힐 일이 없었다. 되레 사람들이 알아서 설설 피했다. 베르나타에서도 모크샤가 걷는 길 그대로 사람들이 갈라졌던 것이 떠올랐다. 저주받은 자라는 게 이렇게까지 할 일인지. 몸은 편했지만, 마음이 영 불편했다.

모크샤는 사람들의 경멸을 받으면서도, 꼿꼿이 허리를 펴고 앞서 걸었다. 나라면 사람들의 시선에 상처받는 것이 두려워 후드를 뒤집어쓰고 눈을 가렸을 텐데, 모크샤는 시종일관 붉은 눈동자를 드러내고 있었다.

처음에는 모크샤가 자신이 저주받은 자라는 사실을 아무렇지 않아 하는 것이라 생각했다. 자신이 남들 눈치 볼 일이 아니라고 생각해서 더 떳떳하게 굴고, 농담 삼아 말하는 거로 생각했다. 하지만 마냥 그렇게 생각하기에는 모크샤가 했던 말 곳곳에 자신이 저주받은 자라는 것에 대한 회한과 분노, 자괴감이 도사리고 있었다.

나는 모크샤가 무슨 생각으로 걷고 있는지 알 수 없었다. 그런 만큼 나는 그가 저주받았다는 사실에 대해 어떻게 여기고 있는지에 대해 좀 더 자세하게 알게 되기 전까지는, 모크샤 앞에서 쉬이 그 소재에 관해 이야기를 꺼내지 말자 다짐했다. 물론 나는 카마이고 싶어서 카마인 것도 아니요, 주신의 자식으로 태어나고 싶어서 태어난 것도 아니다. 하지만 상황만 놓고 보았을 때, 그가 받는 모든 불합리한 태도의 원인이 되는 자는 바로 내 아버지, 주신이었으니까.

"저기."

내가 그런 생각을 하고 있던 찰나, 모크샤가 갑자기 뒤를 돌아보며 나에게 말을 걸었다.

모크샤에 대해 생각하고 있던 나는 지레 찔려 화들짝 놀라 발걸음을 멈췄다. 모크샤는 내 과장된 반응에 이상한 표정을 지었다.

"우선 오늘 해가 밝았을 때 필요한 여장을 좀 더 꾸려야겠어. 술탄이 쫓고 있다면, 지금의 준비만으로는 부족할 게 분명해."

"난 잘 모르니까, 너한테 일임할게."

나는 해외여행 시 기내용과 수화물용 캐리어를 기가 막히게 잘 꾸릴 자신은 있었지만, 이 세계에서 말 위에 뭘 실어야 할지는 하나도 몰랐다. 모크샤가 알아서 잘 꾸려주겠지. 난 지갑만 열면 되는 거고. 나는 모크샤에게 믿음 어린 반짝이는 눈빛을 보냈다. 모크샤는 픽 웃으며 말했다.

"이 기회를 타서 내 무기나 좋은 걸로 바꿔야겠군."

"그러든가."

새 무기는 무인들이라면 누구나 다 탐내는 것이다. 무기를 새로 장만하게 되면 모크샤가 좋아할 테니 나는 당연히 고개를 끄덕였다. 하지만 기뻐할 거로 생각한 것과 다르게, 나를 바라보는 모크샤의 표정이 떨떠름했다.

나는 내가 말실수를 한 건 아닐까, 내가 한 말을 되짚어 생각해보았다. 하지만 짚이는 건 없었다.

"왜 그런 표정이야?"

"아니, 뭐. 씀씀이가 큰 게 역시 카마구나 싶어서."

모크샤는 어깨를 으쓱였다. 그제야 나는 모크샤가 무기를 바꾼다는 말이 농담이라는 걸 깨달았다.

하지만 그래도 여전히 모크샤만 좋다면 더 좋은 무기로 바꿔주고 싶었다. 내가 돈을 펑펑 쓰는 건 이런 식으로라도 그의 환심을 사고 싶었기 때문이지 딱히 카마라서 씀씀이가 큰 게 아니었다. 나는 모크샤가 필요했다. 그리고 나는 그가 좋았다. 성적으로 좋다는 건 아니었다. 그저 타인에게 멸시의 시선을 받으면서도 굽힐 곳은 굽히고 뻗댈 곳은 뻗대는 것이, 인간적으로 존경스러웠다. 그것만으로도 내가 모크샤에게 물심양면 돈을 쓰는 이유는 충분했다.

하지만 기어코 모크샤는 새 무기를 사지 않았다. 내가 이 검 어떠냐며 근사해 보이는 곡도를 들어 보였지만 모크샤는 시선도 주지 않았다. 결국 비수로 쓸 단검 여러 개, 단궁 하나와 장궁 하나, 그리고 화살촉 여러 개를 사는 것으로 끝냈다.

레누카가 준 여비가 있기는 했지만, 대충 내가 갖고 있던 돈이 얼마나 되는지 알고 싶었던 나는 모크샤의 도움을 받아 보석의 시세를 어림잡았다.

보석은 어마어마한 가격이었다. 보석 두세 개면 그럴듯한 저택 하나도 살 수 있을 거라는 말에 나는 입을 떡 벌렸다. 모크샤는 도대체 어디서 이런 보석을 구했느냐는 듯 나를 보았다. 나는 어깨를 으쓱이는 것으로 답을 대신했다.

내가 짐작하고 있던 것보다 돈이 훨씬 넉넉하다는 사실에 모크샤가 사고 싶은 건 다 사주고 싶은 마음이 차고 넘쳤다. 하지만 모크샤는 내가 진심이란 걸 알게 된 이후로 입을 꾹 다물었다. 그전에는 농담 삼아 돼지 통구이가 먹고 싶다느니 새 각반을 갖고 싶다느니 툭툭 던지던 말들이 이제는 쏙 들어갔다.

첫 도시에서는 하지 못한 도시 구경을 모크샤 덕에 실컷 했던 나는, 주변 풍경에서 시선을 떼고 모크샤를 살필 정도로 여유로워졌다. 쪼르르 모크샤의 옆에 붙어서 이곳저곳 돌아다니던 나는 모크샤의 시선이 한 노점상에 닿는 것을 포착했다. 나는 모크샤의 팔을 잡아끌며 물었다.

"저거 먹고 싶어?"

"아니."

심드렁한 모크샤의 대답에, 나는 모크샤가 그전에 시선을 주었던 노점상을 가리키며 말했다.

"그러면 저거는? 내가 사줄게."

"괜찮아. 왜 자꾸 그래?"

모크샤가 이상하다는 듯 물었다. 나는 머쓱히 웃으며 손을 꼼지락거렸다. 뭐라도 먹여주고 싶어서 그런 건데, 저렇게 정색을 하니 할 말이 없었다.

"아니, 네가 그쪽을 보길래."

나는 면구스레 중얼거릴 뿐이었다.

왜 사주겠다고 했는데도 눈치를 봐야 하는지 모르겠다. 나는 싱숭생숭한 마음으로 데룩 눈을 굴렸다. 모크샤가 나를 그냥 물주로 보지는 않는구나 하는 마음이 반, 그렇게 나한테 얻어먹는 게 신세 지는 것 같은가 하는 마음이 반이었다.

모크샤의 붉은 눈동자가 내 머리 위에 내리꽂혔다. 마치 그대로 레이저 빔이 나와서 날 쪼아대는 것 같았다. 모크샤는 어처구니없는 목소리로 대꾸했다.

"마을 지리를 파악하는 거야. 그렇게 돈 쓰고 싶으면, 숙소나 두 개 잡아주지 그래."

어제 한 침낭에서 같이 잔 걸 비꼬는 듯한 말투였다. 평소의 나였다면 알았다, 방 하나 더 잡아주겠다 큰소리치고 말았겠지만 모크샤의 품이 주는 온기가 얼마나 소중한 건지 깨달은 이제는 쉬이 그럴 수 없었다.

"그건 좀."

지금까지 주저주저했던 것이 거짓말처럼, 내 대답은 단호했다. 여자인 내가 사내인 모크샤에게 들러붙다니, 이 세계의 기준으로 보면 말도 안 되는 일이요, 성 평등화가 이루어진 전 세계 기준으로 보아도 흔한 일은 아니었다. 게다가 나는 모태솔로. 원래의 나였다면 낯선, 만난 지 고작 사흘 된 사내에게 같이 자자느니 손을 잡게 해달라느니 하는 소리는 입에 담지도 않았을 테고 머릿속으로 떠올리지도 않았을 것이다.

나도 굉장히 내가 이상한 상황이라는 걸 알았다. 하지만 알면서도 이리할 수밖에 없을 때가 있는 법이었다.

모크샤는 내가 이렇게 대답할 줄 알았다는 듯이 코웃음을 쳤다. 하지만 별다른 말을 하지는 않았다. 그는 어쩔 수 없다는 표정으로 나를 한번 물끄러미 보고는, 다음 목적지로 발걸음을 향했다. 나는 그런 모크샤의 행동을 같은 침대를 쓰는 것에 대한 승낙으로 받아들였다.

헤벌쭉한 웃음이 절로 지어졌다. 마치 좋아하는 여자애에게 고백한 뒤 오케이를 받은 고등학교 남자애 같은 심정이었다. 나는 히죽히죽 웃으며 그의 뒤를 따랐다.

∞◌❦◌∞

준비할 건 전부 준비했다. 술탄의 군사들에게 언제 발목을 잡힐지 모르는 만큼, 최대한 빨리 아그니 왕국령을 넘어가는 것을 목표로 했다. 다음 날도 일찍 출발해야 하는지라 나는 이른 시간에 잠자리에 들었다. 방은 하나요, 침대도 하나였다.

둘이 자기 넉넉한 침대였는데, 더블 룸을 요구했을 때 여관 주인장 표정이 아직도 잊히지가 않았다. 모크샤가 딱딱한 표정으로 형제라고 말했지만, 썩 핑계가 들어 먹힌 것 같지는 않았다.

같은 침대를 쓰는 건 좋은데, 조금 불편한 문제가 생겼다. 옷을 갈아입거나 하는 게 좀 번거로웠다. 모크샤와 나는 서로 등을 마주하고 옷을 갈아입었다. 나는 괜한 호기심에 흘끔, 몰래 모크샤를 훔쳐보았다. 모크샤의 몸은 잘 단련되었는지 근육으로 빼곡했다. 저러니까 그렇게 딱딱했지. 나는 혀를 내두르며 도로 고개를 돌리려 했다.

하지만 시선 끝에 흉한 상처가 닿았다. 아까는 안 보이는 각도에 길게 늘어선 상처는 검상처럼 날카롭고 길었다. 저렇게 심한 흉이 졌을 정도면, 상처 입었을 당시는 더 끔찍했을 것이다. 내 이맛살이 찌푸려졌다.

그러고 나니 다른 상처들이 눈에 쏙쏙 들어왔다. 옆구리의 검상만큼 심한 것은 아니었으나, 자잘한 흉들이 많았다. 화살을 맞은 상처에, 심지어 화상 자국도 있었다. 거의 누더기나 다름없는 수준이었다. 원래 용병이 이렇게 몸을 험하게 굴리는 직업인 건지, 아니면 모크샤가 유독 심한 건지. 나는 걱정스레 혀를 찼다.

그러고는 내가 혀 차는 소리에 휙, 돌아본 모크샤와 눈이 마주쳤다.

"뭘 봐?"

"아, 아니. 그, 근육이 쩔어서."

"……."

차마 상처를 살펴봤다고 할 수 없었던 나는 근육 핑계를 대었다. 모크샤는 한심한 시선으로 날 보았다. 쥐구멍이 있으면 숨고 싶었다. 왜 모크샤랑 이야기만 하다 보면 이렇게 되는지. 이게 바로 약자의 숙명이란 말인가. 계약서에는 갑으로 이름을 올렸지만, 실질적 을인 나는 붉어진 얼굴을 감추기 위해 휙 고개를 돌렸다.

내 뒤에서 모크샤가 옷을 마저 입으며 혀를 쯧쯧 찼다. 이래서 믿을 놈 하나 없다느니, 다음부터 내 말은 못 믿겠다느니. 모크샤는 희롱이라도 당한 것처럼 온종일 중얼거렸지만, 실제로 내가 그를 희롱한 게 맞았으니 나는 할 말이 없었다.

나는 간편한 옷을 입고 그대로 침대에 드러누웠다. 체력이 좋아졌다고는 하나 새로운 곳에 왔다는 정신적인 피로로 노곤했다. 나는 꾸물대며 이불을 끌어 모으다가, 옷을 갈아입기가 무섭게 나갈 채비를 하는 모크샤의 모습에 눈을 둥글게 떴다.

"어디 가?"

어디 간다는 이야기는 없었는데. 나는 몸을 베개 위로 반쯤 일으켜 세우며 바지를 가다듬는 모크샤를 보았다. 모크샤는 허리춤에 매는 널찍한 천을 솜씨 좋게 잘 매며 흘끔 나를 바라보았다.

이상하게 한번 들러붙은 모크샤의 시선이 물끄러미 이어지는 것 같았다. 나는 큼큼, 헛기침하고 변명하듯 말을 이었다.

"시간도 되게 늦었는데. 아까 살 거 다 산 거 아니었어?"

"잠시 볼일이 있어서."

무슨 볼일인지 나는 눈짓으로 되물었지만, 모크샤의 말은 저기서 끝이었다. 어딜 간다고 말을 하면 좋으련만 모크샤의 표정이 오묘했다. 이상하게 전전긍긍하는 것이, 내가 가지 말라고 막으면 어쩌나 하는 것 같았다. 화장실 급한 사람처럼 초조해 보이기도 했다.

나는 지금 시각을 헤아려보았다. 모크샤가 나가면 혼자 잠들든지 그를 기다려야 하든지 둘 중 하나였다. 바로 잘 생각이었는데, 나는 투덜거리며 물었다.

"뭐야. 그러면 오늘 늦게 오는 거야?"

"새벽에나 들어올 것 같은데."

그리 말하며 모크샤는 큼큼, 헛기침했다. 붉은 눈동자가 기묘하게 나를 따라붙었다. 이상하게 내 반응을 탐색하는 것 같은 시선이었다.

모크샤가 어딜 가는 건지 짐작도 안 갔던 나는 눈을 가늘게 떴다. 지금 나가서 새벽에나 들어올 만큼 오래 걸리는 일이 뭐가 있담. 이 늦은 시간에 용병소에 들르는 것도 아닐 테고. 아니, 용병소에 간다면 나에게 굳이 숨길 이유가 없잖아.

혹시, 나를 몰래 고발하려고……? 머릿속에 갖은 생각이 휘몰아쳤다.

그 순간, 퍼뜩 크하트에게 들었던 이야기가 떠올랐다. 용병들은 돌아다니는 일이 많은 만큼 한군데 정착하는 경우가 드물었는데, 그렇기 때문에 새로운 마을에 들를 때마다 홍등가에 가서 여자를 산다는 것이었다.

나는 그게 무척 의외였다. 여자를 가둬둘뿐더러 얼굴조차도 쉬이 내보이지 않고, 여자가 부정을 저지르는 것에 대해 엄격한 나라인지라 홍등가가 있을 거라고는 생각도 못 했었다.

솔직히, 카마의 존재 자체가 받아들여지는 것도 이해가 안 갔다. 아니, 섬기려면 좀 제대로 섬겨서 남자든 여자든 평등하게 에브리바디 러브 앤 피스 하든가. 수많은 여자 중 카마인 나만 완전 똑 떼다 놓은 취급을 하는 것이 우스웠다. 카마는 여자가 아닌 무슨 명예 남성이라도 되나.

정말로 마음에 들지 않는 이 세계 가치관에 대해 투덜거리는 나에게 크하트는 쓰게 웃으면서 그나마 카마 이후로 여성들 취급이 나아진 것이라고 했다. 도대체 뭐가 나아진 건지 모르겠다는 내 모습에, 크하트는 고개를 내저었다.

그리고 덧붙이기를, 카마는 성욕의 신이자 창녀들의 신으로, 홍등가 여인들이 극진하게 모시니 머릿속에 기억은 하고 계시라 하였다.

홍등가가 생긴 것은 전생의 카마 현신 이후로, 죄인들을 이용하여 나라에서 꾸려나가고 있다고 했다. 빚으로 팔려오는 이들은 없으며, 보통 집에 빚이 있으면 지참금을 주는 사내의 하렘으로 딸을 보내는 편이었다.

홍등가에 있는 이들은 주로 부정으로 이혼당한 여자나 죄인의 식솔들이었는데, 홍등가가 없었던 카마 이전이었다면 국법에 의해 죽었을 이들이라고 했다. 크하트의 말에 나는 어처구니가 없었다. 정말 여권이 망했다는 것도 알겠지만, 그러니까, 저 홍등가라는 걸 만든 것이 전생의 나인 모양이었다.

능력만 있다면 하렘에 여자를 몇을 꾸리든 상관이 없는 데, 굳이 홍등가에 가는 이들이 있느냐 크하트에게 물었다. 크하트는 고개를 내저으며, 그런 데를 가는 것은 신분이 낮거나 가정을 꾸릴 수 없는 부족한 남자들뿐이라고 답했다. 하렘을 꾸리려면 넓은 집도 있어야 하고 여자를 데려오며 내어줄 지참금도 필요하니, 사내들은 모두 아내를 얻기 위해 일을 한다고 해도 과언이 아니라 껄껄 웃었다.

그 말이 왜 이제야 생각이 났는지. 모크샤가 어디를 가는 건지 이해한 나는 어색하게 웃었다. 얼굴이 확 타올랐다. 나는 이 민망한 분위기를 빨리 환기하기 위해 되는 대로 말을 주워 뱉었다. 하지만 당황해서 그런지 엉뚱한 말만 튀어나왔다.

"돈은 필요 없어? 돈 더 줄까?"

"돈은 무슨. 너 내가 어딜 가는 줄 알아서 돈을 준다 만다 하는 거야?"

모크샤의 눈살이 찌푸려졌다. 나는 무릎 위에 놓인 이불을 그러모아 쥐었다 풀기를 반복했다. 너 지금 홍등가 가려는 거잖아. 말이 목 끝까지 차올랐다. 하지만 차마 쿨한 척 내뱉을 수는 없었다. 이상하다. 자마드랑 있었을 때는 여자들이 기다리고 있다느니 뭐라느니 잘 말했었는데, 왜 목에 떡이 콱 틀어막힌 것 같은 기분인지 알 수가 없었다.

그래도 손잡고 잤던 놈이라고, 이상한 연애심리 비슷한 게 슬금슬금 들기는 하는 모양이었다. 그런 상대한테 내뱉은 말이 「돈 줄까?」라니. 내 가치관도 여기 있으면서 많이 맛이 간 모양이었다.

그래도 가지 말라고 떼를 쓰는 것보다 나았다. 모크샤에게 있어 나는 충분히 진상 고객이었고, 다음 계약을 위해서라도 나는 최대한 갑이되 을처럼 굴어야 하는 입장이었다. 무슨 말을 내뱉을지 모르는 내 상태가 두려웠던 나는, 베개에 받치고 있던 허리를 쑥 내려 침대에 누우며 애써 밝은 목소리로 외쳤다.

"그럼 나 먼저 잘게. 잘 다녀와. 다녀와선 꼭 여기서 자는 거 잊지 말고."

그리 말하며 배웅했지만, 모크샤는 꼼짝도 하지 않았다. 흘끔 고개를 빠끔히 이불 밖으로 빼내어 모크샤를 바라보니, 그는 망연한 표정으로 오도카니 서 있을 뿐이었다. 모크샤와 시선이 마주쳤다. 모크샤는 그제야 정신이 든 듯, 번쩍 고개를 들며 외쳤다.

"뭐, 뭘 엉뚱한 생각을 하는지는 모르겠지만, 그런 거 아니니까 헛생각하지 말고 후딱 자!"

"그럼 어디 가는지 알려주면 되잖아."

"......"

모크샤의 입이 다시 다물렸다. 떳떳하든 아니든, 딱히 숨길 것도 아닌데 이야기를 안 하니까 더 이상했다.

그의 입술이 옴짝달싹했다. 카마라더니, 사내 심정은 반 푼만 아는 반 푼어치라는 중얼거림이 예민한 내 귀에 긴밀히 포착되었다. 내가 왜 저런 소리를 들어야 하는지. 내가 무어라 말하려 입을 열기가 무섭게, 그의 눈이 원망스레 나를 획 노려보았다. 뭐라 하려던 내 말은 목 너머로 쏙 들어갔다. 모크샤는 벌건 눈을 부라리며 말했다.

"검술 연습할 거다, 검술 연습! 누구 때문에 예니체리랑 맞붙을지도 모르지, 밤에는 잠 못 자게 치덕치덕 들러붙지! 차라리 잠 못 자는 그 시간에 칼 좀 가다듬는 게 낫겠다 싶어서 그러는구먼, 뭐? 누가 카마 아니랄까 봐, 그런 식으로밖에 생각이 안 돌아가지? 불순하게!"

마지막은 발악에 가까울 정도로 처절했다. 강한 부정은 긍정이라던데......

하지만 차마 그리 말할 수 없을 정도로 모크샤는 씩씩대더니, 문을 거세게 쿵 닫고는 방을 나섰다. 얼마나 세게 닫았는지, 벽이 찌르르 울리며 방문 너머에서 문 좀 살살 닫으라는 외침이 들렸다.

저렇게 예민하게 구는 걸 보아하니, 어지간히도 홍등가에 갈 거라는 의심이 충격적이었던 모양이었다. 하지만 크하트에게 듣기로는 용병들은 거의 백이면 백 다 간다고 들었는데. 더욱 이해할 수가 없었던 나는 모크샤가 닫고 나간 문을 멍하니 바라보았다.

"아니, 검술 연습 할 거면 그냥 그렇다 할 것이지……."

나는 망연히 중얼거렸다. 하지만 내 말을 들어줄 이는 방 안에 없었고, 내 말은 그저 공허한 메아리가 되어 방을 맴돌았다.

❧

새벽녘, 부스럭거리며 모크샤가 방에 들어서는 소리가 잠결에 언뜻 들렸다. 휑하니 비어 있던 등 뒤로 단단하고 널찍한 무언가가 맞닿았다. 잠에서 빠져나오지 못한 나는 그냥 웅얼거리는 목소리로 왔느냐고 물었지만, 들리는 답은 없었다.

다음 날 아침, 일찍 일어난 모크샤와 나는 짐을 추스르고 여관을 나섰다. 모크샤는 다음 도시까지는 꽤 오래 가야 한다며, 가다가 중간중간 있는 마을에 들러서 음식을 보충해야 할 거라고 전체적인 일정에 대해 말했다. 나는 굶지만 않으면 이러나저러나 상관없었기 때문에 흔쾌히 고개를 끄덕였다. 말 위에서 온종일 들썩일 엉덩이가 벌써 아파왔지만, 그건 정말로 익숙해질 때까지 참는 수밖에 없는 일이었다. 안 그래도 조금이라도 충격 흡수를 하기 위해, 어제 말안장에 덧댈 두꺼운 천을 사놓았다.

우리는 도시를 빠져나가는 순간까지도 긴장을 풀지 않았다. 원체 지난 도시에서의 일이 충격적이었던 탓이다. 그래도 나를 찾는 관료와 마주하는 청천벽력 같은 일이 연달아 두 번 일어날 리는 없었다. 무사히 빠져나온 우리는 안도하며 가슴을 쓸어내렸다.

타닥타닥, 내 속도에 맞춰서 말을 몰았다. 모크샤는 투덜대듯 말했다.

"이러다 술탄 군에게 따라잡히겠구만."

"아니면 우리가 이렇게까지 느리게 가고 있는 줄 몰라서 엉뚱한 데를 조사하고 있지 않을까. 국경쯤 가면 막 예니체리들 쌓여 있고."

나는 깔깔 웃으며 말을 받았다. 거의 서른 가까이 되어 보이는 모크샤와 스무 살 초반인 내가 반말로 투닥거리고 있으니 묘한 기분이었다. 무슨 조카랑 놀아주는 삼촌 같았다.

내가 그냥 남동생 취급하라고는 했지만, 정말로 모크샤는 나를 그렇게 대하고 있었다. 내가 반신인 만큼, 실제 내 나이가 모크샤보다 어리다고는 생각하지 않는 것 같았지만 아는 지식이 없다시피 하니 약간 세상 물정 모르는 이처럼 보는 모양이었다. 남동생처럼 대하며 허물없이 구는 것이 싫은 건 아니지만 뭔가 아쉬운 듯한 느낌이 들기도 했고, 괜히 모크샤와 친해진 것 같아 만족스럽기도 했다. 나도 내 마음을 잘 모르겠다. 웃는 내 입가 밑으로 혼란이 뒤섞였다.

내 농담에 모크샤는 산더미처럼 쌓인 예니체리들을 떠올렸는지 고개를 절레절레 내저었다.

"그렇게 되면 난 당장 너 두고 튈 건데."

"맙소사."

시시덕거리며 받았지만, 정말로 예니체리들이 산더미처럼 쌓여 있으면 어쩌나 하는 걱정이 들긴 했다. 말은 두고 튄다느니 뭐라느니 해도, 모크샤에게는 뭔가 방도가 있을 거라 믿었다.

인드라와 아그니의 국경에는 산이 놓여 있었는데, 정말로 방도가 없다면 최후의 선택으로 산을 넘어야 할 수도 있었다. 산에서 길을 잘 찾을 자신이 없었던 나는 흘끔 모크샤를 보았다.

그런 내 시선을 어떻게 해석한 건지, 모크샤가 눈을 가늘게 뜨고 대꾸했다.

"그러고 보니 어제 일, 또 뭐 이상한 생각할까 봐 미리 말해 두는 건데. 나는 홍등가 같은 데 안 가."

어제 일을 또다시 끌고 오다니, 어지간히도 억울했던 모양이다. 굳이 다시 설명 안 해줘도 되는데. 나는 모크샤를 약 올리듯 답했다.

"알았어, 알았어. 너 어제 검술 연습했다. 됐지?"

"아, 진짜."

내가 별로 믿지 않는다고 생각했는지, 모크샤의 표정이 일그러졌다. 목소리 끝에 묻어나는 짜증에 나는 슬쩍 모크샤의 눈치를 보며 중얼거렸다.

"……크하트가 용병들은 많이들 간댔는데."

"그 크하트란 사람, 높은 놈이지?"

"아마도."

왕실박사였고, 카마인 나를 보러 올 수 있는 자격이 있을 정도였으니 신분이 높으면 높았지 낮은 이는 아니었을 것이다. 나는 당연스레 고개를 끄덕였다. 모크샤는 그런 나를 보며 고개를 내저었다.

한심함과 답답함이 잔뜩 어려 있는 것이, 순진한 애새끼를 보는 눈길이었다.

"설령 정말 홍등가를 간다 하더라도, 사내들은 자기가 홍등가에 가는 걸 숨겨. 홍등가에 간다는 건, 부양할 여자가 없다는 것과 같은 말이고, 한마디로 능력 없는 사내라는 거거든. 그래서 홍등가에 간다 만다 말하는 건 무척 예민한 문제야. 다른 용병들 앞에서 그런 소리 하지 마라. 자존심 뭉개는 거나 다름 없어서 앙심을 품거든."

"아아."

나는 어색하게 웃었다. 크하트는 왜 저런 이야기를 안 했을까. 몰라서 안 했을 확률이 높았다. 잘은 몰라도 크하트도 꽤 좋은 집안 사람이었을 테고, 애초에 홍등가에 가는 이들을 가엾게 여기는 어조이기도 했다. 크하트 또한 금수저를 물고 태어난 사람일 테니, 밑바닥 사람들 비위 맞출 일이 무엇이 있었겠는가. 심지어 카마인 나에게 알려주는 지식이었으니 더더욱 할 필요가 없었을 터였다. 카마가 용병들을 생각해서 말을 가리기를 바랄 리 없었을 테니까.

모크샤는 역시 모르고 있었을 줄 알았다는 듯이 코웃음을 쳤다. 그러고는 심드렁히 말을 이었다.

"그리고 난 안 간다고 표현했지만, 솔직히 못 가는 거고."

나는 모크샤의 말에 그를 바라보았다. 왠지 뒤에 이어질 말은 듣지 않아도 알 것만 같아, 심장이 강하게 죄었다.

"홍등가 여인들도 저주받은 자랑 엮이고 싶지 않아 하는 건 똑같거든."

모크샤는 아무렇지도 않게, 가벼운 어조로 말을 이었다. 하지만 그 아래 숨겨진 제 운명에 대한 분기와 자조는 숨기려야 숨길 수 있는 것도 아니요, 배척받은 이의 인생을 생생한 날것 그대로 느끼게 해주었다.

"내 하렘에 들어오고자 하는 여인도 없을 거야. 터무니없는 지참금을 줘야지만 간신히 가능할 테지."

근데 그렇게 해서 들여놓은 여인이 날 피한다면, 정말 부질없을 거 같군. 모크샤의 중얼거림에 내 입이 턱 하니 틀어막혔다. 다물린 입은 쉬이 떨어지지가 않았다. 자마드가 카마라는 편견과 선입견을 나에게 뒤집어씌우는 것에 화를 내며 바락바락 소리 질렀던 내가, 정작 모크샤에게는 용병이라는 편견을 뒤집어씌우고 있었다. 얼굴이 뜨거웠다. 내가 당연스레 품은 생각이 부끄러웠다.

모크샤는 그 말을 끝으로 입을 떼지 않았다. 어색한 분위기가 둘 사이에 내려앉았다. 나는 어떻게 해서든 이 분위기를 타파해야 할 것 같은 의무감이 들었다. 그때 내 머리에 삐용삐용, 이게 기회다 싶은 생각이 떠올랐다. 나는 조심스레 운을 떼었다.

"저기, 모크샤."

"왜."

"넌 어떤 여자가 좋아?"

"……상냥하고 착한 여자."

모크샤는 한참의 숙고 끝에 신중하게 답했다. 그러면서 붉은 눈동자가 흘끔, 날 스치고 지나갔다. 그런 건 왜 물어보는지, 탐색하는 시선이었다.

끙. 저런 게 제일 어려운데. 나는 상냥하고 착한 여자라는 모크샤의 이상형에 곤혹스레 앓는 소리를 냈다. 그래도 여자 따위 필요 없다 하는 것보다는 나았다. 여러모로 결혼 의지가 있다는 뜻이니까. 나는 침을 꿀꺽 삼키고, 당당히 모크샤에게 제안했다.

"너 내 전속으로 계속 계약하면, 내가 너 마누라 한 열은 얻을 수 있을 정도로 계약금 걸어줄게. 괜히 여러 의뢰 받으면서 힘들게 일하느니, 나랑만 일하면 편하고 좋잖아. 무, 물론 위험 수당이 딸린 일이기는 하지만."

처음은 당당했지만, 말끝은 쪼그라들었다. 아무리 돈으로 목숨도 사는 세상이라 하지만 술탄과 대적하는 일이다. 쉽게 그러마 하고 받아들일 사항은 아니었다.

정말, 정말로 진실한 마음으로는 그냥 나랑 사귀자고 하고 싶은 심정이기는 했다. 하지만 상냥하고 착한 여자라니. 나랑은 백억 광년 이상 떨어져 있지 않은가. 머릿속에 청순가련하면서도 자애로운 미인이 그린 듯이 떠올랐다.

모크샤가 나 같은 애를 좋아할 리 없잖아. 나는 고개를 도리도리 저었다.

오르지 못할 나무는 쳐다보지도 말랬다고, 괜한 기대를 품어서 좋을 게 없었다.

내가 모크샤에게 월급을 빵빵하게 주면 모크샤는 그 돈으로 아내를 얻을 수 있고 하렘도 차릴 수 있을 것이다. 돈이 있다면 여자를 만날 수 있으니 모크샤도 행복해지고, 그를 내 곁에 붙들어 둘 수 있으니 나도 행복하고. 자마드의 추적만 없었더라면 정말 완벽할 텐데. 나는 혀를 차고, 비굴할 정도로 가련한 표정을 지으며 나와 전속계약을 맺는 것의 장점을 설파했다. 영업직의 비애가 절로 느껴졌다.

"그리고 카마의 측근이라고 하면, 저주받은 자라는 게 주는 부정적인 느낌도 많이 완화되지 않을까?"

"참 나."

모크샤는 어처구니없는 표정을 지었다. 나는 본능적으로 이 영업이 실패했다는 것을 느꼈다. 모크샤는 너랑 있으면 한숨 쉬다 죽겠다 중얼거리고는, 어이없는 목소리로 날 질책했다.

"성욕의 신이라더니 이제는 뚜쟁이냐. 말이나 잘 몰아. 거기 돌 있다."

내가 성욕의 신인 게 뭐 어때서! 순간 발끈한 나는 바락 소리를 질렀다.

"아, 너 어제부터 자꾸 카마 카마 타령인데, 그거 그만 좀, 으, 으아악!"

"난 분명 조심하라고 했다."

돌을 밟은 말이 비틀거리며 크게 위아래로 요동쳤다. 낙마할
정도로 큰 사고는 아니었지만, 말하던 와중인지라 대차게 혀를
씹었다. 모크샤는 쯧쯧 혀를 차고는, 터덜터덜 말을 몰아 앞서
나갔다. 나는 말을 진정시킨 뒤, 얼얼한 혀를 빼며 모크샤의 등
을 노려보았다. 하여간 비위 맞추기 어지간히도 힘들어요. 나
는 모크샤를 원망스레 바라보았다.

"안 오고 뭐 해?"

"간다, 가!"

나는 바로 말고삐를 내리쳤다.

울며 겨자 먹기나 다름없었지만, 내 경우는 웃으면서라도 먹
어야 하는 상황이었다. 나는 모크샤가 두고 간다는 말을 하기
전에 후닥닥 그의 뒤로 따라붙었다. 그러면서 다시 한 번 전속
계약에 대해 넌지시 말을 꺼냈다.

근성의 한국인, 의지의 한국인. 세 번 넘어져도 다섯 번 일어
나는, 포기를 모르는 도전이었다. 하지만 헛소리 그만하라는
면박만 당하고, 금언령만 받은 채 끝이 났다.

외전 1
모크샤의 욕망

"저주받은 자를 들였더니, 아주 옴이 붙었어! 이걸 어떻게 할 거야, 어?"

"……."

고용주가 버럭 성을 냈다. 나는 한숨을 삼키고는 상대를 내려다보았다. 고용주의 두툼한 손가락이 바로 코앞에서 이리저리 흔들렸다.

상대가 이렇게 흥분했을 때는, 특히나 그 상대가 고용주일 때는 침묵하는 것이 제일 선택이라는 걸 알고 있었다. 하지만 재차 목소리를 높이며 어떻게 할 거냐 캐묻는 상대의 질책에 나는 변명으로 들릴 뿐이라는 걸 알면서도 입을 열 수밖에 없었다.

"저는 말렸습니다만, 듣지 않은 것은 당신 아들 쪽입니다. 어떻게 할 거냐고 물어봤자, 제 잘못이 아니니 어쩔 수가 없습니다."

"사람이 다쳤는데, 잘못이 아니라니!"

고용주의 목청이 쩌렁쩌렁 귀를 울렸다. 미칠 것 같았다. 아무리 생각해도 제 잘못이 아니었기 때문이다. 자신은 분명 위험하다고 몇 번이고 만류했지만, 말을 듣지 않은 것은 바로 고용주의 아들이었다. 오히려 내가 묻고 싶은 심정이었다. 어떻게 교육을 받으면, 그런 말도 안 되는 파렴치한 짓을 할 수 있는 것인지.

이번 고용주는 상단의 주인이었다. 그 아들은 상단의 후계자로, 아버지의 상단을 따라다니며 일을 배우고 있었지만 내가보기엔 일에 별달리 흥미가 없는 것 같았다. 나로서는 인드라에서 아그니로 오는 과정의 호위만 맡은 것일 뿐, 장기 계약을한 것이 아니니 상단 후계자의 상태가 어떻든 간에 별로 신경쓸 만한 일이 아니었다. 그때는 그리 생각했다.

고용주의 아들은 상상 이상의 망나니였다.

여정의 와중 방을 내어준 귀족의 여자를 범하려 하다니, 그게 말이 되는 소리던가?

뒤뜰 으슥한 하렘 근처에서 저녁 산책을 하던 여자에게 다가가는 고용주의 아들을 내가 발견한 것은 천만다행이었다. 누가보아도 귀한 신분으로, 쉽게 건드릴 수 있는 상대가 아님에도 고용주의 아들은 하렘 밖의 여자라는 핑계를 대며 그녀를 욕보이려 했다. 심지어 우연히 마주친 나에게 망을 보라 시키기까지 했다.

당연히 난 그 아들을 말렸고, 그 과정에서 실랑이가 곧 소란으로 번졌다. 내 말을 듣지 않았던 고용주의 아들은 귀족의 사병에게 붙들렸고, 전말을 알게 된 귀족에 의해 흠씬 두들겨 맞은 뒤 거세형에 처해졌다. 고용주의 상단이 저택에서 내쫓기게 된 것은 당연한 수순이었다.

고용주인 상단주는 제 아들이 거세된 것과 더불어 귀족과의 틀어진 관계를 핑계로 잔금을 주지 않을 생각인 것 같았다. 까짓 잔금, 얼마 되지도 않지만 이런 식으로 날 엿 먹여 분풀이를 하려는 게 분명했다.

그것 때문에 부랴부랴 계약 해지를 하자며, 목적인 아그니의 수도를 코앞에 두고 근처 마을의 용병소에 들르기까지 했다. 수도의 용병소는 지방만큼 호락호락하지 않았고, 일방적인 계약 파기의 이유를 상세히 캐묻는 만큼 이것저것 절차가 까다로워지기 때문이었다.

쳇, 혀가 절로 차졌다. 자신이 없었더라면 상단주의 아들이 큰일을 냈을 테고, 그랬다면 더 큰일이 벌어졌을 것이다. 하지만 그렇게 상황을 객관적으로 보는 데에는 관심이 없겠지. 당장 눈에 보이는 나에게 일을 미루면 편하니까.

세상에 벌어지는 모든 핑계를 나에게 돌리는 건 익숙하다 못해 지루했다.

"전 제가 할 일을 다 했으니, 남은 잔금을 주십시오."

"잔금은 무슨! 내 아들 꼬라지를 보고도 잔금 소리가 나오나? 저래선 우리 집안 대가 무너지게 생겼어! 애써 호위를 고용한 이유가 뭔데!"

아니나 다를까, 고용주는 억지나 다름없는 말을 쏟아냈다. 저런 한심한 자식이 대를 잇는 집안이라면 망해도 상관없지 않을까. 하지만 그 이야기를 당사자 앞에서 꺼내지 않을 정도의 눈치는 있었다. 고용주는 단호하게 고개를 내저었다.

"좌우지간 난 돈 못 주네. 내가 자네에게 받아야 할 판이야!"

"계약서에는."

"계약서건 뭐건! 계약 위반으로 손해 배상을 청구하지 않는 걸 다행으로 여겨! 자네 용병 생활이 아주 끝이 나는 수가 있어!"

고용주는 눈을 부라리며 소리를 질렀다. 나는 이를 꽉 깨물었다. 정말로 잔금을 떼먹을 생각인 모양이었다. 고용주가 이렇게 나오면 나로서는 방법이 없다. 안 그래도 저주받은 자라서 좋게 보는 이가 없는데, 누가 내 편을 들어주겠는가?

"이래서 저주받은 자를 고용하는 게 아니었는데."

퉤. 고용주는 바닥에 침을 뱉고 뒤돌아섰다. 쿵쾅거리며 용병소 1층으로 내려가는 발걸음 소리가 멀어져 갔다.

모든 핑계를 그에게 두는 것도, 시선에서 절로 묻어나는 경멸도 익숙했다. 이런 식으로 잔금을 떼어먹는 것도 처음 있는 일은 아니다. 하지만 이번만큼은 정말 곤란스럽다. 하필 착수금을 조금만 받은 턱에, 준비금이 부족하여 용병소에 돈을 빌린 상황이었다.

바로 다른 일을 찾아 그 준비금으로 메꾸면 되겠지만, 저주받은 자이니만큼 실력이 뛰어나도 일이 그렇게 쉽게 쉽게 들어오지는 않는다. 어쩐지 간만에 장기 의뢰여서 좋다 했더니, 망했다. 절로 나오는 한숨을 속으로 삼키며 얼굴을 손으로 쓸어내렸다.

용병소에 빌린 돈도 돈이지만, 당분간의 생활비도 부족할 것이다. 저 고용주 성격을 보건대 내려가면서 1층에 있는 접수원에게 나에 대한 욕을 잔뜩 늘어놨을 테고, 그러면 자연스레 저에게 쉽게 의뢰를 내어주지 않으려 할 것이다.

눈앞이 막막했다.

그렇게 머릿속으로 주판을 튕기고 있는 사이, 아래층에서 큰 소리가 들렸다.

"아니, 그러니까 돈이 있어도 지금 사람이 없다니까? 안 그래도 바쁜 철인데, 남은 사람까지 술탄께서 득득 긁어서 고용해 갔다고."

접수대를 담당하는 사내의 억울한 목소리.

무슨 일이기에 위층까지 다 들릴 정도로 소리를 높이는지 궁금했던 나는 자리에서 일어섰다. 한 걸음, 한 걸음 1층을 향해 다가가자 접수원과 한 소년의 목소리가 두런두런 들려왔다.

"……그러고 보니 사람이 전혀 없는 건 아닌데."

"그러면 그 사람을 연결해줘."

"하지만, 그……."

접수원의 앞에 있는 상대는 체구가 가늘었다. 키가 작지는 않았지만, 잔뜩 껴입은 옷 위로도 뼈대가 가늘다는 것이 느껴졌다. 변성기도 지나지 않은 목소리로 보아 아직 어린 소년 같았다. 저 어린 소년이 혹시 의뢰인인가? 혹시나 하는 기대에 가슴이 두근거렸다.

물론 소년이 자신을 고용한다는 보장은 없었다. 하지만 오늘 언뜻 둘러본 용병소의 현황을 파악한 결과, 남는 인력은 저밖에 없었다. 소년이 사람이 급하다면 나를 고용할 수밖에 없으리라.

"저주받은 자인데, 괜찮겠나?"

접수원이 무어라 말하기 전, 내가 말을 가로챘다. 남의 입으로 내 처지를 설명하는 것보다는, 직접 말하는 게 차라리 속 편했다.

접수대 앞에 앉아 있던 소년이 몸을 돌렸다. 얼굴은 후드로 가려져 생김새가 잘 보이지 않았지만, 후드 밑 얼굴선은 곱상했고 접수대 위에 올린 손끝은 단정했다.

나는 빠른 눈으로 소년의 옷차림을 훑었다. 신발 가죽은 자못 수수해 보이지만 튼튼하기로 소문난 물소가죽으로 덧댄 것이었고, 바짓단도 솔기 하나 트임 없이 깔끔했다. 후드도 칙칙한 잿빛이었지만 촛불에 비친 부분이 반드르르 빛이 났다. 무엇 하나 귀하지 않은 것이 없다. 귀족가 도련님인 모양이로군. 나는 혀를 내둘렀다.

소년은 손가락으로 조심스레 후드를 치켜들었지만, 그 얼굴 외모가 전부 보일 정도는 아니었다. 소년의 입술이 작게 벌어졌다. 아마 내 붉은 눈동자를 발견한 것이겠지. 처음 보는 이들이 깜짝 놀라다 못해 말을 잊는 것은 종종 있는 일이다.

도리어 이렇게 분명할 정도로 깜짝 놀라며 눈을 마주쳐 오는 것은 유쾌할 정도지. 나는 피식, 자조적인 웃음을 지었다.

"아주 얼굴 뚫어지겠네."

나는 빈정거렸다. 그제야 소년은 후드를 내리고 시선을 피했다.

"특이하군. 나랑 눈이 마주치기가 무섭게 다들 눈을 피하기 바쁜데."

나는 소년에게로 다가갔다. 가까이서 본 소년은 계단참에서 봤던 것보다 훨씬 가녀려 보였다. 목소리로 추측하건대 한 열댓 살쯤은 됐을까. 그 나이대치고는 키가 훌쩍 큰 편이기는 했다.

소년은 침묵한 채 딱딱하게 굳어 내 눈치를 보았다. 경멸이 아닌 경계는 생소했다.

그의 시선이 나를 훑는 것이 느껴졌다. 내가 소년을 파악하듯, 소년도 날 파악하고 있었다. 하긴, 저주받은 자라면서 나타났는데 선뜻 고용한다 말할 수는 없겠지. 그것도 이런 어린애가. 무서워서 도망치지 않는 것만으로도 용한 상태였다. 소년은 나에 대해 어떻게 생각하고 있으려나. 나는 최대한 기대하지 않으려고 노력하며 심드렁히 물었다.

"그래서, 저주받은 자인 나밖에 없는데, 어찌하겠나?"

하지만 마음속은 조마조마하기 그지없었다. 솔직히 소년이 나를 고용해주기를 간절히 바랐지만, 내 인생이 그렇게 쉽게 흘러갈 리가 없다. 돈이 필요한 찰나 때마침 등장한 의뢰인이라니. 너무 운이 좋지 않은가. 그리고 내 경험을 두고 보건대, 보통 이런 것은 내가 움켜쥐려 하기 무섭게 손가락 사이로 빠져나가기 마련이었다.

"괜찮아, 괜찮아."

하지만 웬일인가. 소년은 성급히 나를 잡았다. 나로서는 다행스러운 일이었지만, 그만큼 당황스럽기도 했다. 그도 그럴 것이 선뜻 계약하자 잡는 것은 드문, 아니 거의 처음 있는 일이었다. 보통 저주받은 자와의 계약은 피하기 마련이었고, 어쩔 수 없이 계약을 하게 되어도 이것저것 재보곤 했다. 내 실력과 별개로 그들은 내 몸값을 후려치려 했고, 의뢰에 있어 조금의 흠만 있어도 전부 나에게 덮어씌우기 위해 호시탐탐 기회를

엿보았다. 바로 오늘 파기당한 의뢰 또한 그렇지 않았던가. 이 상황을 쉽사리 믿을 수 없었던 나는 얼떨떨함을 삼킨 채, 소년을 떠보듯 물었다.

"……나라도 상관없다는 걸 보아하니 상당히 급한 모양이로군. 주신의 서주를 받을지도 모르고, 불행의 대상이 될지도 모르는데?"

"응. 그래서 말인데 빨리 계약해주면 안 될까."

"나중에 물러달라 해도 소용없어."

짐짓 으름장을 놓았지만 소년은 개의치 않는 것 같았다. 되레 환히 웃기까지 하니, 나는 난생 처음 맞닥트린 상황에 표정 관리를 할 수가 없었다. 난 지금 어떤 표정일까. 입꼬리가 움찔거리고 뺨이 아파오며 눈에 힘이 들어갔다. 분명 이상한 표정일 것이다.

지금껏 저주받은 자로 살아오면서, 제일 먼저 생존을 위해 익힌 것은 다른 무엇도 아닌 표정 관리였다. 그들은 내가 즐거워하면 남의 불행이 그리도 즐거우냐며 손가락질하였고, 분노하면 네가 무슨 권리로 화를 내는 거냐며, 널 보고 있는 우리가 화를 내야 할 상황이라며 발길질을 했다.

그러다 보니 나는 자연스레 희로애락을 겉으로 드러내지 않으며, 코앞에서 물이 끼얹어지든 뺨을 맞든 눈썹 하나 까닥이지 않을 정도가 되었다.

그랬던 내가 표정 관리가 힘들다니? 순식간에 무장해제라도 당한 기분이다. 생소한 불쾌감. 본능적으로 내 몸은 경계 신호를 보냈다. 이 소년은 무언가, 다른 이들과 달랐다. 이 소년과 깊게 얽히면 왠지 내 인생이 송두리째 뒤바뀔 것만 같았다. 그것이 긍정적인 변화일지 부정적인 변화일지는 짐작조차 되지 않는, 그저 감일 뿐이었지만…….

하지만 그렇다고 소년의 의뢰를 받지 않을 수는 없었다. 나는 소년에게서 거리를 두며 위층을 손가락으로 가리켰다.

"그럼 계약서 쓰게 위로 올라가지."

나는 앞서 성큼 2층으로 향했다. 일단 계약 내용부터 들어보고 결정하자. 당장 급한 건 나였으니까. 내 뒤에서 소년이 졸졸 따라오는 것이 느껴졌다.

2층으로 올라가는 계단을 밟아 오르면서도 여전히 얼떨떨했다. 확실한 건, 이렇게 일이 잘 맞물리는 것은 내 인생에 있어 손에 꼽을 정도로 드문 일이라는 것이었다. 계약 파기가 되자마자 새로운 계약자가 등장하다니. 어쩌면 내가 이렇게 불안해하는 것은, 이렇게 일이 술술 풀리는 상황이 생소하여 불안하기 때문일 수도 있다. 그만큼 나는, 이 상황이 실감 나지 않았다. 나는 쯧, 혀를 찼다.

꒰◍꒱♥꒰◍꒱

자신을 카자마라고 밝힌 새 고용주는 이상한 이였다.

상대가 나밖에 없는 방 안에 들어섰음에도 후드를 벗지 않았다. 계약서를 작성하느라 거추장스러울 텐데도 얼굴을 반쯤 가린 후드를 가만히 두는 걸 보면, 얼굴을 쉽게 드러낼 수 없는 것 같았다.

얼굴을 제외한 걸 외견만 보기엔 열다섯쯤. 하지만 말하는 내용에 깃든 상황 파악력은 충분히 어른스러웠다. 하대도 자연스럽게 입에 배어 있는 걸 보니, 상당히 교육받은 고위 귀족의 자식일 가능성도 높았다.

그래서 그런지 묘하게 똑똑한 것 같으면서도 세상 물정을 모르는 것이 티가 났다. 머리를 굴리는 것은 빠릿빠릿하긴 한데, 그게 익숙하지 않은지 미묘한 허점이 보였다.

애써 당황한 척하지 않으려 하는 것조차 어수룩했다. 그런 걸 보니 좀 귀여웠다.

물론 그가 숨기는 것은 얼굴뿐만이 아니었다. 출신이나 인드라로 가는 이유 등 이것저것 숨기는 것이 많았다.

이름은 진짜일까? 혹시 가명을 써서 나중에 의뢰를 파기하거나 도망칠 생각은 아닐까. 그 정도로 약삭빨라 보이지는 않았지만 세상사는 모르는 거니까.

눈앞의 소년이 범죄자로 보이지는 않았지만, 수상쩍기 그지없는 상대라는 것만큼은 분명했다.

게다가 인드라까지 가는 데 금화 열 개를 제시했는데도 흔쾌히 고개를 끄덕인다. 이것이 정말 시세를 몰라서 이러는 건지, 아니면 떼어먹을 생각이 만만한 것인지……. 나는 감을 잡기 위해 눈을 가늘게 떴다.

"그러면 선금 금화 다섯 개 먼저 받도록 하지."

나는 일부러 선금을 세게 불러보았다.

본래 한 사람을 인드라까지 호위하는 비용은 금화 여섯 개 정도였다. 그러니 선금으로 금화 다섯 개나 받아두면, 만약의 경우에도 그럭저럭 수지 타산이 맞을 것이다. 이번에도 잔금을 못 받은 채 빚을 지고 싶지는 않다. 선량하고 아무것도 모르는 꼬마를 등쳐먹는 것 같아 기분이 찝찝했지만, 주변에게 당할 만큼 당해온 나로서는 상대가 꼬마가 아니라 병아리라 할지라도 쉽게 믿기 힘들었다.

"선금을 반이나? 저기, 이 마을을 나서서 주면 안 될까?"

반을 못 주겠다면 못 주는 거지, 이 마을을 나서서 주겠다는 게 무슨 말인가. 내가 지그시 바라보자, 카자마는 당황한 채 눈을 데굴데굴 굴렸다. 이런 일에 익숙하지 않은 티가 났다. 사실 선금을 반이나 주는 상황 자체가 말이 안 되었다. 그랬다면 내가 이렇게 빚을 질 이유도 없었을 텐데. 그래, 맞다. 나는 빚이 있다. 나는 빚을 핑계로 대어 선금을 요구했다.

결국 우리는 금화 세 개로 타협했다. 물론 이것조차 애초에 내가 선금으로 받아야 할 돈을 생각하면 꽤 많은 돈이었다.

하지만 카자마는 별로 돈을 아까워하는 기색은 아니었다. 어지간히도 잘사는 집안 도련님인지 자잘한 물정도 잘 몰랐고, 돈 씀씀이가 컸다. 저주받은 자인 자신을 고용한답시고 금화 열 개를 쓸 정도니 말 다 했다. 거기에 식비와 여관비 등의 경비까지 추가로 청구하겠다고 했지만 선뜻 그러라 하기까지 했다. 경비는 우습게 볼 돈이 아니었다. 자잘해도 인드라까지 가는 데 몇 날 며칠이 걸리는 걸 생각하면 꽤 큰돈이 되었다. 하지만 카자마는 개의치 않았다. 좌우지간, 그는 수상쩍기는 했지만 결과적으로는 좋은 고용주였다.

2층 계단을 오르면서 카자마에 대해 불안해했던 마음은 손바닥 위에 놓인 금화를 쥠과 동시에 온데간데없이 사라졌다. 계약서에 쾅쾅 도장도 찍었겠다, 선금도 받았겠다, 마음이 내심 놓였다. 그래서였을까.

오늘은 무슨 변덕인지, 저도 모르게 카자마를 향해 불쑥 손을 내밀었다.

"잘 부탁하지."

다른 이들이었다면 저주받은 자와 악수를 하면 재수가 없다 손을 탁 쳐냈을 것이다. 그래서 상대가 먼저 악수 제의를 하기 전까지 손을 내밀지 않는 편이었다.

그때만 하더라도, 무슨 기대 같은 것을 한 모양이었다. 저주받은 자 앞에서 주신의 이름을 스스럼없이 입에 담고, 저주받은 자라는 사실도 개의치 않는 것처럼 보이기에 상대가 자신을 평범하게 대한다고 착각을 했다.

그러니까, 카자마가 고개를 내젓기 전까지는.

"나도 잘 부탁해. 그런데 내 사정상 악수는 힘들어서……."

"……."

찬물을 뒤집어쓴 것 같았다. 이런 대우는 해가 뜨고 달이 지는 것처럼 익숙한 일이었지만, 뒤통수를 맞은 기분이 썩 좋을 리가 없었다. 기대한 만큼 실망이 크다. 저주받은 자가 거부당하는 건 익숙한 일이다. 자신이 헛된 희망을 품었다는 걸 알면서도 반발심 어린 불쾌감이 뱃속을 꽉 채웠다. 고용주에게 대놓고 불쾌감을 드러내지 않기 위해 애써 노력했지만, 썩 소용없는 모양이었다. 정말 오늘따라 표정 관리가 쉽지 않았다.

카자마는 내 눈치를 보며 변명하듯 입을 열었다.

그마저도 제대로 변명하지 못한 채, 말끝을 흐렸다. 가늘고 잘 다듬어져 있는 손끝이 저들끼리 부딪혔다.

누가 고용주고, 누가 고용인인지. 고용주가 제 눈치를 보는 상황이 말이 된단 말인가? 더 심한 말을 하고도 아랑곳하지 않는 이들도 많고, 그들의 앞에서는 아무렇지도 않게 버텨왔다. 하지만 이 작은 소년 앞에서는 쉽게 평정심을 잃었다.

"하긴, 저주받은 자와 동행은 해도, 접촉하면 무슨 저주를 옮아 갈지 모르니까 말이지."

"그런 의미가 아니라……."

"아니, 뭐. 어떤 의미든 상관은 없어. 난 고용되었고, 고용주가 그리 말했으니 지키도록 하지."

소년은 잔뜩 당황해서 입을 열었지만, 나는 듣지 않았다. 변명을 들어봤자 좋을 게 없다. 차라리 저주받은 자인 것 따위, 신경 쓰지 않는 척하거나 말지. 괜히 사람 기대하게 해놓고 절벽에서 등 떠밀 듯 밀어버리는 것은 애초부터 경멸당하는 것보다 더 질이 나빴다. 농락당한 기분이었다.

일단 계약서를 쓰고 선금을 받기는 했지만, 카자마가 나와의 계약을 파기할 생각이 있다면 얼마든지 들어줄 생각이었다. 이렇게 찜찜한 기분으로 인드라까지 동행하는 것은 무리다. 하지만 그는 우물쭈물할 뿐 계약에 관한 어떠한 말도 하지 않았다.

그래. 그저 고용인과 고용주와의 관계.

내가 지나치게 예민하게 구는 거야. 평소처럼 굴자, 평소처럼. 상대는 저주받은 자를 꺼리지만, 겉으로는 좋은 사람인 체하는 가식적인 어린아이일 뿐이야. 머리에 찬물을 끼얹은 것처럼 냉정해진 나는 테이블에 남아 있던 계약서 마지막 한 장을 낚아챈 뒤 자리에서 일어섰다.

∾♥∾

카자마는 뒤늦게 자신이 사람과 닿으면 두드러기가 난다 말했다. 그래서 악수를 꺼린 것이니, 너무 불쾌해하지 말라 덧붙였다. 실제로 그걸 증명하듯 다른 모든 이들과의 접촉을 피하는 기색이었다. 좀, 필사적일 정도로.

하지만 나로서는 심드렁할 뿐이었다. 그의 말을 믿지 않는 건 아니었지만 그렇다 하여 이미 식은 마음에 불을 붙일 이유도 없다. 이미 한번 조금의 믿음을 내어주었다가, 바로 곤두박질치듯 철렁이는 기분을 느끼지 않았던가. 피로해진 정신. 지친 나는 그냥 성의 없이 알았다 고개를 끄덕였다.

무성의한 답이었지만, 카자마의 후드 밑 입술이 올라가며 활짝 웃음을 지었다. 믿어주는 거냐며 방방 뜨는 모습이 귀여웠다. 나도 모르게 피식 웃을 정도로. 웃었다는 사실을 자각하기가 무섭게 내 입술 끝이 딱딱하게 굳었다. 자꾸 마음을 열게 된다. 거리를 두자, 거리를 둬. 나는 헛된 마음을 주지 않으려 절레절레 고개를 내저었다.

바로 다음 날 아침. 우리는 인드라로 빠져나가는 성벽 앞에 도착했다. 이른 시간부터 관리들이 성벽 앞에 모여 있었다. 엉덩이 무거운 관리들이 새벽녘부터 부지런을 떨다니, 무척 이상한 일이었다.

그러고 보니 최근 술탄이 누군가에게 현상금을 걸었다는 이야기가 있었지. 아무래도 그 때문인 모양이었다. 술탄이 직접 내린 명이다 보니 쉽게 넘길 수 없었으리라.

누굴 찾는다는 것인지 자세한 내용은 듣지 못했지만, 뭐 나랑은 관련 없는 이야기겠지. 현상금 사냥 같은 건 아무래도 혼자서 움직이기 어렵다. 소문을 비롯하여 정보를 많이 알아야 하고, 목표를 몰아세우는 등 주변의 협력이 필요하다. 그런 만큼 사람들에게 기피당하는 내가 발을 내디디기엔 무리가 있는 의뢰였다.

"여기에 이름과 목적지를 쓰시게."

성문 앞을 지키는 근위병의 말은 딱딱했다.

저주받은 자의 증거인 눈동자 색은 어둠 속에서도 선명했고, 상대는 쉽게 내 정체를 눈치챌 수 있었다. 마치 죄인이 숨을 곳은 그 어디에도 없다는 낙인처럼. 붉은 눈동자를 발견한 주변인들이 수군거렸다.

"뭐야. 저주받은 자잖아."

"아침부터 재수 없게."

저들끼리 속닥거린다 하지만 새벽녘은 조용했고, 목소리는 분명했다. 목소리를 낮추려는 의지조차 희미했다. 질릴 정도로 지겨운 소리. 이제는 한 귀로 듣고 흘릴 수 있을 만큼 익숙했다.

나는 사람들의 수군거림에 개의치 않고 명부에 이름을 적은 뒤 펜을 카자마에게 넘겼다. 하지만 카자마에게는 충격적인 일인지, 펜을 받는 손이 벌벌 떨고 있었다. 이상할 정도로. 나와 함께 지내면 끊임없이 이런 취급을 받을 텐데. 거기까지 각오가 되지는 않은 모양이었다. 대뜸 저주받은 자도 상관없다 말해서 강단 있다고 생각했는데. 생각 외로 심약한 카자마의 모습에 나는 혀를 쯧 찼다.

하필이면 그때 관료가 우리를 불러 세웠다. 카자마가 후드를 쓰고 있는 것이 수상쩍은 모양이었다. 하긴, 내가 봐도 수상쩍은데. 당연한 일이었다.

지목되자마자 카자마의 몸이 딱딱하게 굳었다. 잘 보니 땀까지 뻘뻘 흘리고 있었다. 뭐야. 얘, 진짜 범죄자 아닌 거 맞아?

주신을 걸고 맹세했다지만 믿을 수 없는 상황이었다.

"우리는 아그니 술탄 명으로 한 사람을 찾고 있다. 자네가 그자가 아니라는 것을 우리에게 확인시켜주기만 하면 되네."

역시나, 그들은 술탄이 현상금을 건 사람을 찾고 있는 모양이었다. 만약 내 고용주인 카자마가 현상범이 아니라면, 그냥 후드를 벗어서 얼굴을 보여주면 되는 일이었다. 하지만 카자마는 꼼짝달싹하지 못한 채 딱딱하게 굳어 있었다.

명백히 난처해 보이는 태도. 이러지도 저러지도 못한 채 발만 동동 구르고 있었다. 이 상황에서도 후드를 벗지 못하는 이유가 뭘까. 둘 중 하나겠지. 카자마가 저들이 찾는 존재이거나 현상범으로 오해받아도 어쩔 수 없을 만큼 후드를 벗지 못할 이유가 있거나.

범죄자라면 도와줘서 좋을 일이 없을 테지만⋯⋯. 얘도 어지간히 재수가 없다. 역시 나랑 얽혀서 그런 것일까⋯⋯. 왠지 좀 찝찝한 양심의 가책이 느껴졌다. 카자마가 저주받은 너 때문이라고 힐난이라도 하면 좀 마음의 짐을 덜었을 텐데. 작은 어깨를 움츠러트린 채 벌벌 떨고만 있어서 더 안쓰러웠다. 그래. 일단은 고용주니까. 나는 한숨을 내쉬었다. 우선 이 상황에서 빠져나간 뒤 어찌 된 일인지 물어봐야겠다.

"높으신 나리께서 제 동생에게 무슨 볼일이 있으십니까?"

나는 카자마의 앞에 서서 관리들의 시선을 가로막았다.

불안하게 만드는 상대가 시선에서 차단되는 것만으로도 도움이 된다. 관리들을 제대로 속여 넘길 수 있을 자신은 없었지만, 일단 시간은 벌 수 있을 것이다.

"동생이라?"

"그러합니다."

"정말 동생이 맞는가? 무엇보다도 저주받은 자의 혈육이 오래 살았다는 이야기를 들어본 적은 없는데."

최대한 천연덕스레 대꾸했지만, 관료는 여전히 의심의 기색을 지우지 않았다. 관료의 낯에는 저주받은 자에 대한 혐오가 가득했다. 으레 저주받은 자와 말을 섞는 것만으로도 저주가 옮는다고 생각하는 만큼, 본디라면 높으신 귀족 나리가 저주받은 자와 이렇게 말을 섞을 일은 없었을 것이다. 그런데도 상대를 해주는 걸 보아하니, 어지간히도 발등에 불이 떨어진 모양이다. 그만큼 술탄의 명이 지엄하다는 뜻이겠지.

"……맞습니다. 부모님께서는 일찍 돌아가셨고, 동생 하나만이 남았습니다. 동생 또한 저주에서 벗어나지 못해 큰 병을 얻어 얼굴이 흉측합니다. 그래서 얼굴을 보여드리기 힘들어하는 것이니, 부디 자비로 이해해주시기를."

나는 허리를 숙여 머리를 조아렸다. 내 비스듬히 뒤에 있던 카자마도 허리를 숙였다. 하지만 호락호락 빠져나갈 수는 없으리라. 아니나 다를까, 관료는 냉정하게 말을 잘랐다.

"그렇다면 그 얼굴을 보여주기만 하면 되는 일 아닌가."

"……."

관료의 손이 움직이기가 무섭게 근위병들이 우리를 둘러쌌다. 나는 속으로 한숨을 내쉬었다. 이리 될 줄은 알고 있었지만 막상 벌어지니 속이 답답했다. 나는 겨누어진 창끝을 보며 머리를 굴렸다.

하지만 생각할 틈도 없이, 근위병 하나가 창끝으로 카자마의 후드를 들추려 했다. 위험하다. 나는 무의식적으로 카자마를 끌어당겨 품에 안았다.

손에 잡힌 카자마는 쉽게 품으로 안겼다. 얼마나 가벼운지, 지나가던 병아리를 낚아채는 것보다도 쉬웠다. 사내자식이 이렇게 가벼워서야. 나는 낮게 혀를 찼다.

카자마가 숨을 들이켜는 소리가 크게 귀청을 울렸다. 그러고 보니 사람과 닿으면 두드러기가 난다고 그랬던가. 하지만 이런 상황에서 두드러기 정도는 참아야지. 나는 버둥거리는 카자마를 일부러 꽉 끌어안으며 관료에게 다시 한 번 고개를 숙였다.

"제 동생은 얼굴을 드러내는 것을 꺼려, 남에게 얼굴이 보이면 발작을 합니다. 나리, 제발 선처를 해주시면 아니 되겠습니까?"

나는 긴장을 풀지 않은 채, 카자마를 끌어안지 않은 반대쪽 팔을 느릿하게 허리춤에 매인 검으로 뻗었다.

여차하면 이대로 무력 돌파를 해야 하나…….

잘못하면 아그니에서는 수배범 신세가 될 수도 있는 일이지만, 용병에게는 고용된 자를 위해서라면 계약서에 쓴 내용에 한해서 면책 특권이 있었다. 면책이라 해봐야 죄를 고용주가 대신 받는 거지만.

물론 살인과 같은 큰 죄는 불가능하다. 하지만 제압하고 도망치는 것 정도는 괜찮을 것이다. 그래도 안 되면 인드라와 바르나 임무 위주로 몇 년 돌지 뭐.

이렇게 될 줄 알았다면 계약금을 더 받는 건데. 나는 최대한 가볍게 생각하며 투덜거렸다.

이 상황이 많이 불안했는지, 카자마가 내 팔뚝에 매달렸다. 두드러기가 난다더니 간지럼이 신경 쓰이지 않을 정도로 두려운 모양이었다. 각반 위로 파들파들 떨리는 손끝의 느낌이 그대로 전해졌다.

담도 작고, 세상 물정도 모르고. 이런 애가 무슨 범죄자란 말인지. 그래. 일단 어떻게든 얘를 데리고 이 자리를 벗어난 뒤에, 차근차근 상황 설명을 들어야겠다. 일이 이렇게까지 되었는데도 입을 다물고 있지는 않겠지.

하지만 일이 무언가 이상하게 돌아갔다. 곧이라도 저희를 향해 창을 들이밀 거라고 생각한 그들은 꿈쩍도 하지 않은 채, 저들끼리 수군수군하며 이쪽을 의아하게 바라보았다. 게다가 나누는 말은 알 수 없는 말투성이였다.

무슨 일인지는 모르겠지만, 잘하면 이대로 넘어갈 수 있을지도. 긴장감에 내 목울대가 크게 흔들렸다. 아니나 다를까, 내 짐작대로였다. 관료는 근위병을 물린 뒤 한 발짝 앞으로 나서며 근엄하게 말했다.

"내 무언가 착각을 한 모양일세. 위협해서 미안하네. 술탄께서 엄중히 내리신 명령인지라, 강제할 수밖에 없었네."

"아닙니다. 자비를 베풀어주셔서 감사합니다."

나는 거듭 고개를 숙였다. 심장이 쿵쿵 뛰었다. 비굴하게 보일지라도 지금 이 상황에서는 그들의 심기를 최대한 거스르지 않은 채, 그들을 조금이라도 빨리 보내는 게 옳았다. 관료의 측근 하나가 땅에 침을 뱉으며 나를 흘끗 노려보았다.

"하필이면 출발하는 날 재수 없는 것을 봤네."

그건 나도 마찬가지다. 나는 구시렁거리는 불만을 속으로 삼켰다. 카자마도 상황을 파악한 건지, 품 안에서 얌전히 오들오들 떨고 있을 뿐 꿈쩍도 하지 않았다. 그렇게 나는 그들이 자리를 떠나기까지 한참을 고개를 숙인 채 있다가, 그들이 사라지기가 무섭게 카자마를 이끌고 말에 몸을 실었다.

카자마는 당황한 듯 무어라 말하려 했지만, 이야기를 들어줄 시간이 없었다. 나는 억지로 카자마를 말 위에 태우고는, 나도 훌쩍 말 위에 올라타 관료들이 떠난 방향과 반대 방향으로 박차를 가했다.

흘끔 본 카자마는 말에 거의 매달리다시피 한 채 나를 쫓아오고 있었다. 어떻게 된 놈인지, 귀족가 도련님처럼 생겨서는 말도 제대로 타지 못한다니. 승마는 귀족의 소양이니만큼 어처구니가 없었다. 말에서 떨어질 듯 말 듯 간신히 매달린 채 그는 숨을 몰아쉬었다.

하지만 그를 배려해줄 여유는 없었다.

왜 그들이 순순히 물러섰는지는 모르겠지만, 지금 이건 무척 운이 좋았기 때문이다. 그들이 괜히 뒤돌아서서 트집을 잡기 전에 달아나야만 했다.

그리고 한시바삐 물어보고 싶은 것도 있었고. 나는 이를 지그시 물었다. 관료에게 쫓길 일이 있으면 있다고 말을 해줘야 할 거 아니야.

카자마에 대한 불만이 하나둘 머릿속에 떠올랐다.

그렇게 한참을 달렸을까. 근처 숲속 개울가에 도착했다. 주변에 사람의 기척이 없다는 걸 깨달은 나는 말을 멈추었다. 카자마의 말 또한 우리가 멈추는 걸 보고 속도를 줄였다. 기수가 쓸모없는 만큼 말이 열심히 일을 했다. 카자마에게 제법 괜찮은 말을 사다 주기를 잘했다. 나는 과거의 나를 칭찬했다.

말이 진정하기가 무섭게 나는 말에서 훌쩍 뛰어내린 채 바로 카자마에게 다가갔다. 말에 타는 것도 힘겨워 보이더니, 카자마는 말에서 내리는 것조차 쉽지 않아 보였다.

말에 착 달라붙은 채 거의 기어서 엉금엉금 내리려고 시도하더니, 결국은 바닥으로 굴러떨어지듯 내려왔다. 눈앞이 핑핑 도는지 그의 몸이 이리저리 휘청거렸다. 나는 그의 어깨를 잡아 돌려세웠다. 만지면 두드러기가 난다며 소란을 떨 테지만, 지금 그런 걸 신경 써줄 때가 아니었다.

정말로 관료들이 찾는 것이 카자마가 맞는지, 아닌지. 이건 정말 확실히 이야기를 해야만 하는 사항이었다. 같이 여행할 사이에 이런 중요한 사실을 속이면, 곤란해지는 건 나뿐이다. 그렇게 생각하니 순간 분통이 확 치솟았다. 그를 완전히 믿을 생각은 없었다 해도, 이건 좀 뒤통수가 많이 얼얼했다. 나는 성질을 죽이려고 노력했지만 배신감마저 드니 마음을 가다듬는 것이 쉽지 않았다. 나도 모르게 버럭 소리를 질렀다.

"범죄자 아니라고 했잖아!"

"……범죄자는 아니야. 일개 수배자지만."

카자마는 우물쭈물 답했다. 답은 잘한다. 답답함에 나는 터번으로 감싼 머리를 신경질적으로 벅벅 긁었다. 수배자. 수배자라. 관료들이 쫓는 임무는 처음인데. 거기다 술탄이 직접 현상금을 내건 수배자라면 더더욱. 앤 도대체 무슨 잘못을 저질렀기에 술탄이 직접 현상금을 내건 거야? 속에 묵직한 것이 내려앉은 듯 답답해졌다.

"그런데 정말 아, 아무런 느낌도 없어?"

"……? 무슨 느낌이 있어야 하나? 뭐, 손을 마주 잡으면 번개라도 내리쳐야 하는 거야?"

사태의 중요성을 아는지 모르는지. 지금 이 상황에서 카자마는 영 쓸데없는 질문을 했다. 엉뚱한 걸 물어보니 답이 상냥하게 나갈 리가. 퉁명스레 대꾸했지만 카자마는 별로 개의치 않는지 활짝 웃을 뿐이었다.

그의 입가에 번지는 미소에 당황한 내가 머뭇거리기가 무섭게, 카자마가 내 손을 덥석 잡았다. 손끝이 닿을까 걱정하며 악수조차 피했던 것이 거짓말처럼, 그는 내 손을 주물거리더니 이내 허리를 끌어안기까지 했다. 카자마를 떨어트리기 위해 그의 어깨를 잡아 밀었지만, 가는 팔뚝과 달리 허리춤을 단단히 끌어안은 손은 꿈쩍도 안 했다.

얘가 이렇게 힘이 셌나.

"왜, 왜 이래! 두드러기 난다며!"

나는 말까지 더듬었다. 카자마는 쉽게 떨어지지 않았다. 오히려 더 들러붙어 왔다. 징그럽게 왜 이러는 거야. 갑자기 손바닥 뒤집듯 마음을 바꾼 그의 태도가 적응되지 않았다. 아니, 사실 남이 이렇게까지 적극적으로 달라붙는 것 자체가 드문 일이었다. 그래서일까. 카자마를 떼어내고자 하였지만, 나로서는 더 적극적으로 그를 밀어내지 못했다. 카자마의 힘이 세진 게 아니라, 그를 떨어내려는 내 힘이 부족한 것이었다.

그런 스스로의 속내를 깨닫게 되자 이내 허탈감으로 힘이 빠졌다. 얼마나 사람의 정에 굶주렸으면 이런 꼬마가 매달리는 것마저 밀어내질 못하고……. 내 신세가 처량하다. 나는 내 허리에 카자마를 그냥 둔 채, 깊은 한숨을 내쉬었다.

"보아하니 두드러기는 거짓말인 것 같고……."

수배자는 맞지만 범죄자는 아니다. 그런데 술탄이 일부러 사람을 풀어 찾을 정도라. 꽤나 세도가의 도련님이 가출한 모양인데, 괜히 고생하다 끌려가느니 순순히 돌아가는 게 좋지 않을까. 하지만 생각보다 카자마는 강경했다.

"너, 정체가 뭐야?"

"그게 말이지……."

내 허리를 단단히 잡고 있던 그의 팔이 느슨해졌다. 순간 든 아쉬움에 기가 막혔던 나는 혀를 찼다. 곧 그가 나에게서 완전히 떨어졌다. 한두 발짝 뒤로 물러선 그는, 조심스러운 손길로 후드를 만지작거렸다.

이내 후드가 뒤로 넘어가며, 지금껏 숨겨왔던 그의 얼굴이 드러났다. 턱 끝에서 느껴졌던 대로 곱상한 외모의 미소년이었다. 귀족가 도련님답게 머리를 길게 기르고 있었으며, 눈썹은 가늘었고 코는 작았다.

이목구비가 뚜렷하지 않고 흐릿한 편이었지만, 깜빡이는 눈매만큼은 유난히 짙었다.

어딘지 모르게 이질감이 드는 외모였는데, 어디가 다르냐 물으면 특정 짓기가 힘들었다. 한참 그의 외모를 뜯어보아도 알수가 없었다.

내 집요한 시선에 카자마는 큼큼, 작게 헛기침을 했다. 터번 밖으로 흘러내린 머리카락이 작게 흔들렸다. 카자마는 어색하게 웃으며 말했다.

"그, 카마라고……."

카마? 카마라고? 잠깐, 카마는……. 카자마의 말이 쉽게 머릿속에 입력되지 않았다. 그만큼 카마는 나로서는 생각조차 해본 적 없는 존재였다. 그도 그럴 것이 카마는 신의 사랑을 받는 반신 아니던가.

작년에 카마가 강림한 이후, 아그니 술탄 궁에 머물고 있다는 소식은 들었다. 그 카마가 왜 갑자기 거론되는지 한참을 곱씹은 뒤에야 카자마가 말한 카마가 그 본인을 지칭하는 것이며, 상황이 어떻게 돌아가는지 뒤늦게 깨달을 수 있었다.

"네가 카마라고? 그 아그니 궁전에 있는? 카마께서 왜 여기에……."

나도 모르게 버럭 소리를 질러버렸다. 그리고 뒤늦게 내가 지금껏 그를 상대로 반말을 쓰고 있다는 걸 깨달았다. 나는 황급히 말끝을 흐렸다. 상대가 귀족 도련님일 때는 반말을 해도 상관이 없지만, 카마라면 상황이 다르다.

나는 어색하게 존댓말을 붙였다.

하지만 쉽게 상황이 이해되지는 않았다. 도대체 왜 카마가 여기에, 나와 같이 있는지 알 수가 없었다. 술탄 궁에서 한창 호화롭게 대접받고 있었을 텐데, 뭐가 부족해서 이 위험한 세상으로 뛰쳐나온단 말인가.

그리 의문을 품자 그, 아니 그녀의 입꼬리가 비틀려 올라갔다.

"당연히 도망쳤으니까."

그녀의 눈은 반짝이듯 빛났다. 완전히 믿을 수는 없어도, 그녀가 거짓을 말한다는 생각은 들지 않았다. 게다가 카자마가 카마라면 수상쩍게 생각한 모든 조건이 맞춰져 들어간다. 술탄이 일부러 그에게 수배를 내린 이유. 쉽게 물러서던 관료들의 시선. 묘하게 세상 물정에 어두운 카마의 태도까지.

나는 욕설을 뇌까리며 거칠게 머리를 부여잡고 바닥에 쪼그려 앉았다. 이내 벌떡 일어서서 근처를 몇 바퀴나 빙글빙글 돌다가 다시 바닥에 주저앉았다. 현실도피라도 하듯 이상행동을 몇 번이나 반복하며 연거푸 나오는 한숨을 속으로 삼켰다. 그러고 보니 카마에 대해서, 작년 인드라에서 의뢰받았던 노인이 해주었던 이야기가 기억났다.

—저주받은 자인가…….

—곤란하면 저 말고 다른 사람으로 바꿔도 상관없습니다만.

—뭐. 아니. 그냥. 옛날이야기가 생각났을 뿐이네.

―……옛날이야기?

―아주 오래전, 할아버지께 들은 이야기라 기억이 가물가물한데……. 저주받은 자들이 저주받게 된 이유가 카마 때문이니, 카마를 만나게 되면 한껏 머리를 낮추고 그녀가 바라는 모든 걸 들어드리라는 이야기였지. 그냥 어렸던 나를 겁주려던 이야기였을 게야. 최근 아그니에 카마께서 강림도 하셨것다, 저주받은 자도 마주했것다, 갑자기 생각났네 그려.

노인의 이야기는 퍽 호기심을 돋웠다. 하지만 밑바닥 용병이 접할 수 있는 정보는 한정되어 있었고, 카마에 관한 것은 무척 귀한 지식에 속했다.

그 증거로 노인을 제외하고 저주받은 자와 카마 사이에 무슨 일이 있었는지 아는 사람이 없었다. 어차피 카마와 만날 일도 없을 텐데, 뭘 또 이렇게 찾아보는 건지. 그때만 해도 무척 의미 없는 짓이라 여겼다.

그랬던 생각이 우습게 이렇게 카마와 마주하게 되었다. 지금이 상황이 무척 당황스러웠지만 그래도 혹시, 그녀는 내 저주의 원인을 알까 하는 궁금증이 들었다. 왜 내가 저주받았는지. 전생의 나는 과연 무슨 죄를 지은 건지.

하지만 카마는 나보다도 더 아는 게 없어 보였다. 그녀와 내가 관계가 있다는 것조차도 모르는 모양새에, 나는 헛된 기대를 했다 생각하고 한숨을 내쉬었다.

정말 얘가 카마가 맞긴 한 건지 의문이 들었지만, 그건 쓸모없는 의심이었다. 그도 그럴 것이, 누가 감히 카마로 위장하겠는가. 이 땅에 발을 붙이고 살고 있는 존재라면 반신으로 위장하는 것이 주신의 분노를 사고 싶다는 말과 동의어라는 걸 뼈저리게 알고 있을 것이다.

저주받은 자가 될지도 모르는 위험을 감당하면서까지 반신으로 가장하는 이는 존재하지 않으니, 내 앞의 소년은 카마가 확실할 것이다.

정말 상대가 카마라면, 나로서는 이 의뢰를 포기할 수도, 그렇다 해서 무턱대고 진행할 수도 없는 일이었다. 일반 수배범도 아니고, 도망친 카마를 아그니 술탄이 호락호락 놓아줄 리가 없다. 그렇다 하여 카마의 의뢰를 포기하자니, 이미 계약서를 쓴 만큼 이쪽에서 파기하기가 쉽지 않았다. 나는 나직이 뇌까렸다.

"웬일로 쉬운 일이 떨어졌나 했더니, 됐구먼."

"저기, 계약 파기 안 할 거지? 응?"

절박한 것은 카마 또한 마찬가지인 듯, 그는 필사적으로 나를 붙들었다. 까만 눈동자가 불쌍할 정도로 처량함을 품은 채 나를 올려다보았다.

"수배금이 탐나는 거면, 내가 나중에 줄게. 응? 나랑 같이 가 줘라."

술탄이 수배금을 얼마를 걸었는지는 몰라도, 상대가 카마인 만큼 한두 푼이 아닐 텐데. 그걸 나중에 주겠다 단언하는 것이 가히 카마다운 태도였다. 그런 당당함에 반해, 그는 계속해서 굽실거리며 내 눈치를 보았다. 명령을 내리면 될 것을, 카마나 되는 이가 도대체 왜 한낱 용병일 뿐인 저주받은 자에게 이리 비굴하게 구는지 알 수가 없었다.

확실한 건, 어지간히도 술탄에게 끌려가는 것이 싫은 게 분명하다는 사실이었다. 까닥하면 술탄에게 도로 잡혀간다며 손바닥을 싹싹 비비는 것이 처절하기까지 했다. 도대체 술탄이 무슨 짓을 했기에. 아무리 술탄이라 할지라도 주신의 자식이자 반신인 카마에게 허투루 대할 수 있을 리가 없는데. 하지만 선뜻 물어볼 용기가 없었다. 전말을 알게 되면, 정말 깊숙이 관여해버리게 될 것 같았기 때문이었다.

어떻게 해야 할까. 나는 초롱초롱한 눈빛으로 나를 올려다보는 카마를 빤히 바라보았다. 마치 굶주린 고양이가 먹이를 애원하는 것 같은 시선이었다. 이미 계약서에 도장도 찍었겠다, 돈도 필요하겠다, 나로서는 이미 옴짝달싹 못 할 상황이기는 했다. 나는 어쩔 수 없음에 고개를 내저었다.

"……어차피 이번 분기 계약은 텄어. 당신 계약을 파기하면 안 그래도 없는 신용, 더 떨어질 테니 어쩔 수 없지."

"그러면……!"

"까짓, 인드라까지 데려다주겠다고."

나는 은근 슬쩍 반말로 답했다. 존대를 바라면 언제든지 해줄 용의가 있었지만 썩 그걸 바라는 것 같지는 않고. 반말이야, 카마가 하라 했으니 하는 것이지 뭐. 나는 그렇게 합리화를 했다.

내 승낙에 카마의 얼굴에 환히 미소가 번졌다. 어린아이의 입에 사탕을 물려준 듯, 세상을 다 가진 표정이었다. 얼마나 기뻤는지 그의 눈가에 눈물이 핑 돌았다. 아무리 봐도 이건 내가 버리고 갈 거라고 생각한 모양인데……. 어지간히도 나, 신뢰가 없었구나. 물론 실제로 그럴 생각을 했었던지라 변명의 여지가 없기는 했다. 그가 너무 좋아하니 오히려 내가 면구스러웠다. 나는 입맛만 쩝쩝 다셨다.

∂◎◈♥◈◎◊

인드라까지 데려다주겠다 단언하기는 했지만, 뒤늦게 생각해 보니 큰 문제가 있었다. 상대가 카마인 것보다도 더 큰 문제. 바로 그가 여자라는 것이었다.

여자들은 보통 하렘 안에서 거주할뿐더러, 밖을 거니는 일이 무척 드물었다. 어머니를 제외하고 여자들과 말을 섞을 일도 없었고, 일면식이 있는 여자도 없었다. 홍등가의 여자들도 자신만은 피하고 거부하는 만큼, 여자에 대해 내가 아는 것은 얼마 없는, 말 그대로의 특징일 뿐이었다.

여자란 부드럽고, 작고, 연약하고, 좋은 향기가 나고, 나긋나긋하고…….

하지만 눈앞의 카마는 내가 알고 있는 여자의 정의와 전혀 맞지 않았다. 그는 확실히 나보다 작았지만 연약한 느낌은 아니었으며, 나긋나긋하기는커녕 들러붙는 걸 보니 막무가내가 따로 없었다. 소년으로 착각했던 것이 당연할 정도로. 그래서 더 까다로웠다.

카마는 그냥 자신을 평범하게 대하라고 했지만, 그게 가능할 리가 없다. 하여간 카마가 여자라는 걸 자각하고 나니 카마를 데리고 여행할 자신이 없어졌다. 여자와 단둘이 여행이라니, 절대 실수한다. 뭘 실수할는지는 몰라도, 좌우지간 절대. 나는 침을 꿀꺽 삼켰다.

하지만 이미 인드라로 데려다주겠다 말한 뒤였다. 말한 지 10여 분도 되지 않아 손바닥 뒤집듯 말을 무르는 것도 우스웠다. 나는 최대한 카마를 설득하려고 노력했다. 대놓고 이 여행은 무리라 말할 수 없으니, 빙빙 말을 돌렸다.

그때만 해도 카마가 마음을 돌리는 쪽이 나에게도, 그녀에게도 좋을 거라 생각했다.

물론 그녀는 호락호락하지 않았다. 내가 댄 모든 핑계가 그녀에게 먹히지 않았다. 체력도, 내가 저주받은 자라는 것도.

그녀는 대놓고 주신이 좋아하든 싫어하든 자기가 알 바 아니라 단언했다. 그녀의 눈동자가 나를 빤히 바라보았다. 흔들림 없이, 간절할 정도로 나를 바라는 그 눈길에 심장이 무섭게 뛰었다. 얼굴이 확 달아올랐다. 나는 최대한 평정을 유지하려 노력했다.

그녀는 내가 저주받은 자라는 걸 전혀 아랑곳하지 않았다. 내 저주를 신경 쓰지 않는 존재가 있으리라고 생각해본 적도 없거니와, 그 상대가 나로서는 말조차 섞을 수 없는 고귀한 반신, 카마라는 것은 더더욱 당혹스러운 일이었다.

카마는 혹시나 내가 그녀에게 몹쓸 짓을 할까 하는 생각조차 하지 않은 듯싶었다. 본인이 성욕의 신이면서, 자신은 성적인 매력이 전혀 없다 단언하며 깔깔거렸다.

"나 그런 이름을 달고 있기는 하지만, 전혀 성적인 매력 같은 건 없잖아. 너도 나 남자로 착각했고."

"그건 그렇지만."

물론 나도 처음에 그녀를 남자로 착각하기는 했다. 하지만 여자라는 걸 알게 된 뒤에도 그녀를 남자라 생각할 수는 없었다.

이미 가는 그녀의 목덜미, 고운 손가락, 부드러워 보이는 입술이 눈에 들어온 뒤였다.

그런 내 속내를 모르는 그녀는 그거 보라며 어깨를 으쓱였다. 가볍게 흘러 넘기는 눈빛, 진중하지 못한 입술. 지금 이 상황을 심각하게 생각하지 않는 것이 그대로 드러났다. 어떻게 보아도 고생 한번 제대로 해본 적 없는 철없음이 묻어났다. 나는 한숨을 내쉬었다.

카마인 만큼, 그녀는 자신의 말대로 이루어지지 않는 상황이 드물었을 것이다. 모두가 그녀를 좋아하고, 그녀의 말이라면 다 들어주려고 노력하고……. 그러니 억지주장도 아무렇지도 않게 부리는 거겠지.

자신은 어린 시절부터 고생이란 고생은 다 했는데. 내 입술이 못마땅하게 비틀렸다. 저주받은 자들이 저주받게 된 이유가 카마 때문이라는 노인의 중얼거림이 유난히 머릿속에 시끄럽게 맴돌았다. 물론 지금의 카마는 아는 것 하나 없는 이였지만, 그렇다 하더라도 신의 사랑을 받는 그녀를 마주하니 심기가 비틀렸다.

좌우지간, 그리 대단하신 카마께서 저에게 이렇게 집요하게 구는 이유가 뭘까. 솔직히, 그녀가 저주받은 자인 자신에게 이렇게 굽실거릴 이유가 없다. 협박을 하는 쪽이 좀 더 쉽게 먹힐 텐데. 하지만 그녀는 이상하게, 나에게 환심을 사고 싶어 하는 기색이었다…….

나는 오래지 않아 카마가 나에게 절절매는 이유를 알 수 있었다. 바로, 카마의 권능이 나에게 통하지 않기 때문이었다. 그녀와 닿은 모든 이들을 성욕의 노예로 만드는, 주신이 내린 절대적인 권능이. 그녀는 이상하다는 듯 내 손바닥을 매만졌다.

"이상하단 말이야. 왜 너한테는 권능이 안 통하지? 너한테만 안 통하나?"

처음에는 저주받은 자에게는 주신의 권능조차 받을 가치가 없다는 뜻처럼 느껴져서 속이 뒤틀렸다. 하지만 이내 그것은 기묘한 우월감으로 변질되었다.

그녀에게 있어서, 나만큼은 특별할지도 모른다는 그런 우월감.

그녀는 나만큼이나 사람의 손길에 굶주렸는지 시종일관 나에게 닿으려 노력했다. 그녀의 시선이 내 손바닥 구석구석을 살폈다. 그녀의 가는 손가락이 내 거칠고 울퉁불퉁한 손바닥을 조심스레 덧그렸다. 그녀의 손끝은 내 심장을 간지럽히듯 그리 손바닥을 어루만졌다.

순간이 영원과도 같았다. 손을 잡아 빼야 한다는 걸 알면서도, 나는 꿈쩍도 하지 못한 채 그녀의 손에 내 손을 맡기고 있을 뿐이었다. 손이 저려왔지만, 나는 손끝 하나 까딱일 수가 없었다. 누군가가 나에게 이렇게 달라붙어 오는 것이 당혹스러울 뿐이었다. 언제나 느껴온 건 혐오에 찬, 뿌리치는 손길. 오로지 거부감뿐이었으니까.

그 순간, 본능적으로 깨달았다.

카마는 절박할 정도로 나를 바란다. 내가 그녀에게 온기를 줄 수 있는 유일한 이이기 때문에. 나 또한 그녀의 존재가 몸서리쳐질 정도로 기뻤기 때문에, 그녀가 얼마나 처절하게 나를 바라는지 누구보다도 잘 알고 있었다. 그렇다면, 어쩌면, 잘하면, 내가 욕심을 좀 부려봐도 되지 않을까. 이건 기회일지도 몰라. 운명일 수도.

그녀와 닿아 있으면 있을수록, 알 수 없는 욕심이 차츰차츰 생겼다. 그녀와 좀 더 친해지고 싶다. 그녀의 곁에서라면, 나도 평범한 사람처럼 대해질지도 몰라…….

나는 씨앗을 틔운 욕심을 발로 짓밟았다. 허튼 기대다.

그녀의 손에 잡힌 내 손을 뿌리치듯 가져갔다. 손에 엉겨오던 손길은 허무할 정도로 쉽게 떨어져 나갔다.

아쉬움이 치밀었지만, 나는 혀를 차며 그런 스스로를 비웃었다. 사람이 분수에 맞지 않는 걸 삼키려 하면 탈이 나기 마련이다.

카마라는 존재는 내가 감당하기 벅찬, 어마어마한 신분이었다. 나는 마음을 다잡으려 스스로를 타이르고 또 타일렀다.

하지만 카마는 쉽게 물러서지 않았다. 이런 내 마음을 전혀 짐작하지 못할 이 철부지 아가씨는 내 손을 주무르는 것에서 멈추지 않고 성큼성큼 나에게로 다가왔다.

노숙할 때도 일부러 내 곁에서 자고 싶다며 침낭을 끌고 오지를 않나, 감당하기 힘들 정도로 붙어왔다.

카마의 마음을 이해하는 마음 반, 그런 그녀의 접촉을 통해 제 욕심을 채울 생각도 반. 이성은 그녀를 떨어트리라, 그녀와 붙어 있는 관계는 독일 뿐이라 외쳤다. 하지만 이긴 것은 이기심이요, 욕심이었다. 서로 온기를 갈구하니 이런 관계도 나쁘지 않지 않겠는가? 나는 그렇게 스스로를 납득시켰다. 나는 선을 지킬 수 있다. 위험한 순간, 발을 빼면 될 것이라 그리 믿으면서.

하지만 쉬운 일은 아니었다. 이쯤 해서 그녀를 뿌리쳐야 하지 않을까 하는 생각이 들었지만 순간의 달콤함에 취한 나는 그녀와 닿아 있는 시간을 계속해서 늘렸다. 그녀에게 져주듯, 그녀가 바라는 대로 휘둘렸다. 겉으로는 곤혹스러운 낯짝을 한 채, 속으로는 흡족한 웃음을 지으면서. 내가 이리도 가식적인 인간일 줄이야. 칼날 위를 걷듯 아슬아슬한 거리는 계속해서 이어졌다.

그렇다 하여도, 그녀와 침대에 같이 몸을 누일 엄두는 나지 않았다. 노숙할 때야 그러려니 쳐도, 침구 깔린 침대 위에 나란히 누워 자다니. 굳이 누워보지 않아도 얼마나 위험한 상황일지가 뻔히 눈에 보였다.

내가 성욕이 없는 것도 아니고.

아무리 카마가 어린 소년 같은 차림새에 행동거지도 털털하다고는 하나 몸마저 사내다운 것은 아니었다. 칼날조차 쉽게 들어가지 않는 단단한 내 몸에 비교하면 그녀의 말캉한 몸은 그저 부드러울 뿐이었다. 그녀가 풍기는 살 내음은 내 인내심을 바짝 졸였다. 그런 상태에서 한 침대라니. 말도 안 되는 일이었다.

카마가 억지로 조르듯 우겨서 한 방에 들어오게 되었지만, 방에 덩그러니 놓인 침대를 보고 있자니 한숨만 푹푹 나왔다.

아무래도 안 되겠다. 쟤가 자는 동안 칼이라도 휘두르며 몸이라도 혹사시켜야지. 땀이라도 쫙 빼고 나면 별생각 없이 잠에 푹 빠지지 않을까. 카마도 자고 있으면 덜 달라붙어 올 테고. 카마는 금세 옷을 갈아입고는, 계속해서 이쪽을 흘끔흘끔 보고 있었다. 나는 연거푸 한숨을 내쉬며 다시 나갈 채비를 했다.

"어디 가?"

허리춤을 가다듬기가 무섭게 카마가 물어왔다. 나는 잠시 볼일이 있다는 말로 말을 얼버무렸다. 새벽 늦게 들어올 것이니 먼저 자라고 덧붙이며, 나는 어리둥절해하는 카마를 반쯤 포기한 눈길로 바라보았다. 아무리 그래도 그렇지, 너한테 욕정해서 몸에 차오른 열기를 빼러 간다고 말할 수는 없는 노릇 아닌가.

얘는 성욕의 신이라는 애가 이런 쪽으로는 영 둔하니 일자무식이었다.

경계심 없는 그녀를 품는 것은 상대의 손을 비틀기보다 쉬워 보였다. 주신의 저주? 이미 차고 질릴 정도로 누리고 있는 것 아닌가. 게다가 그녀는 성욕의 신이다. 비록 지금은 자신의 권능에 질색하며 권능을 쓰지 않으려고 하지만, 언젠가는 현실에 눈을 질끈 지르감고 순응하게 될지도 모른다. 이미 벌어질 일이라면, 내가 이렇게 참을 필요조차 없는 일 아닐까.

하지만 나는 두려웠다. 지금 그녀의 두 눈 가득 차오른 신뢰와 호의, 애정이 정반대의 것으로 뒤바뀌는 것은 생각만 해도 소름 끼쳤다.

게다가 그녀가 타인과의 접촉을 거부하는 이상, 나는 지금 그녀에게 유일하게 닿을 수 있는 사람이었다. 유일한 존재. 그것은 무척 달콤한 울림이었다. 이 정도 욕망이야 참을 수 있을 정도로. 치솟는 욕심을, 사내로서의 본능을 억눌러야 한다. 그래야 그녀에게 있어 유일한 존재로 남을 수 있었다.

상념에 빠진 동안 너무 그녀를 집요하게 바라보고 있었다. 그 사실을 뒤늦게 깨달은 나는 헛기침을 하며 그녀에게서 시선을 돌렸다. 그녀는 잠자리에 있어서 유난히 집착적으로 들러붙었다. 아마 자주 꾸는 악몽과도 관련이 있을지도 모른다. 무슨 꿈을 꾸는지 몰라도 종종 잠꼬대를 심하게 하며 땀을 삘삘 흘리곤 했으니까. 밝게 웃으며 활기차 보이는 평소의 그녀를 생각하면 전혀 상상도 할 수 없던 모습이었다.

그런 이면을 보고 있자면 그녀가 마냥 편하게 살아온 것만은 아니라는 것이 짐작되었다.

그런 그녀가 안타깝지 않다면 거짓말이다. 하지만 오늘만큼은 제발 날 순순히 보내주었으면 좋겠다. 그녀가 붙잡으면, 결국 나는 그녀에게, 아니, 내 욕심에 져버리고 마니까.

날 붙잡을 거라는 예상과 달리, 그녀는 돈은 필요 없느냐며 엉뚱한 말을 했다. 돈? 웬 돈? 그녀가 무슨 생각을 하는지 짐작도 가지 않았던 나는 눈살을 찌푸리며 되물었다.

"너 내가 어딜 가는 줄 알아서 돈을 준다 만다 하는 거야?"

그녀는 말을 우물쭈물 삼키며 무릎 위에 놓인 이불을 그러모아 쥐었다 풀기를 반복했다. 침묵하던 그녀는 이내 침대에 누우며 애써 밝은 목소리를 꾸며내었다.

"그럼 나 먼저 잘게. 잘 다녀와. 다녀와선 꼭 여기서 자는 거 잊지 말고."

쟤 아무리 봐도, 무언가 착각을 해도 단단히 하고 있는 모양인데. 말하는 미묘한 어조가……. 잠깐, 설마. 내가 지금 홍등가에 가는 걸로 착각한 거야?

기가 차다 못해 헛웃음이 났다. 아니, 엉뚱한 쪽으로 알고 있지 말라고. 남자가 여자를 끌어안고 자는 관계에 대해서는 아무것도 모르는 척 아무렇지도 않게 넘기면서, 홍등가라는 상상을 하는 게 말이 돼? 홍등가에 대해 알고 있다는 게 더 놀랍다.

내 미간 사이 주름이 더 깊어졌다.

지금껏 이야기를 종합하건대, 얘는 정말 자기가 어떤 시선으로 보이는지 하나도 모르고 있었다. 그냥 권능이 통하지 않으면 상대에게 자신은 전혀 매력적이지 않을 거라 생각하는 모양이었다. 아니, 나에게 권능이 통하지 않는 거지 내가 고자가 되는 건 아니잖아. 당혹스러울 정도로 허술한 이 빈틈이 걱정스럽기까지 했다.

게다가 내가 홍등가에 갈 거라고 착각했으면서, 도대체 왜 돈을 주겠다고 한 건지 이해할 수가 없었다. 정말 저 자그마한 머리통에 무슨 생각이 들어 있는지 나로서는 전혀 짐작도 가지 않았다. 어처구니가 없다 못해 배신감마저 들었다. 얘는 참, 신기한 방법으로 상대의 뒤통수를 치는 재주가 있었다.

정말, 얘는 나를 남자로 보긴 한 건가? 아니지. 그럴 리 없지. 그랬으면 이렇게 굴진 않았겠지. 카마는 나를 그냥 체온을 나눠주는, 강아지 같은 존재로 착각한 게 분명했다.

진짜 위험한 게 뭔지도 모르고. 카마는 멀리서 으르렁대는 늑대들을 위험하다 생각하는 모양인데, 양의 탈을 쓴 채 바로 곁에서 입맛을 다시고 있는 늑대가 제일 위험한 법이다. 카마는 아무것도 모르는 채 양의 탈을 쓴 늑대에게 뺨을 비비고 있는 판국이었다. 그걸 좀 깨달았으면 좋겠는데.

카마라더니, 사내 심정은 반 푼만 아는 반 푼어치다.

침대에 누워 이불 밖으로 고개만 빠끔히 내놓은 채 천연덕스레 절 바라보는 모습이 유난히 얄밉고 요망스러워 보였다. 나는 카마를 노려보며 외쳤다.

"검술 연습할 거다, 검술 연습! 누구 때문에 예니체리랑 맞붙을지도 모르지, 밤에는 잠 못 자게 치덕치덕 들러붙지! 차라리 잠 못 자는 그 시간에 칼 좀 가다듬는 게 낫겠다 싶어서 그러는구먼, 뭐? 누가 카마 아니랄까 봐, 그런 식으로밖에 생각이 안 돌아가지? 불순하게!"

정확히 말하자면 불순한 것은 나였지만, 지레 찔린 마음에 더욱 목소리를 높였다. 카마는 눈을 휘둥그레 뜬 채 나를 바라보았다. 그제야 나는 내가 너무 예민하게 반응했다는 걸 깨달았다. 아차 싶었던 나는 속으로 혀를 차고는, 쿵, 문을 거세게 닫고는 황급히 방을 나섰다. 얼마나 문을 세게 닫았는지, 벽이 찌르르 울렸다.

"여관에 전세 냈냐! 어디서 문을 쾅쾅 닫고 그래!"

굵직한 낯선 사내의 외침이 뒤에서 들렸다. 내가 크게 닫은 문에 어지간히도 심기가 불편했는지, 방에서 냉큼 뛰쳐나온 모양이었다. 하지만 그런 작자의 불편한 사정 따위, 지금의 나에게는 신경 쓸 여유가 없었다. 나는 그의 외침을 한 귀로 듣고 한 귀로 흘린 채 성큼성큼 복도를 걸어갔다.

"어이, 너⋯⋯!"

사내가 성큼 다가와 내 어깨를 잡아 돌려세웠다. 힘을 주어 버틸 수도 있었지만, 난 일부러 그러지 않았다. 그와 내 시선이 마주친 순간, 사내의 얼굴에 차오른 분노가 순식간에 경멸로 뒤덮였다.

"젠장, 저주받은 자였나! 재수 없는 걸 만져버렸군……!"

사내는 퍼드덕 내 어깨를 짚고 있던 손을 털며 나에게서 물러섰다. 그는 시종일관 욕설을 내뱉으며, 얽히기도 싫다는 듯 나에게서 멀어졌다.

나는 하, 낮게 기가 찬 웃음을 뱉었다. 이 꼴을 카마가 봤어야 했는데. 누구든 저와 닿기를 꺼리는데, 이런 내가 무슨 홍등가란 말인가. 나를 피하지 않는 사람은 오로지, 카마뿐이다.

답답한 심정은 속으로 억누른 채 여관 뒤 공터에서 칼을 휘둘렀다. 제대로 배운 적도 없다 보니, 예니체리의 날렵하고 절도 있는 검술에 비하면 투박하고 거칠기 짝이 없는 검술이다. 그래도 실력이 나쁘지는 않은지 아니면 악운이 좋은 건지, 몇 번이고 위험한 고비 속에서 살아남아 왔다.

하지만 과연 이 정도 실력으로, 나는 얼마나 카마의 곁에 붙어 있을 수 있을까. 술탄이 직접 사람을 풀어낸 만큼, 호락호락한 일은 아닐 것이다. 어쩌면 카마를 따라다니다가 죽을 수도.

나는 손에 쥔 검 자루를 물끄러미 내려다보았다. 예전에는 검술에 위로받은 적도 있었다.

검은 나를 배신하지 않았으니까. 세상 사람 모두가 나를 배척하는 와중에도, 검만큼은 공평했다.

그리고 이제는 내가 아니면 안 되는 존재가 나타났다. 공평한 것뿐만이 아니라, 나여야만 하는 존재. 그런 존재를 쉽게 손에서 놓을 수 있을 리가. 나는 눈을 질끈 감았다.

그렇게 한참을 검을 휘둘렀을까, 새벽녘, 동 트기 직전이 되어서야 나는 방으로 들어섰다.

카마는 몸을 잔뜩 웅크린 채 공벌레처럼 자고 있었다. 카마를 벌레에 비유하는 게 좀 그렇긴 했지만, 그 모습이 아주 딱 어울리는 비유였다. 나는 슬쩍, 카마의 등에 등을 기댄 채 침대에 앉았다. 눈을 붙이자니 애매한 시간이었다.

"왔어……?"

카마는 잠에 취한 채 웅얼거렸다. 나는 답하지 않은 채 가만히 그녀를 바라보았다. 이내 카마는 퓨우우, 작게 숨 쉬는 소리를 내며 다시 잠으로 빠져들었다. 감긴 눈꺼풀은 요지부동이요, 숨은 색색이듯 고왔다. 완전히 긴장을 푼 듯 무방비한 모습에 나는 한숨을 내쉬었다. 답답했는지 목 부분의 매듭을 풀고 있었는데, 그 때문에 그녀의 흰 목덜미 안쪽 쇄골까지 훤히 보였다.

참 나. 여자고 남자고를 떠나서, 태어나서 이렇게까지 경계심이 부족한 사람은 처음 보았다.

나는 이불을 카마의 목 끝까지 덮어준 채, 이불 위로 그녀를 토닥였다. 다행히 오늘은 악몽을 꾸지 않는 모양이었다. 그녀의 등을 일정하게 두드리던 손바닥이, 이내 그녀의 어깨선을 타고 팔뚝을 쓸어내리듯 스쳐 지나갔다.

이불 밑으로 느껴지는 것만으로도 그녀의 몸이 얼마나 가늘고 연약한지 짐작이 되었다.

그냥 그녀의 곁에 누워. 그녀도 네가 눕기를 바라서 이렇게 자리를 비워둔 게 분명해.

과욕이다. 네 분수를 알아. 그녀의 곁에 누워서, 그녀를 끌어안지 않을 자신이 있어?

마음속의 내 욕망이 치열하게 싸웠다. 나는 깊은 한숨을 내쉬었다. 몇 시간 동안 칼을 휘두른 덕에 시간은 금방 지나갔지만, 딱히 마음속 욕망을 억누르는 데에는 효과가 없었다. 나는 치솟는 욕망을 애써 꾹꾹 억눌렀다. 너무 성급하게 굴지 마. 삼킬 자신이 없는 것은, 입에 대는 것도 아니야.

그녀의 존재는 과연 나에게 있어 독일까, 아니면 약일까.

삼키고 난 뒤의 진실이, 미래가 두려웠던 나는 차마 그녀의 존재를 혀끝에 올릴 엄두조차 내지 못했다. 그저 옆에서, 그녀의 향기만을 맡으며 그녀의 정체를 샅샅이 살필 뿐이었다.

지나치게 소극적인 겁쟁이 같은 태도였지만 나로서는 어찌할 바가 없다.

본디 가진 게 없는 자가 무모하다고는 하지만 그렇게 무일푼으로 살아온 일생 중 유일하게, 단 한 번 내려온 기회가 있다면 신중해지는 것도 당연하니까.

어둠 속에서 나는 그녀를 물끄러미 바라보았다. 그녀를 보고 있으면 붉게 물든 것 같은 세상도 환하게 빛이 났으며, 나도 마치 평범한 사람처럼 살 수 있을 거란 희망이 들었다.

그러니까, 이왕 삼킬 것이라면. 입에서 뱉을 일조차 없도록 완벽하게, 한입에 꿀꺽 집어삼켜 그대로 소화까지 시켜버려야지. 배를 갈라도 어찌할 수 없도록. 그것이 독이라면 순식간에 고통 없이 죽을 수 있게, 혹은 그것이 약이라면 이 비틀릴 대로 비틀린 삶에 단 하나뿐인 희망이 될 수 있게.

어차피 인드라까지 여유가 있다. 나는 지긋이 그녀를 내려다보며, 작게 미소 지었다.

다음 권에서 이어집니다.